Pelos Caminhos
do Espiritismo

Eliseu Rigonatti

Pelos Caminhos do Espiritismo

Crônicas e Memórias de um
Praticante da Doutrina Espírita

– Mais de 50 Anos de Estudos sobre Reencarnação e Contatos com Espíritos –

Editora
Pensamento
SÃO PAULO

Copyright © 2019 Eliseu Rigonatti.
Originalmente publicado com os títulos: O *Evangelho das Recordações* e *Vidas de Outrora*.
Texto de acordo com as novas regras ortográficas da língua portuguesa.
1ª edição 2019.
Todos os direitos reservados. Nenhuma parte deste livro pode ser reproduzida ou usada de qualquer forma ou por qualquer meio, eletrônico ou mecânico, inclusive fotocópias, gravações ou sistema de armazenamento em banco de dados, sem permissão por escrito, exceto nos casos de trechos curtos citados em resenhas críticas ou artigos de revista.
A Editora Pensamento não se responsabiliza por eventuais mudanças ocorridas nos endereços convencionais ou eletrônicos citados neste livro.

Editor: Adilson Silva Ramachandra
Editora de texto: Denise de Carvalho Rocha
Gerente editorial: Roseli de S. Ferraz
Edição de texto e revisão técnica: Adilson Silva Ramachandra
Produção editorial: Indiara Faria Kayo
Auxiliar de produção editorial: Daniel Lima
Editoração eletrônica: Mauricio Pareja Silva
Revisão: Vivian Miwa Matsushita

Dados Internacionais de Catalogação na Publicação (CIP)
(Câmara Brasileira do Livro, SP, Brasil)

Rigonatti, Eliseu
 Pelos caminhos do espiritismo : crônicas e memórias de um praticante da doutrina espírita / Eliseu Rigonatti. — São Paulo : Pensamento, 2019.

 ISBN 978-85-315-2051-8
 1. Espiritismo — Doutrina 2. Espiritismo — Filosofia 3. Jesus Cristo — Interpretações espíritas I. Título.

18-23077   CDD-133.91

Índices para catálogo sistemático:
1. Mediunidade : Doutrina espírita : Espiritismo 133.91
Iolanda Rodrigues Biode — Bibliotecária — CRB-8/10014

Direitos reservados
EDITORA PENSAMENTO-CULTRIX LTDA.
Rua Dr. Mário Vicente, 368 – 04270-000 – São Paulo – SP
Fone: (11) 2066-9000 – Fax: (11) 2066-9008
http://www.editorapensamento.com.br
E-mail: atendimento@editorapensamento.com.br
Foi feito o depósito legal.

Ofereço, dedico e consagro este livro a
Vasco Rigonatti, meu pai, Bráulio Gomes, médico humanitário,
José Cavalcante de Oliveira e a Corina Antunes Garagarza,
Sob as vibrações de Harmonia, Amor, Verdade e Justiça, entrego este livro ao Povo Brasileiro.

O autor

SUMÁRIO

Apresentação	11
Introdução	13
PARTE I	
Pedido de Mãe	19
Um Caso de Obsessão	22
Perdoa Já	24
O Semeador	26
A Dúvida se Foi Através de Sonho	28
O Caso da Água	30
Causas e Efeitos	33
Auxiliares Invisíveis	35
Farmacopeia Espiritual	37
O Passe	39
O "Mensageiro da Paz"	41
Tentações	47
Um Pedido Mental	49
Mediunidade	50
Como me Livrei do Tabagismo	53
Influências Estranhas	55
Pregações	56
Um Caso de Efeitos Físicos	57
Meus Colaboradores	59
O Hospital Dr. Adolfo Bezerra de Menezes	61
E o Socorro Chegou	64
Espíritos Viciados se Tornam Obsessores	66
O Companheiro	68
Um Caso de Ódio Antigo	70
Visitas de Espíritos Encarnados entre os Vivos	72

Um Presente	74
A Doutrinação dos Vivos	77
Coisas que não nos Convêm	78
Sobre a Questão do Aborto e o Espiritismo	80
Como Ganhei um Amigo Espiritual	84
Olho por Olho	86
Um Caso Espiritual de Licantropia	88
Assombração e Casas Assombradas por Espíritos Existem	90
Reforma Íntima Espiritual	93
Sobre o Karma	95
Seria Possível Provar para uma Pessoa Materialista que a Mediunidade Existe?...	102
Sobre Casos de Psicometria	105
Crônicas sobre os Suicidas e o que Sucede a Eles após o Desencarne	107
Como Funciona o Socorro aos Suicidas	115
Como Vive um Suicida no Além	118
O Trabalho Espiritual para Ajudar os Suicidas	122
Sobre a Cremação e os Suicidas	125
Transfigurações e Mediunidade	128
O Preço do Fanatismo	133
Sobre o Homossexualismo na Doutrina Espírita: Exame e Depoimentos de Desencarnados	139
O Homossexualismo	142
O Desdobramento do Espírito Durante o Sono	148
Sobre as Diversas Formas de Obsessão	151
Casos de Obsessão e Psiquiatria: um Depoimento	157
Auto-obsessão: um Depoimento	161
Os Fluidos Espirituais	165
Um Exemplo de Poder Mental: um Depoimento	169
Sobre o Fenômeno da Voz Direta	174

PARTE II

Relatos sobre algumas das minhas Encarnações Anteriores	185
A Caravana	185
Como Aconteceu o meu Desencarne	186
Enlouquecido pela Vingança	186

A Vida na Universidade	187
A Família Sangraux	188
O Professor	189
O Casamento	189
As Falésias	190
A Escola	190
Deixo a Universidade	191
Minha Filha	191
O Desfecho e o meu Fracasso nesta Vida	192
A Prisão	192
Minha Saída da Prisão	193
A Porta Estreita	194
Reencarnei como Escravo	195
O Barracão	196
Valongo, o Mercado de Escravos	197
A Senzala	198
O Trabalho na Plantação de Café	199
O que os Escravos Comiam?	199
Como Eram as nossas Roupas	199
Nossa Relação com a Religião dos Senhores	200
Como Eram os nossos Castigos	200
Uma Vida Nova	201
O Sexo e a Escravidão	202
O Encontro com o Curandeiro	203
O Castigo	205
Um Estranho Acidente	209
A Falange dos Rastejadores	204
Transformações	208
De Novo a Porta Estreita	209
Uma Dívida de Gratidão	210
Novos Rumos	212
O Desastre	212
Retorno à Superfície da Terra em mais uma Encarnação	213
Meu Primeiro Encontro com o Espiritismo	215

Meu Segundo Contato com o Espiritismo 217
O Círculo Esotérico da Comunhão do Pensamento 218
O Início da minha Vida Ativa no Espiritismo... 220
Como me Tornei um Autor de Livros Espíritas.. 221
Meus Editores 223
Meu Encontro com Jacqueline 225
O Encontro com Jacques e os Preparativos para Socorrê-lo 227
O Encontro com *Mère* Balbine 229
A Reconciliação 231

PARTE III
Como um Livro Redimiu uma Ex-Baronesa de sua Vida de Soberba 237
Como um Trabalho de Caridade Curou uma Doença Kármica 243
Uma Fraude Espírita... 246
O Último Ceitil 253
A Brasa da Maldição 261
O Diamante Roubado 265
O Estupro: Vingança e Redenção 268
Uma Visita Espiritual a Serra Pelada... 272
A Escravidão, os Senhores e as Dívidas Kármicas... 275
O Espírito Amoroso de Nhá Zita 281
Natasha Alexandrovna: Relato de um Espírito que Sofreu de Auto-Obsessão 285
Vidas Sucessivas Destruídas pela Vaidade 287
Klaus, o Cracoviano e sua Irmã que Optou por Viver nas Trevas do Espírito..... 290
A Freira: Relato de um Espírito Sofredor e sua Redenção no Espiritismo 299
Um Espírito Decaído 304
Mediunidade e Humanidade.. 309

Adendos
O Racismo no Espiritismo 315
Sobre Responsabilidade de um Diretor de Centro Espírita 318
Palavras Finais... 320

Apresentação

FOI COM IMENSO PRAZER que, numa das manhãs de domingo, ao acabarmos de corrigir mais um capítulo deste livro, meu estimado amigo, irmão e quase pai, Eliseu Rigonatti, pediu-me que fizesse a apresentação desta obra. A princípio relutei, pois não tenho queda para a literatura; mas, ajudado por meu mentor espiritual e amigo de longas etapas, irmão Bráulio, aceitei fazê-lo. Os leitores me perdoem o estilo e parecer, mas são palavras do fundo do coração.

Conheci este grande amigo e irmão Eliseu ainda em minha infância, e sempre o admirei na sua simplicidade, na sua maneira de ser: enérgico, porém honesto; meigo, porém decisivo em seus atos. Com o passar do tempo, a amizade se afirmou, e nele pude encontrar um verdadeiro baluarte para exemplo nos meus dias desta existência atual.

Os anos passaram-se de forma breve, tantas obras foram edificadas, sempre em nome de Kardec, e hoje chegamos á conclusão desta obra, um livro que vem nos mostrar os cinquenta anos de experiência do meu querido amigo e mentor, suas histórias e memórias de tudo o que ele aprendeu dentro da Doutrina Espírita, sobre si mesmo e também a respeito das trajetórias daqueles que cruzaram seu caminho, fossem irmãos encarnados ou desencarnados. O irmão Eliseu apresenta também, por meio de sua escrita simples e direta, como quem conta causos, as leis de causa e efeito, os reflexos das ações ruins no passado, e o porquê dos problemas do ser, do destino e da dor, como o título do livro de Léon Denis. Vamos encontrar o Espírito desencarnado de Carolina Maria de Jesus, tão amiga e amorosa criatura, que tem nos ajudado, dando o seu depoimento da época de São Paulo da nobreza; o desenrolar de Alzira em suas encarnações de ação e reação na dor, lágrimas e sofrimentos, e hoje alegrias do novo trabalho nesta atual existência no campo da mediunidade; vamos aprender o que é ser médium no depoimento de um ser decaído na Doutrina. Enfim, neste belo livro, caros leitores, encontrarão o verdadeiro exemplo de boas ações, para que no amanhã tenham a colheita do conforto e da paz.

Agradeço ao Pai Altíssimo por ter colocado o velho amigo e irmão Eliseu nos campos do Espiritismo; e que Deus o ampare na sua luta em Harmonia, Amor, Verdade e Justiça.

Osmir Fernandes

Introdução

AS PÁGINAS QUE VOCÊS lerão aqui, meus caros leitores, são o resultado de cinco décadas de trabalho, de estudo, de observações, e da análise de fatos que se passaram neste espaço de tempo, tão longo para os que o veem do princípio, mas curtíssimo para mim que o vejo em sua totalidade. Constitui uma experiência que se desenrola por todo um período muito importante na minha vida. É também um legado que deixo às gerações mais jovens, às gerações que construirão o mundo do século XXI, ou melhor, que já começam a assentar as bases do mundo do amanhã.

A vida guarda segredos, guarda tesouros que só o Tempo revelará aos jovens. Esses segredos, esses tesouros, a maturidade já os possui: segredo de sabedoria, tesouros de clarividência e joias de prudência.

O que seria da nova geração sem o amparo da geração anterior? E uma geração tem por obrigação deixar seu legado para a seguinte: a sabedoria de sua vivência e o compartilhar de suas experiências. Entregando este livro aos mais jovens, cumpro o meu dever.

Pelos caminhos do Espiritismo, que sempre trilhei, vi tanta coisa que me pressionava à necessidade de relatar minhas histórias em um livro de memórias, mas que, ao mesmo tempo, eu pudesse, por meio dessas histórias, inspirar outras pessoas. Uma delas eu posso contar aqui, pois foi a partir dela que este livro teve sua origem. Foi quando numa sessão do grupo "Mensageiros da Paz", minha mana Wandinha, que vocês conhecerão ao folhear estas páginas, se comunicou conosco e me disse:

— Escreve, Eliseu, escreve um livro que retrate tua experiência de espírita, teus trabalhos espirituais, tuas lutas, teus anseios de vencer. Um livro que sirva de incentivo para aqueles que das trevas materiais querem atingir a Luz da Espiritualidade Superior; mostra-lhes que a estrada não é fácil, que exige muita tenacidade, muito desprendimento, muito dar de si mesmo, muita perseverança, muita dedicação, muito amor à Doutrina. Não deixes que as lições que viveste se percam no esquecimento; passa-as adiante, aos viajores que vêm depois de ti. Nós, daqui, te auxiliaremos, te inspiraremos, te ajudaremos a recordar. Vamos! Ao trabalho!

De fato, as recordações vieram como um turbilhão na minha mente, brotaram em meu cérebro, e sucediam-se umas às outras. E nos domingos de manhã, em casa de O. F., ajudado por ele, enquanto dona Maria, sua mãe, nos servia um lanche, coordenávamos o que eu tinha escrito durante a semana. Topamos com barreiras, com grandes dificuldades suscitadas pelos inimigos da Luz; nossas armas contra eles foram a paciência e a prece; nenhuma outra. E o livro surgiu vitorioso.

A segunda parte deste livro custou-me lágrimas amargas, amaríssimas de arrependimento; foi uma experiência dolorosa, não a desejo a ninguém.

Por ordem do irmão L., o qual cito nesta parte, minha mente mergulhou no passado, e de lá trouxe a lembrança de minhas três últimas encarnações, ou seja, trezentos e cinquenta anos de minha vida. Foi uma experiência dolorosa, porém gratificante, que me ajudou a perceber que eu já havia superado tantas coisas, mas deixo que o leitor julgue por si mesmo.

Irmão L., aproveitando a facilidade que tenho de me recordar, quis dar-me um exemplo de como as vidas se sucedem, se alternam nos dois planos: o terreno e o espiritual; de como a família espiritual, à qual pertencemos, evolui na sequência das reencarnações, defrontando seus membros nas mais variadas posições e roupagens terrenas; somos sempre os mesmos atores, mudam-se apenas os papéis e os cenários; e o papel que vivemos em cada encarnação é decorrente das ações, boas ou más, que tivermos cometido em nossas encarnações anteriores.

Os depoimentos que se irão ler na terceira parte desta obra são o resultado de pacientes pesquisas, autorizadas e auxiliadas pelos personagens que neles figuram. Dentre os que escolhemos para figurar neste volume, estes servirão de paradigma com o intuito de julgarmos as barreiras com as quais nos deparamos em nossa existência atual, a fim de não mais as construirmos, ou de não as reconstruirmos nas reencarnações futuras; que elas não se projetem mais nem no plano espiritual, nem no plano material, que se alternam em nossa vida infinita.

Tenhamos muito bem em nossa mente, de que nosso viver, alternado entre o plano dos Espíritos e o mundo físico, é o resultado de nossos atos de vidas de outrora, porque a Justiça Divina dá a cada um segundo as suas obras.

Quero agradecer aos meus amigos desencarnados que me assistiram com suas inspirações e conselhos; e aos meus amigos encarnados que cooperaram comigo neste meio século de trabalhos espirituais. Um agradecimento todo especial ao meu amigo O. F., que me proibiu que citasse seu nome – pelo carinho que me dispensou, pela fé que me incutiu, pelo seu entusiasmo que muito me amparou.

Boa leitura.

O autor

PARTE I

Pedido de Mãe

> Pedi e vos será dado; buscai e achareis; batei e vos será aberto; pois todo o que pede, recebe; o que acha e ao que bate se lhe abrirá.
>
> *Mateus, 7:7-8*

ERA UMA SENHORA PEQUENINA, franzina, morena, olhos muito pretos num rosto miúdo, cabelos crespos, bem penteados. Trajava-se modestamente, sempre de claro, e pendia-lhe do pescoço uma correntinha de ouro, com um coraçãozinho do mesmo metal, no qual se engastava um rubi, de um vermelho vivo, brilhante.

Comparecia ao Centro às sextas-feiras; e sentava-se invariavelmente na última cadeira da terceira fila.

Nunca pedira nada. Ao entrar, cumprimentava-me com um "Louvado seja o Senhor", ao que eu correspondia, ligeiramente emocionado, com um "Para sempre louvado seja". Foi a única que assim me cumprimentou durante minha vida de espírita.

E, sentada em seu lugar, embebia-se em preces. Ouvia atentamente a leitura do Evangelho, e as palavras do preletor da noite. Ao terminar a reunião, despedia-se de todos com um "boa noite" e um sorriso.

Numa sexta-feira, acercou-se da mesa e disse-me:

— Posso falar com o senhor?

— Como não?! Sente-se aqui ao meu lado, estou às suas ordens.

Seus belos olhos diziam da ansiedade que lhe ia na alma.

— Sabe, sr. Eliseu! O meu filho está no Exército. O batalhão dele parte amanhã para a guerra! Ele vai junto...

Um soluço sacudiu-a; do negror de seus olhos brotaram lágrimas. Senti uma dor funda em meu peito.

Que poderia eu fazer? Nossos diretores espirituais poderiam fazer algo?

Estávamos em plena conflagração; país atrás de país precipitava-se na fogueira. Os exércitos de Hitler, como um potente rolo compressor de força irreprimível, esmagavam impiedosamente lares, cidades, nações, reduzindo-as a destroços, a caos, a cinzas.

O Brasil não escapara na missão de se juntar aos Aliados no esforço contra a Alemanha Nazista.

Nessa manhã, estivera na oficina gráfica onde eu trabalhava um oficial de nosso exército com vários subordinados. Promoveram um levantamento completo do pessoal. Éramos cento e oitenta empregados; desses ficariam os mais idosos e os absolutamente imprescindíveis para a indústria não parar; alistaram os restantes, que deveriam aguardar a chamada, que viria a qualquer momento. Junto aos conscritos estava eu. Portanto, entre mim e o filho dela parecia-me que a diferença era pequena: apenas questão de dias.

Inutilmente procurei em meu íntimo um quê qualquer para confortá-la; nada encontrei.

— Minha irmã — murmurei por fim —, a misericórdia do Altíssimo é sem limites; vá sentar-se, só o Pai nos pode valer em tais ocasiões; faça suas orações e espere confiante. Todos oraremos.

E na sexta-feira seguinte ela voltou, acompanhada de um rapaz alto, forte, simpático. Os olhos dela irradiavam felicidade. Depois de cumprimentar-nos — ao meu lado estava minha sogra, dona Corina, diretora de nossos trabalhos —, apresentou-nos o rapaz, seu filho, o qual vinha agradecer de público a graça recebida, sua dispensa. No momento oportuno tomou a palavra e contou-nos:

— O batalhão saiu do quartel e marchou rumo à Estação da Luz, onde embarcaríamos para Santos, e de lá, em navio para a Europa. Na plataforma da Estação, entramos em forma para revista. Ao defrontar-se comigo, o comandante entreparou e ordenou-me: "Você não embarca, volte para o quartel". E dispensaram-me. E aqui estou para agradecer a Deus, à minha mãe e a vocês todos as preces que fizeram por mim.

Ao terminar a sessão, de braço dado com o filho, a senhora despediu-se com o costumeiro sorriso.

Quem há de resistir ao pedido de uma mãe!

Nessa mesma reunião, tivemos uma instrutiva manifestação psicofônica de nosso diretor espiritual, José Cavalcante de Oliveira, sobre o conflito intenso que se desenrolava na Europa; entre outras coisas, recomendou-nos que não tomássemos partido por nenhum dos combatentes; orássemos por todos eles, sem distinção; víssemos em qualquer um deles irmãos nossos que sofriam duras provas e, por conseguinte, merecedores de nosso auxílio silencioso: a prece.

Decorreram trinta e oito anos. Jamais atinei com o que se passara. Qual o mecanismo que os Poderes Superiores acionaram a fim de que o moço fosse liberado tão sumariamente?

Revendo essas recordações em companhia de meu amigo, o médium O. F., manifestou-se um Espírito de voz feminina, delicada:

— Sr. Eliseu, o senhor sabe quem está aqui?

— Não faço a menor ideia...

— É a Maria Aparecida, a mãe do Carlos, o meu filho que não foi para a guerra! O senhor me vê?

— Sim, sim, percebo-a. E como você está bonita, Maria! Você desencarnou? E o Carlos?

— Desencarnei há muito tempo, e sou feliz. O Carlos ainda está encarnado, constituiu família; estou bem contente com ele. Vim dizer-lhe como o caso aconteceu. O dr. Cavalcante, quando passei para cá, me explicou. Foi assim: o dr. Cavalcante recebeu instruções superiores para atender ao meu pedido. E, observando, notou que o comandante do batalhão era médium inconsciente; ao deparar com meu filho, o dr. Cavalcante tomou-o e transmitiu a ordem que o senhor já sabe. Vê como foi simples?

— Simplíssimo, Maria! Mas quem pensaria nisso? Mediunidade, mediunidade, consciente ou inconsciente, quantos milagres a humanidade te deve!

— É verdade. Já agradeci ao dr. Cavalcante. Estou ansiosa por encontrar aquele comandante benemérito, quero beijar-lhe as mãos, agradecer-lhe de viva voz o que fez por mim e por meu filho.

E com aquele seu antigo sorriso, muito meu conhecido, despediu-se.

Um Caso de Obsessão

> Profundamente impressionados, manifestavam a sua admiração:
> Não são, porventura, galileus todos estes que falam?
> Como então todos nós os ouvimos falar, cada um em nossa própria língua materna?
> *Atos dos Apóstolos, 2:7-8*

NÃO ME LEMBRO COMO VIERA PARAR EM NOSSO CENTRO. Era japonês e dera o nome de Seiko, beirava os quarenta anos, falava muito mal o português, pobremente vestido, cabelos grossos, duros, pretos; barba por fazer, bigode espesso, olhos amendoados, face amarela.

Dona Corina atendeu-o posto que não lhe entendesse a algaravia em que se expressava. E como era uma excelente médium psicógrafa, resolveu tirar uma orientação para o caso; ei-la: "Obsessão por velhos inimigos desencarnados, que não lhe perdoam os crimes que cometeu contra eles em remota encarnação. Promovam trabalhos especiais de desobsessão para libertá-lo e encaminhar os irmãos que o assediam".

Tia Etelvina, irmã de dona Corina, doutrinadora experiente, compadeceu-se dele, tomou-o sob sua proteção, explicou-lhe tudo o que deveria fazer, especialmente não faltar ao Centro nos dias de reunião.

Não sei se Seiko a compreendia, ouvindo-a com um sorriso abobalhado. O certo é que jamais faltou. E, como chegasse sempre cedo, tomava uma xícara de café com leite e pão com manteiga, ou uma fatia de bolo, que tia Etelvina lhe preparava. Nosso Centro, o Centro Espírita "Mensageiros da Paz", situava-se à rua das Olarias, numa sala ao lado da cozinha, em casa de dona Corina.

E começamos a trabalhar em favor dele e de seus perseguidores. A princípio, nenhuma manifestação. Sentado entre dois médiuns experimentados nesse gênero de trabalhos, recebia apenas passes e água fluidificada; Espírito nenhum se apresentou, e assim aconteceu em diversas sessões; contudo, se mostrava mais alegre, mais equilibrado.

Eis que então, por dona Maria Antônia, a médium ao seu lado direito, manifestou-se um Espírito profundamente revoltado, e falando ininteligivelmente; não houve possibilidade de entendê-lo; sacudindo convulsivamente a médium, retirou-se.

— E agora? — perguntei a dona Corina.

— Ele voltará. Nossa corrente espiritual já o controla.

Retornou. Comunicou-se pela mesma médium, menos agitado, ainda que não lhe percebêssemos uma palavra sequer. Pedimos a Seiko que conversasse com ele. Seiko permaneceu mudo como uma pedra. O Espírito retirou-se irritadíssimo.

Terminada a reunião, tia Etelvina, com a qual Seiko melhor se afinava, perguntou-lhe:

— Mas, Seiko, você não sabe o que o Espírito falou?

— Non.

— Nada, nada?

— Non.

— Então não é Espírito japonês — aventei.

— Continuemos a tratá-lo, disse — disse dona Corina. — Tudo se há de esclarecer. Seiko já apresenta melhoras.

Com a sequência dos trabalhos, o Espírito já falava pausadamente, como a querer ser compreendido. E Seiko sentava-se invariavelmente entre dona Maria Antônia e dona Maria de Melo, ambas médiuns analfabetas.

Comentei o caso com meu irmão Arlindo, então estudante universitário, que me disse:

— Tenho um colega, filho de japoneses, que conhece bem esse idioma. Quem sabe ele não pode ajudar? O pai dele, parece-me, é professor dessa língua.

E meu irmão o trouxe ao Centro; expliquei-lhe do que se tratava: devia traduzir-me o que o Espírito me falava, e verter-lhe o que eu lhe falava. E assim foi.

O Espírito, notando-se compreendido, estampou no rosto da médium evidentes sinais de alegria. Leopoldo, era esse o nome do estudante, interessou-se vivamente pela conversa e, como todos nós, admirava-se de aquela mulher, modesta lavadeira analfabeta, estar transmitindo em japonês.

Súbito, Leopoldo exclamou:

— Agora sou eu quem não entende nada. Ele está falando um japonês desconhecido para mim. Pedi-lhe que repetisse devagar para eu anotar, e consultar meu pai. Trarei a solução na próxima reunião.

Foi quando Leopoldo nos esclareceu:

— Meu pai ficou boquiaberto com a mensagem. É um dialeto japonês extinto há séculos. Meu pai, com o auxílio de dicionários e gramáticas históricas, traduziu-o para a linguagem moderna.

Semanas depois, Seiko curou-se da obsessão. E, coisa estranha, quando o Espírito conscientizou-se de seu estado e apertou a mão de Seiko em sinal de perdão e amizade, passou a expressar-se em português pela mesma médium.

Perdoa Já

> Concilia-te depressa com o teu adversário,
> enquanto estás no caminho com ele [...]
> *Mateus, 5:25*

CHAMAVA-SE IOLANDA, jovem de dezoito anos, bem proporcionada; cabelos pretos compridos até os ombros; olhos negros a se destacarem num rosto alvo, faces ligeiramente rosadas.

Veio acompanhada de sua mãe, uma descendente de italianos, robusta, que aparentava uma certa idade, demonstrando ter sido criada na lavoura.

Achegaram-se à mesa, e a mãe deu início à sua história:

— Esta minha filha está muito esquisita; na fábrica onde trabalha, caiu três vezes por cima do tear sem saber como; os cabelos emaranharam-se nos fios da trama, deu trabalho para tirá-la e correu risco de vida. Ontem, em casa, começou a gritar e se enfiou debaixo do guarda-roupa, e para que saísse tivemos de erguer o móvel. Foge de casa nua, de madrugada. Temos de correr atrás dela, embrulhá-la num lençol para trazê-la de volta, além de outras coisas que ela apronta, e não nos dá sossego. Disseram-me que são Espíritos que fazem isso com ela. Moramos aqui perto e quero ver o que a senhora diz.

— Sentem-se — respondeu gentilmente dona Corina —, por enquanto ela tomará passes e água fluidificada. Depois veremos o que nosso diretor espiritual recomenda.

Ao todo, os trabalhos de desobsessão que foram realizados para essa moça duraram nada menos do que oito meses. Inúmeras vezes foi socorrida a horas mortas da noite, e, de dia, em momentos impróprios. Por fim recebemos a seguinte ordem de nosso superior espiritual:

— Escolham cinco médiuns e façam um trabalho, segunda-feira, em casa de Iolanda. Lá estaremos para ajudá-los.

Realizou-se a sessão.

Ao contrário do que esperávamos, comunicou-se um só Espírito, o qual se dirigiu à mãe de Iolanda mais ou menos nestes termos:

— Escute, Joana, você se lembra da Maria da Graça, da fazenda onde éramos colonos?

— Maria da Graça?! Se me lembro! — respondeu estremecendo.

— Pois é. Eu sou aquela Maria da Graça em quem você deu uma surra no cafezal, quando ia levar o almoço para o pai e os irmãos. Desencarnei depois que sua família deixou a fazenda. E aprontei tudo isso com sua filha para me vingar. Mas agora estou esclarecida. Não mais a aborrecerei. Trabalharei espiritualmente na roça, em benefício daqueles pobrezinhos que penam na enxada. Adeus.

E dona Joana contou-nos:

— Maria da Graça era uma mocinha da mesma idade que eu, ambas solteiras. Ela insultou-me, nem me lembro por quê. "Você há de me pagar", ameacei-a. Aproveitei quando levava almoço aos seus; esperei-a escondida num pé de café, e dei-lhe uma surra de porrete. Ninguém viu, ela calou a boca, guardou segredo e nunca mais falou comigo. Só hoje... depois de tantos anos!

O Semeador

> E falou-lhe de muitas coisas por parábolas, dizendo:
> Eis que o semeador saiu a semear.
> *Mateus, 13:3*

UMA INSTRUTORA ESPIRITUAL NOSSA, a irmã Úrsula, fez-nos uma preleção sobre a educação religiosa das crianças, especialmente educá-las dentro do Espiritismo.

O assunto interessou-me e entusiasmou-me muitíssimo. Nosso Centro não tinha ainda um Catecismo Espírita: urgia fundar um.

Conversei com dona Corina, expondo-lhe meu intento, aprovando vivamente meu plano.

E num luminoso domingo de sol, às nove horas da manhã, numa sala modesta da rua das Olarias, iniciaram-se as aulas de moral cristã, o Catecismo Espírita "Emmanuel".

Os frequentadores do Centro matricularam seus filhos, ao todo trinta e um alunos de ambos os sexos, número que cresceu paulatinamente, até desdobrar-se por várias classes, cada uma com seu professor.

Deparei-me então uma dificuldade: qual o livro seria adotado para as aulas? Fui à Livraria Allan Kardec, nessa época muito singela, dirigida pelo professor Eloy Lacerda. Pouca coisa havia além das obras básicas. O livro que eu ideava ainda não fora escrito. Tomei a empreitada de escrevê-lo. Deveria ser um livrinho simples, mas que desse ao aluno uma noção bem clara do Espiritismo e do Evangelho. Conhecimentos que o acompanhassem pela vida afora, e lhe constituíssem sólido alicerce para seus estudos futuros do Espiritismo. E que qualquer pessoa de boa vontade, ainda que de instrução primária, pudesse ministrar aulas com ele.

O ano tem cinquenta e duas semanas; seria uma lição por semana. Eu compunha a lição durante a semana e, no domingo, a dava aos meus catequizandos; aos que sabiam escrever, eu a ditava, para o que levavam um caderno e um lápis.

Nasceu assim o livrinho *52 Lições de Catecismo Espírita*.

Passaram-se muitos anos; talvez uns quarenta.

Um dia, fui à agência da Caixa Econômica e, enquanto esperava minha vez de ser atendido, uma senhora levantou-se de sua escrivaninha e veio a mim no balcão.

— O senhor por aqui, sr. Eliseu! Que alegria em revê-lo!

Não a reconheci, não sabia quem era. Notando meu embaraço, identificou-se:

— Eu fui sua aluna na primeira turma do Catecismo Espírita "Emmanuel", que o senhor abriu no "Mensageiros da Paz". O senhor era mocinho e eu era uma menina. Ainda guardo o caderno das lições que o senhor ditava para nós. Hoje são meus netos que vão ao Catecismo e estudam com o seu livrinho.

A Dúvida se Foi através de um Sonho

> Disse-lhe Jesus: Porque me viste, Tomé, creste; bem-aventurados os que não viram e creram.
> *João, 20:29*

Aconteceu que a dúvida, como um espinho afiado e sutil, encravou-se em minha mente; trabalhava por arrancá-lo e não conseguia.

Comparecia assiduamente ao Centro, participava dos trabalhos esforçando-me para ser o mais útil possível; mas retirava-me pensativo: "Será que tudo aquilo adiantava alguma coisa? Não estaria perdendo tempo? Aquelas horas que passava no Centro não seriam mais bem aproveitadas para aumentar meus ganhos ou para divertir-me, como faziam meus amigos"?

Essas e outras reflexões martelavam-me o cérebro constantemente; e sob o influxo delas quantas vezes hesitei em ir: "Fazer o quê? É tão pouco, um quase nada que faço lá". Pensamentos que me desassossegavam.

Aconteceu que, uma noite, ainda meio que em estado de vigília, semiliberto do corpo pelo sono, vi-me trilhando uma estrada intensamente prateada pelo luar; aos lados, uma relva repleta de florinhas silvestres estendia-se a perder de vista; árvores majestosas formavam grupos esparsos; um vento leve e tranquilo agitava o ar balsâmico.

E eu caminhava, caminhava, inebriado, sempre em frente, sorvendo aquele perfume com inalações profundas. Como me sentia feliz!

Logo deparei com um portão estilo renascença; um muro cercava uma área extensa: era um pomar, cujas frutas recendiam deliciosas. A estrada terminava ali.

Ao lado do portão, um senhor de aspecto venerável parecia guardar a entrada e, dando-me um cesto, fez o seguinte convite:

— Entre, pode entrar e colher quantas frutas quiser; pode encher o cesto.

Aceitei o convite. Os frutos eram os mesmos que temos aqui na terra, porém, muito, muito mais belos e perfumados. Escolhendo delicadamente os que mais me agradavam, enchi o cesto.

Ao sair, perguntei-lhe o preço.

— Duzentos réis.*

— Duzentos réis por tudo isso?! — exclamei admirado.

Olhando-me fixamente nos olhos, respondeu-me:

— Sim, duzentos réis. Pelos duzentos réis de serviço espiritual que vocês nos prestam lá embaixo, nós aqui lhes retribuímos com tudo isso e muito mais.

Acordei. Um cheiro de pomar persistia em minhas narinas.

Nunca mais duvidei.

---

* Valor equivalente a cerca de 24,60 reais nos dias atuais.

O Caso da Água

> A sogra de Simão Pedro estava de cama,
> com febre, e falaram a respeito dela a Jesus.
> *Marcos, 1:30*

Veio visitar-nos a Aparecida, uma moreninha da Mocidade Espírita. Encontrei-a à noite, ao lado de Cirene, minha mulher, que costurava na sala de jantar.

— Boa noite, sr. Eliseu. Passei a tarde com dona Cirene. Vim hoje para um assunto muito importante: a Mocidade vai em excursão a Pedro Leopoldo visitar o Chico Xavier. E me lembrei de correr os amigos para ver se querem uma receita do Chico. Já estou com mais de quarenta pedidos; faltam os de sua família.

E exibiu triunfante o maço.

— Obrigado, Cida. Não necessitamos. Todos estamos bem de saúde.

— Não faz mal, peçam assim mesmo. Sempre vem uma resposta — insistiu.

— As orientações mediúnicas não podem ser pedidas a esmo, Cida. Só devem ser solicitadas quando todos os recursos materiais se esgotarem; então, é justo recorrer aos amigos espirituais através de médiuns; é uma judiação sobrecarregá-los com seus pedidos ou caprichos. Não é sem razão que o Chico trabalha até alta madrugada, uma vez que cada um que lá vai faz uma coleta como você. Analise-as antes de ir, e leve para ele as absolutamente necessárias. É uma caridade que você pratica para com o médium — conclui.

Ela simplesmente sorriu contrariada; nada replicou e tornou-se vagamente apreensiva; recobrou seu jeito natural expansivo ao Cirene chamar-nos para o jantar.

Semanas transcorreram. E num chuvoso domingo de manhã, reapareceu bradando:

— O senhor não ficou com as mãos abanando! Trouxe-lhe uma lembrança do Chico.

E deu-me um vidrinho, desses de homeopatia, cheio de uma água agradavelmente perfumada.

— É o perfume da Scheila. Ela perfumou o meu litro d'água. Estou presenteando os meus amigos com um pouquinho a cada um; o seu é este.

Scheila é um Espírito feminino que, ao fluidificar a água, deixa-a perfumada.

Guardei o meu vidrinho avaramente na cristaleira, com recomendações especiais para ninguém tocá-lo.

Ao almoço, ela nos contou as peripécias do passeio; só levara três pedidos; os outros, jogara-os fora.

* * *

Preparávamo-nos para ir ao Centro; bateram à porta: era o sr. Hermínio, vizinho nosso, esforçado trabalhador do Espiritismo.

— Eliseu, você vai ao Centro?

— Estamos de saída.

— Por favor. Minha netinha está passando mal desde ontem; febre alta; o médico a visitou duas vezes hoje; acabo de telefonar-lhe; recomendou-me continuar com os medicamentos receitados; é o que faço. Porém, a febre não cede. A menina está largada no berço e quente como brasa. Peça a dona Corina que lhe tire uma orientação.

Prometi-lhe; na volta lhe entregaria.

Onze horas da noite. Já me tinha deitado, e lia à luz do abajur. Repetido e nervoso, o tilintar da campainha quebrou o silêncio. Pus a mão na cabeça:

— Esqueci-me da orientação do sr. Hermínio! Que fazer?

Sonolenta, Cirene respondeu-me:

— Vá com ele até a casa de mamãe; quem sabe ela ainda está de pé.

Saltei da cama. E ao vestir o roupão, uma ideia estalou-me no cérebro:

— A água fluidificada da Scheila!

Abri-lhe a porta, e falou-me entrando:

— A menina piorou, está gemendo baixinho; parece um sopro dolorido.

— Sossegue, vou preparar-lhe o remédio; Jesus a curará.

Pedi que se sentasse. E da cristaleira tomei o vidrinho; na cozinha lavei uma garrafa, a enchia com metade de água filtrada; pinguei nela dez gotas da água do vidrinho, ainda cheirosa levemente, agitei-a bem, e entreguei a ele recomendando:

— Despeje-lhe na boquinha uma colherinha das de café deste medicamento de quinze em quinze minutos e o Altíssimo fará o resto.

Passei maldormido o resto da noite. O sono ia e vinha sem se fixar. Já era início da madrugada adormeci, e despertei dia claro. O cuco na sala de jantar cantou seis horas.

Sem mesmo fazer a mínima higiene, corri à casa do vizinho. Dentro tudo era silêncio. Fiquei na dúvida: "Bato? Não bato?" E pensei: "Se ninguém está de pé, é que nada houve de anormal".

Ao sair para o trabalho, lá fui de novo. O próprio avô me recebeu:

— Venha ver a minha netinha, Eliseu. Depois de ter tomado a terceira colherinha, a febre baixou, deixou de gemer, e, na quinta, dormiu fresquinha que foi um gosto. Já não tem mais nada.

E na hora do almoço encontrei a criança passeando na calçada, nos braços do avô, que sorria embevecido.

Causas e Efeitos

> Mais tarde, Jesus o encontrou no templo e lhe disse:
> "Veja que já estás curado; não voltes a pecar, para que não te aconteça coisa pior".
> *João, 5:14*

E ACONTECEU QUE CHEGOU AO CENTRO uma senhora alta, corpulenta, trajada de escuro, que se dirigiu a dona Corina:

— A senhora é dona Corina?

— Sim, para servi-la.

— Obrigada. Não sou espírita, sou católica. Procurei o Centro em desespero de causa. Há doze anos tenho uma ferida na perna que não há meios de sarar. Já fiz de tudo, e estive nas mãos dos melhores médicos, até nas de um especialista em Roma; nada adiantou. A ferida não progride, mas não sara; é uma rodelinha sempre do mesmo tamanho; às vezes cicatriza para reabrir logo depois. Ao reabrir dói muito, e expele um mau cheiro horrível por muitos dias.

Então calou-se expectante.

— De nós próprios nada podemos, minha irmã. Oremos a Jesus, e nossos superiores nos orientarão.

Anotou-lhe o nome numa folha de papel e convidou-a a sentar-se.

Terminada a reunião e distribuídas as orientações, a dela dizia: "Receber passes no local da ferida durante 90 dias, uma vez por semana".

E durante três meses compareceu assiduamente, às sextas-feiras, e recebia o passe. Segundo nos falava, as exalações fétidas se espaçaram, e as dores diminuíram.

Na última semana, recebemos nova orientação: "No dia tal, façam uma reunião particular, com três médiuns, à qual esta irmã deverá comparecer".

No dia aprazado, formou-se a mesa mediúnica, e a senhora sentou-se entre dois médiuns. Comunicou-se apenas um Espírito, que se dirigiu a ela nestes termos:

— Minha irmã, quem alimentou a ferida em sua perna durante esses doze anos fui eu. A causa, muito remota, que me levou a atormentá-la não vem ao caso explicar-lhe, você não me compreenderia. Neste tempo que frequentei este núcleo, esclareci-me. O mau cheiro que emanava de sua ferida provinha de fluidos corrompidos que eu catava nos leprosários, nos necrotérios, nas carniças e noutros locais, e enxertava-os em sua perna. Minha vingança termina aqui. Adeus.

Quinze dias depois, mostrou-nos a perna perfeitamente sã; da pequena chaga aberta, só restava o sinal.

E nunca mais a vimos.

Auxiliares Invisíveis

> Porque também sou oficial subalterno, que tenho soldado às minhas ordens;
> e digo a um: Vá acolá, e ele vai; e a outro:
> Venha cá, e ele vem; e a meu servo: Faze isso, e ele o faz.
> *Lucas, 7:8*

PAPAI PASSARA MAL À NOITE; de manhã, mamãe, aflitíssima, instava que o levássemos urgente para o hospital. Fui vê-lo em seu quarto e tentou tranquilizar-me:

— É a velha hérnia. A Angelina sabe que não é nada. Com um pouco de repouso, estarei bem.

Papai fora operado da hérnia em sua mocidade, operação malsucedida; morávamos no sertão na década de 1920; poucos recursos. Mamãe teve de transferi-lo para São Paulo, onde permaneceu hospitalizado por três meses, entre a vida e a morte. Jamais ficou totalmente bom, volta e meia a hérnia o incomodava, e agora, na velhice, com mais frequência. Recusava médicos sistematicamente. Não concordava com sua hospitalização, queria uma orientação do Cavalcante.

E por meio de dona Corina, a orientação veio, finalizando: "... se não melhorar dentro de dez minutos, levem-no para o hospital imediatamente".

A operação durou três horas e meia; só nos retiramos depois de vê-lo acomodado em seu leito num quarto de dois ocupantes.

Conquanto sua recuperação se processasse normalmente, sofria demais com os gases intestinais que se desenvolviam assustadoramente e lhe retardavam a alta. Uma tarde, reclamou a presença de seu médico com urgência,

— São gases, sr. Vasco, e como aumentaram!

O médico chamou o enfermeiro e deu-lhe instruções precisas.

Era alta madrugada. O imenso edifício, cansado de ouvir tantos lamentos, mergulhara em quietude quase absoluta. E papai vê abrir-se a porta do quarto, e entrarem dois enfermeiros sorridentes, empurrando um aparelho sobre um carrinho de quatro rodas. Fizeram-lhe sinal de silêncio, e lhe aplicaram tubos com ventosas em diversas partes do ventre; e a máquina funcionou silenciosamente esvaziando-lhe os intestinos até da mais ínfima partícula de gás. Um delicioso alívio o invadiu. Os enfermeiros retiraram-lhe os tubos, cumprimentaram-no com um gesto e se foram puxando o carrinho. A porta fechou-se e papai caiu em sono profundo.

Logo cedo, o médico passou em sua visita matinal.

— Seu estado é excelente, sr. Vasco. E os gases? Não vejo nem sinal deles.

Papai lhe narrou o sucedido.

— Dois enfermeiros empurrando um aparelho sobre um carrinho de quatro rodas?! — estranhou o médico.

O companheiro de quarto de meu pai então soltou uma gostosa risada:

— Seu Vasco, aquela porta não se abriu nenhuma vez esta noite. Aqui não apareceram nem enfermeiros, nem aparelho nenhum. Passei a noite em claro, lendo à luz desse abajur, e por vezes andando pelo quarto. O senhor, sim, é que dormiu de roncar.

Nisso, entrou o enfermeiro esbaforido e desapontado:

— Desculpe-me, doutor. Esqueci-me completamente de suas recomendações a respeito de seu Vasco. Mas farei tudo num instante.

— Obrigado, já não é preciso — respondeu-lhe pensativamente o médico.

Farmacopeia Espiritual

> Os fluidos espirituais representam um importante papel em todos fenômenos espíritas, ou melhor, são na realidade o princípio desses fenômenos.
> Allan Kardec, *Revista Espírita*, março de 1866

Soubera que se tiravam orientações mediúnicas, e por isso viera ao Centro. Seu ouvido direito zumbia muito, como se tivesse um besouro dentro, havia anos. Recorrera a especialistas, e nada, não melhorava. Suplicava uma orientação.

Tínhamos por costume, antes de entregá-las, analisar muito bem as orientações; a dele pareceu-nos um absurdo: "Elixir... tomar conforme a bula, depois de fluidificado aqui no Centro". Embora hesitantes, lhe entregamos a orientação, certos de que tal Elixir, muito apregoado na época, não lhe faria mal nenhum.

Na reunião seguinte, trouxe o vidro para fluidificar. Após quinze dias, voltou em busca de orientação para sua filhinha, e perguntamo-lhe pelo ouvido.

— Foi um santo remédio. Não cheguei a acabar o vidro, e o zumbido tinha desaparecido.

E, numa de nossas reuniões espirituais privativas de estudo, nosso diretor espiritual nos explicou:

— O Elixir funcionou apenas como excipiente. A droga que o curou, nós a adicionamos ao xarope ao fluidificá-lo. Essa substância muito breve fará parte da farmacopeia terrena; pesquisadores bem orientados logo a encontrarão.

Lembro-me de quando minha mulher ficou grávida de nosso primeiro filho. Tínhamos por hábito orar de manhã, às seis horas, e colocávamos um cálice de água para ser fluidificada.

Conquanto decorresse normalmente, a gravidez lhe estava sendo penosa; um mal-estar indefinível se apossara dela.

E um dia, depois das preces, a água de Cirene tornou-se cor-de-rosa, um cor-de-rosa vivo. Horas depois de ter tomado aquela aguinha, sarou para sempre.

Jacinto de Góis era um Espírito que comparecia às nossas reuniões das sextas-feiras. Os médiuns que conseguiam vê-lo descreviam-no como um velhinho baixo, sorridente, simpático; trazia a tiracolo uma mochila de um branco muito brilhante. E no final dos trabalhos, éramos advertidos:

— Pedimos concentração profunda de todos. Oremos ao Altíssimo pedindo-lhe fluidos de saúde. Jacinto de Góis precisa encher sua sacola.

E numa de nossas reuniões mensais de estudo, privativas, soubemos que: "Jacinto de Góis é o pseudônimo de um benemérito médico desencarnado em fins do século passado. Dedica-se ao estudo da Medicina Espiritual. É o responsável pela saúde dos moradores de um lugarejo do sertão mato-grossense. Aqui vem recolher fluidos magnéticos, os quais, depois de convenientemente manipulados, aplica-os à água dos recipientes daquelas criaturas: moringas, potes, barriletes etc., dando-lhe propriedades curativas e preservadoras da saúde, inclusive à água de uma pequena fonte onde se abastecem. O arraial, muito distante da cidade mais próxima, não possui recursos médicos ou farmacêuticos de espécie alguma. E assim, a Providência Divina, pela mão de Jacinto de Góis, ampara aquela comunidade pequenina, auxiliado por um grupo de discípulos".

O Passe

*Estendendo tua mão a sarar as enfermidades, e a que se façam maravilhas
e prodígios em nome de teu santo filho Jesus.*
Atos dos Apóstolos, 4:30

CHEGARA-SE A NÓS E DECLAROU que vinha de outro Centro; por anos tinha sido assídua à mesa mediúnica, e nada de desenvolver a mediunidade de incorporação; e agora viera tentar conosco.

Passaram-se meses e nem sinal de incorporação de Espíritos. Findo o tempo experimental, chamamo-la e lhe dissemos:

— Parece-nos que seu caso não é de incorporação. Tentemos a mediunidade passista.

Um pouco a contragosto, concordou. Logo suas mãos abençoadas estavam a serviço dos sofredores que acorriam em busca de alívio.

Todavia, continuava inconformada; queria a todo custo ser uma médium psicofônica, desejava receber Espíritos sofredores; como passista, parecia-lhe não produzir nada, clamava ela; e lhe perguntamos:

— E os Espíritos sofredores encarnados que se curam com seus passes?

Uma noite, antes do início da sessão, conversava comigo, quando entrou uma senhora que se dirigiu diretamente a ela, e com a alegria estampada no rosto, tomando-lhe as mãos, disse-lhe:

— Quero agradecer-lhe o passe que a senhora me deu na semana passada. Que Deus a recompense. Este braço havia anos estava um pouco amortecido; fiz muitos tratamentos inutilmente. Depois de seu passe, meu braço ficou bom.

A médium passista bem compreendeu o olhar que lhe lancei; e esqueceu-se da mediunidade de incorporação.

E aconteceu comigo no Hospital Dr. Adolfo Bezerra de Menezes, em São José do Rio Preto. Jamais faltava às sessões o Afonso, um senhor que muito me estimava, médium passista. Não sei por que, eu não confiava em seus passes, era uma desconfiança gratuita, e na distribuição dos trabalhos de passes, eu o preteria; humilde, mantinha-se em seu lugar, orando.

Então fui acometido de uma dor martirizante na perna direita. Os remédios que o dr. Orlando me receitou revelaram-se inócuos.

E, certa vez, no hospital, tornando-se a dor mais intensa, meu protetor intuiu-me:
— Suplique ao irmão Afonso a caridade de um passe.

E Afonso transmitiu-me um passe tão amorosamente que fiquei curado; e ao apertar-lhe a mão amiga, abaixei a cabeça envergonhado.

O "Mensageiro da Paz"

> O interesse despertado por essas reuniões foi crescendo, posto não nos ocupássemos senão de coisas muito sérias. Pouco a pouco, um a um foi aumentando o número dos assistentes, e meu modesto salão, muito pouco adequado para uma assembleia, tornou-se insuficiente. Foi então que alguns dentre vós propuseram se procurasse outro mais cômodo, que nos cotizássemos a fim de cobrir as despesas, pois não achavam justo tudo correr por minha conta, como até então.
>
> Allan Kardec, *Revista Espírita*, 1859

O CENTRO ESPÍRITA "Mensageiros da Paz" foi fundado à rua das Olarias, no bairro do Canindé, em São Paulo, por dona Úrsula Antunes, e seus filhos Antônio, Maria, Etelvina e Corina, que, anos depois, se tornaria minha sogra. Por longo tempo funcionou numa saleta ao lado da cozinha, na casa deles.

O número, não só de adeptos, como também o de necessitados de enfermagem espiritual, crescia cada dia mais. Precisávamos de mais espaço. Veio-nos então a ideia de termos nossa sede própria. O sr. João e eu tomamos a empreitada de construí-la.

No bairro de Vila Guilherme, abriu-se um loteamento; fomos vê-lo.

Vila Guilherme, hoje próspero e belo bairro da capital à margem direita do Tietê, era nesse tempo, na década de 1940, um vasto porto de areia. Fornecia areia para as construções da cidade e, nos locais de onde era extraída, formavam-se lagoas, charcos, pântanos. Não havia ponte sobre o rio. A travessia se fazia por uma balsa encarrilhada a um cabo de aço ligado às margens em troncos de aroeira; e com uma vara, em cuja ponta havia um gancho, para que o barqueiro puxasse a barca. Tempos depois, foi substituída por uma ponte de madeira, que flutuava sobre tambores vazios. Nada de luz, de água, de esgoto; poucas casas de tijolos; o mais, um conglomerado de barracos que formavam uma favela; ruas apenas traçadas. Contudo, o lugar nos agradou; tínhamos ali ótimo material de trabalho: a miséria, os desafortunados para atender.

Escolhemos o nosso lote: ao fundo, terminando numa lagoa, em frente a uma rua lamacenta, água estagnada, esverdeada, exalando miasmas; do outro lado dela, um terreno baldio com ruínas de olarias, um depósito de lixo da Prefeitura, onde maltrapilhos de todas as idades catavam detritos.

O terreno custou-nos quatro contos de réis*; demos quinhentos mil-réis** de entrada, e o restante em prestações mensais de duzentos mil-réis*** mensais.

Restava-nos conseguir recursos para a construção. Instituímos o "Fundo Mensal Pró-Sede Própria".

Lentamente, muito lentamente, o fundo crescia. Passavam-se os meses. Continuávamos a trabalhar na sala e na cozinha, sonhando com nossa futura sede. Orávamos e esperávamos.

Um dia, o fundo apresentou o saldo de vinte contos de réis.****

— Vamos ver o que poderemos fazer com essa quantia — dissemos ao sr. João, dona Corina e eu.

E num domingo de manhã fomos ao local, e por ali procuramos um pedreiro. Indicaram-nos um, homem modesto que morava num daqueles esboços de rua. Inteirado do que queríamos, prometeu-nos estudar o assunto e pediu-nos que voltássemos no domingo seguinte.

E quando lá voltamos esperançosos, explicou-nos:

— Para a execução da planta apresentada, muros, aterramento da lagoa dos fundos, e mais coisas necessárias, gastaríamos cinquenta contos de réis.*****

Caíram-nos os braços, o desânimo estampou-se em nossas fisionomias. E lhe prometemos uma resposta para dali a quinze dias.

Muito discutimos e chegamos à seguinte conclusão: daríamos ao pedreiro os 160 mil-réis reais que tínhamos; com essa soma, ele faria a frente e mais um pedaço das paredes; o restante faríamos de tábuas de caixotes velhos, a exemplo do que víamos em favelas; e à medida que conseguíssemos recursos, pouco a pouco terminaríamos a construção.

Apresentamos nosso projeto ao pedreiro, que relutou em aceitá-lo, mas acabou dizendo-nos:

— Sim, com, esse valor, verei o que posso fazer, sem lhes prometer muito.

Nós lhe demos nossos endereços e telefones, para que nos procurasse se surgisse alguma dificuldade, e retiramo-nos felizes.

Decorreu um mês, dois, estávamos no fim do terceiro, quando disse ao sr. João:

— E o nosso Centro, sr. João? Esquecemo-nos dele e o construtor nem sinal nos deu!

---

* Valor equivalente a cerca de 32 mil reais nos dias atuais.
** Valor equivalente a cerca de 4 mil reais nos dias atuais.
*** Valor equivalente a cerca de 1.600 reais nos dias atuais.
**** Valor equivalente a cerca de 160 mil reais nos dias atuais.
***** Valor equivalente a cerca de 400 mil reais nos dias atuais.

— É verdade. Domingo de manhã iremos ver como andam as coisas.

— Iremos.

Jamais suporíamos que nos aguardava uma estarrecedora e tão alvissareira surpresa. Não acreditávamos no que nossos olhos viam. Embasbacamo-nos. Sem articular palavra, aproximamo-nos; lá se erguia o Centro totalmente construído, exatamente conforme a planta: o prédio, o muro, a lagoa aterrada, o gradil na frente. E tudo pintado de branco e azul, limpo, livre de entulhos, e de sobras da construção.

Partimos às carreiras à procura do empreiteiro, com um pensamento a atravessar-nos o cérebro: "E agora, como pagar?".

Encontramo-lo tomando calmamente o seu café, do qual sua senhora nos serviu; um café perfumado e de sabor muito agradável. E, sorrindo, perguntou-nos:

— Então, gostaram do Centro?

— Muito, mas cremos que o senhor entendeu errado. Era para construir só um pedacinho dele, e... como pagá-lo?

— Explicarei. Vamos vê-lo por dentro.

Abriu o portãozinho. Entramos, parece-me que algo trêmulos, não me lembro bem.

— Aqui, nesta área de recuo, pode ser plantado um jardinzinho.

Entramos. Que maravilha! Muito bem pintado, forrado, o piso de cimento caprichosamente nivelado, salão amplo para cem cadeiras. E continuava:

— A instalação da água está toda feita; quando vier, é só ligar. A instalação elétrica também. Infelizmente, o orçamento estourou em cinco contos de réis*. O aterramento da lagoa ficou mais caro do que calculei. E está tudo pago: os materiais, a mão-de-obra dos serventes, o carpinteiro, o encanador, tudo pago, o meu serviço inclusive. Os senhores devem trinta e cinco contos de réis**...

Ante tal revelação, ficamos gelados, petrificados, engasgados, incapazes de emitir um som, esboçar um gesto sequer. O Centro desapareceu, achávamo-nos de novo no terreno raso, lamacento, e no meio dele em números de pedra, altos, fincados de pé, fitando-nos ameaçadores: os trinta e cinco contos de réis da dívida.

— Não sei se fiz bem ou se fiz mal, mas não quis deixar escapar a oportunidade. Eu já tinha colocado a placa, como os senhores veem. E cavava os alicerces para levantar o pedaço da frente, como os senhores queriam. Passou por aqui um homem; parou,

---

* Valor equivalente a cerca de 40 mil reais nos dias atuais.
** Valor equivalente a cerca de 280 mil reais nos dias atuais.

olhou tudo com um ar muito sério; pensei que fosse um fiscal de obras; cumprimentou-me e perguntou: "Isso aqui vai ser um Centro Espírita?". "Vai sim, senhor." E entabulamos conversa. Mostrei-lhe a planta; disse-lhe que por enquanto só seria construida a parte da frente, e que aos poucos se faria o resto.

— E o resto, em quanto vai ficar? — perguntou-me com a planta na mão.

— Por volta de trinta contos de réis* — respondi-lhe.

E ele me disse:

— Pois pode fazer tudo conforme a planta; financiarei o que falta.

E apresentou-se: era fazendeiro no Paraná, onde formava fazendas e para uma das quais se mudaria em breve. O Centro lhe pagaria esse financiamento em prestações mensais de quatro contos de réis cada uma.

Respiramos aliviados. Tivemos ímpetos de beijá-lo. A prestação estipulada estava ao nosso alcance.

Em 1954, transferimos o Centro Espírita "Mensageiros da Paz" para sua sede própria, no dia 12 de julho, data de sua fundação.

A título de curiosidade, lhes contarei alguns episódios anedóticos do início de nossos trabalhos em nossa nova sede.

Para lá, não íamos sozinhos. Tínhamos de atravessar algumas vielas estreitas e caminhos escuros. Reuníamo-nos no último poste de luz da rua Padre Vieira. Às 19 horas partíamos. Meus filhos e os filhos dos outros confrades, meninos e meninas, faziam questão de ir à frente alumiando o caminho, cada um com sua lanterna; atravessar o Tietê na balsa era para eles uma aventura deliciosa.

Sr. João encarregou-se do lampião, por ser o único que possuía automóvel e podia chegar mais cedo, o que o obrigava a dar uma grande volta por Santana. Comprou um lampião a querosene, e quando chegávamos, a luz brilhava pendurada no teto.

O sr. Manoel Vitório, aposentado da Usina Vigor e morador nas vizinhanças do Centro, encarregou-se dos móveis; e fez bancos, mesas, cabides, prateleiras e mais coisas; e ficou sendo o nosso zelador.

Os moradores das favelas vinham pedir remédios; o que nos levou a pensar seriamente em instalar um ambulatório, mas ainda tínhamos que acertar as parcelas da nossa dívida relacionada à construção do centro.

As prestações chegaram ao fim; a última, a entregamos ao nosso construtor numa luminosa manhã de domingo. Quisemos acompanhá-lo à casa de nosso financiador

---

* Valor equivalente a cerca de 240 mil reais nos dias atuais.

para lhe agradecer. Lá tínhamos estado diversas vezes, e nunca o encontramos. Éramos atendidos por uma senhora que nos respondia invariavelmente:

— Ele não está; está na fazenda e não sei quando virá.

Quem sabe se agora o veríamos?

Não o vimos.

E a senhora, dirigindo-se ao pedreiro, disse-lhe:

— Meu marido manda avisá-lo de que a sede da fazenda está pronta e logo mudaremos.

Tempos depois, passamos pela casa do pedreiro; vimo-la, ocupada por outra gente. Perguntamos por ele. Tinha se mudado, não sabiam para onde.

— Com certeza foi com o fazendeiro para o Paraná — concluiu o sr. João.

Sentidamente não registro aqui o nome desses dois benfeitores; o do pedreiro, esqueci-o completamente e nos raros apontamentos arquivados, não lhe consta o nome; o do fazendeiro, nunca o soubemos. Não faz mal; o Pai Altíssimo os conhece a ambos e lhes dará a justa recompensa.

* * *

E por fim, pusemos luz no Centro; custou-nos seis contos e quinhentos mil-réis* a instalação. E o lampião que usávamos foi guardado como relíquia.

Aconteceu que a luz enfraquecia de semana a semana. E descobrimos que tinham entrado pelo telhado, puxando-a para mais de vinte barracos vizinhos; fomos obrigados a desligá-la e proteger a chave geral com uma forte portinhola e trancada com um cadeado.

Tínhamos uma saleta de serventia ao lado dos sanitários. O sr. João Vicente, esforçado cooperador, teve a ideia de transformá-la em um ambulatório singelo. Convidou para isso o dr. Ney Coutinho de Souza, que a adaptou para um modestíssimo posto de socorro; outros médicos foram convidados, e cada domingo um deles atendia aos necessitados circunvizinhos dali, das oito às onze horas da manhã, gratuitamente, doando inclusive medicamentos.

Vila Guilherme hoje é um bairro magnífico, e as lagoas, charcos, o lixo, a extração de areia, tudo isso desapareceu, dando lugar a grandiosos viadutos, verdadeiras obras de arte arquitetônicas modernas, que atravessam o Tietê, substituindo a antiga balsa e a ponte flutuante.

---

* Valor equivalente a 52 mil reais nos dias atuais.

O progresso chegou. Nossa rua, a Doze de Setembro, é uma artéria movimentada, asfaltada e profusamente iluminada; do que era no passado, nem sinal sobrou.

O Centro também sofreu profundas modificações; construiu-se um segundo salão em cima do primeiro. A parceria tão caridosa dos médicos que ali trabalhavam pelo bem da população carente despertou o interesse do Lions Clube de Santana em ajudar nossa missão solidária com melhorias, reformando o Centro e dotou-o de um ambulatório magnífico, onde uma equipe de médicos, entre eles um de meus filhos, presta socorro aos necessitados.

Quanto à parte espiritual, a de amparo aos doentes do Espírito, quer encarnados, quer desencarnados, desenvolveu-se ativamente. Formaram-se grupos de médiuns abnegados que nunca deixaram de cumprir com o dever. Um dos pontos capitais de nossas atividades é o estudo sistemático das obras básicas do Espiritismo: Kardec, Delanne, Denis, Bozzano, eram os livros de cabeceira de todos nós.

O sr. João e outros companheiros e companheiras da primeira hora já partiram para suas respectivas colônias espirituais. Dona Corina está com oitenta anos e cega, mas ainda trabalha com o mesmo entusiasmo de sua longínqua mocidade. Meus cabelos estão brancos, branquinhos. O progresso apagou todos os traços do passado, deixando, porém, num cantinho de nosso coração, a saudade daqueles tempos heroicos.

Tentações

> Vigiai e orai para que não entreis em tentação.
> O Espírito na verdade está pronto, mas a carne é fraca.
> *Marcos, 14:38*

AS TREVAS NUNCA DEIXAM de combater os Centros Espíritas bem organizados, sobretudo aqueles onde se prega o Evangelho. Médiuns e doutrinadores não escapam ao assédio dos inimigos da Luz; por isso é que Jesus não se cansava de recomendar a seus discípulos que orassem e vigiassem.

Em meu acervo de recordações, tenho um caso bem ilustrativo.

Sentíamos que nossos trabalhos espirituais não se desenvolviam a contento; os médiuns deram de faltar muito, queixavam-se de mal-estar, davam as mais ingênuas desculpas para não comparecerem. Nossos protetores insistiam: cuidado, vigiem.

Eis então que um Espírito me foi dizendo, embora delicadamente:

— Não perca tempo em doutrinar-me; conheço muito bem sua doutrina e a combato; sou o chefe do grupo que os ataca, especializado em derrubar Centros. Com seus trabalhos de desobsessão, vocês me roubaram alguns companheiros valorosos, e por isso aqui estou.

— Para reforçar o ataque? — perguntei-lhe.

— Sim, e advirto-o de que já fechei muitos Centros.

— Para meus estudos, quer descrever-me um de seus *modus operandi*? Meu irmão pode estar certo de que lhe peço apenas pelo desejo de aprender.

— Não me chame de irmão!

Parou de falar; notei que me esquadrinhava até o íntimo do ser. E concluiu:

— Você verá.

E retirou-se com uma risadinha sarcástica.

Tempos depois, tendo de tratar de assuntos no bairro de Higienópolis, tomei o "camarão" que fazia o trajeto pela avenida Angélica. O camarão era um bonde fechado, pintado de vermelho, daí seu apelido, e trafegava superlotadíssimo. A custo, entrei e, agarrado no corrimão, postei-me de frente a um banco transversal no qual, dentre outras pessoas, sentava-se uma mulher de seus trinta anos, bonita, corpo bem talhado. Distraidamente eu olhava a paisagem que se desenrolava lá fora, quando senti suas pernas tocarem as minhas. Posto que com dificuldade, afastei-me um pouco. Ela se acomodou no banco de tal modo que suas pernas roçavam ainda mais as minhas; e fitava-me fixamente, com leve sorriso convidativo; com um gesto como que descuidado, ao arrumar a gola da blusa, entremostrou provocadoramente uma parte dos seios, e ajeitando a cintura, descobriu um palmo de pernas acima dos joelhos.

Eu era moço, forte, em plenitude de vida; o sangue ferveu-me nas veias; fascinara-me; pensamentos loucos povoaram-me o cérebro; ela redobrou as atenções; foi quando, no emaranhado de sonhos doidos que me assaltavam, no desejo intenso de possuí-la, entrevi a imagem de meus dois filhos, Sérgio Paulo e Arnaldo, garotinhos ainda, que todas as tardes me esperavam encarapitados no muro do jardim.

Desfez-se a semi-hipnose em que eu caíra; e um monte de gente, me amassando e pisando em meus calos, me fez dirigir à porta de saída no fundo do veículo.

Dei o sinal de parada, embora longe do meu destino. E ao saltar do camarão, ouvi muito distintamente junto a meus ouvidos:

— Você viu? — pergunta seguida da risadinha sardônica e inconfundível.

Um Pedido Mental

> P. 457 – Os Espíritos podem conhecer os nossos pensamentos mais secretos?
> R. – Conhecem muitas vezes aquilo que desejaríeis ocultar de vós mesmos; nem atos nem pensamentos podem ser dissimulados para eles.
> O *Livro dos Espíritos*, trad. Herculano Pires

Dona Corina era fileteira; tecia colchas, cortinas, toalhas de mesa, e o mais de fileteria.

Aconteceu que trouxeram ao Centro um obsidiado; seu perseguidor o fazia desenhar quase que ininterruptamente; sobraçava rolos de papel, e numa das mãos trazia um feixe de lápis; aspecto desleixado.

Com a sequência dos trabalhos, começou a melhorar; continuava, porém, a desenhar, posto que não mais com aquele frenesi inicial; já conversava com todos, comparecia arrumadinho, limpo, penteado; contudo, seus desenhos eram ininteligíveis.

Certa noite, veio com seu inseparável material, e foi logo declarando:

— Hoje não me sentarei à mesa; vou precisar de muito espaço; tenho que desenhar a torre da igreja; ela é muito alta.

Desenrolou o papel no chão, e se pôs de joelhos a riscar; não houve jeito de trazê-lo à mesa.

Dona Corina (depois nos confessou) formulou o seguinte pensamento: "Em lugar de perder tempo com riscos inúteis, por que não desenha um novo modelo de colcha para eu filetar?".

Minutos antes de findar a sessão, enrolou o papel, levantou-se e disse:

— Terminei minha missão, a planta da torre está pronta.

Daí por diante, não trazia mais o material, e sim O *Evangelho Segundo o Espiritismo*, que lia com atenção. Encaminhado o obsessor, sua vida se normalizou.

Uma ocasião trouxe apenas um lápis e uma folha de papel de desenho, de 60 x 45 cm, e na penumbra da sala, riscou, riscou, riscou; parou, dobrou a folha, e participou do restante da reunião como se nada tivesse feito.

Acesas as lâmpadas, entregou o desenho a dona Corina, que reconheceu nele um bonito modelo de colcha; atrás vinha escrito: "Aqui está o pedido que minha irmã me fez mentalmente, lembra-se? Desculpe-me. Foi o melhor que pude fazer. Obrigado por tudo o que fizeram por mim. Adeus".

Mediunidade

O médium vem, por sua vez, desempenhar um papel essencial no estudo dos fenômenos espíritas. Participando simultaneamente, por seu invólucro fluídico, da vida do Espaço e, pelo corpo físico, da vida terrestre, é ele o intermediário obrigatório entre dois mundos. O estudo, pois da mediunidade prende-se intimamente a todos os problemas do Espiritismo; é mesmo a sua chave.
No Invisível, Léon Denis

UM DOS PONTOS sobre os quais muito me perguntam é:

— Quanto tempo vai demorar para eu me desenvolver?

— Há tempo que estou na mesa, sr. Eliseu, e nada, não sinto nada. O que estará acontecendo?

— Acho que não tenho mediunidade, sr. Eliseu. Sento-me à mesa, fico em oração, faço tudo o que o senhor recomenda, leio, estudo, mas não sinto nada quando o doutrinador me chama. Devo continuar?

Perguntas como essas e muitas outras do mesmo teor são inevitáveis. O doutrinador deve estar preparado para responder a elas, sem desestimular o futuro médium.

Dentre muitos casos, citarei três como exemplos.

Trazido por um nosso médium, como visitante, compareceu a nosso Centro, um rapaz chamado Valentim. Jovem ainda, na casa dos vinte anos, modesto, muito educado; cumprimentou-nos e sentou-se numa cadeira da última fileira da sala.

A sessão decorria normalmente quando Valentim, soltando um profundo suspiro, estendeu-se no chão. Acudimos; fora tomado por um Espírito, o qual entabulou conversa conosco; esclarecido, retirou-se.

Valentim ergueu-se encabulado, dizendo que nunca tivera aquilo. Depois da sessão, ainda ficou conosco quase uma hora; queria saber o que era aquilo que lhe dera. Convenientemente esclarecido, e findo o instante de reflexão a que se entregara, disse-nos:

— Compreendi; posso frequentar o Centro junto com meu amigo? Gostaria também que me indicassem livros para eu estudar.

— Comece por este — respondeu-lhe dona Corina, emprestando-lhe *O Evangelho Segundo o Espiritismo*.

Valentim trabalhou conosco por alguns anos; constante, estudioso, assimilou os princípios da Doutrina com rapidez, conquistando valores preciosos; deixou-nos por se ter mudado para outra cidade.

Um dia, dona Corina começou a sentir um frio intenso; cobriram-na com muitos cobertores inutilmente. Era um frio que a fazia tiritar e tremer até a cama. Os medicamentos não fizeram efeito. Sua irmã Etelvina apelou para o Espiritismo. O Centro Espírita "José Barroso" era perto. Foi tirar uma orientação, que instruiu: mediunidade a desenvolver.

Dona Corina não pensou duas vezes; dirigiu-se ao Centro e desenvolveu sua mediunidade. Poucos meses depois, já livre do frio, psicografou uma mensagem que dizia: "Aqui estou, o meu abraço a todos. Francisco de Paula Antunes, pai da médium". Tornou-se uma devotada sacerdotisa da mediunidade, que jamais deixou de exercer.

Meu irmão Walter deu de sentir umas coisas esquisitas, não sabia o que era: arrepios de frio, bafos de calor, nervosismo sem causa, sonhos horripilantes, cérebro perturbado.

No Centro, foi aconselhado a cuidar da mediunidade. Aceitou o conselho, e se pôs a desenvolvê-la de boa vontade. Ao fim de pouco tempo, os sintomas descritos desapareceram. E passaram-se meses e anos e não se apresentou mais nenhum sinal de mediunidade.

Por seis anos, ocupou sem falta seu lugar à mesa. Até que, desesperançado, disse-nos:

— Não vai, não sinto nada; creio que não tenho mediunidade.

Consultamos nosso diretor espiritual, que nos respondeu:

— O Walter que tenha paciência mais um pouco.

E ele a teve; pouco tempo depois, desenvolveu-se e tornou-se um médium firme, seguro, devotado, produzindo serviços espirituais de real valor.

Dados os exemplos acima, recomendo aos que desejam ou precisam desenvolver a mediunidade que não desanimem ante os obstáculos. Ninguém pode prever quanto tempo alguém levará para desenvolver sua mediunidade; é esforçar-se, ser pertinaz, ter entusiasmo, estudar, mas estudar mesmo as obras básicas da Doutrina: Allan Kardec, Léon Denis, Gabriel Delanne, Ernesto Bozzano.

De Valentim a Walter há uma série de uma hora, na qual desenvolveram-se médiuns em horas, dias, meses, anos por um período que durou seis anos. Por isso é essencial não perder o ânimo, é imprescindível não perder o entusiasmo. E logo que a mediunidade apontar, é cuidar dela sem perda de tempo.

E para finalizar esta ligeira conversa, ouçam o que lhes diz um amigo experimentado: "Mediunidade não desenvolvida em seu devido tempo é porta aberta para o sofrimento".

Como me Livrei do Tabagismo

Se algum, pois, se purificar destas coisas, será um vaso de honra, santificado e útil para serviço do Senhor, preparado para toda boa obra.
II Timóteo, 2:21

Fui um fumante inveterado durante boa parte da minha vida. Meu pai não fumava e se horrorizava ao me ver fumar. Eu tinha cigarros, fumos e cachimbos de quase todas as partes do mundo. Funcionário da agência de propaganda N. W. Ayer-Son, com sede em Filadélfia, EUA, com o cargo de chefe da mídia, recebia de meus pares das agências de outros países, na época do Natal, pacotes de cigarros, caixas de charutos, latas de fumo para cachimbos, dos quais eu tinha alguns bem valiosos, em retribuição às coisas brasileiras que eu lhes enviava. E durante o ano eu me deliciava fumando tudo aquilo. Agora imaginem só.

Uma noite, durante uma sessão pública de Espiritismo Evangélico, nosso diretor espiritual, José Cavalcante de Oliveira, tomou um médium e disse-me:

— Eliseu, estamos aqui no plano invisível articulando uma campanha contra o fumo nos meios espíritas. Bem sabemos que extinguir totalmente esse vício é impossível no momento. Dia virá, quando a humanidade estiver mais esclarecida e menos animalizada, que esse e outros vícios desaparecerão da face da Terra. Portanto, limitaremos nossa campanha ao meio espírita. É desagradável ver-se um médium recendendo a cigarros dar passes num paciente; ou fluidificar uma água com os dedos impregnados de nicotina; ou um orador com os bolsos cheios de cigarros a pregar contra os vícios e imperfeições do Espírito. Você quer ajudar?

— Si... sim... que... quero... — gaguejei, com o pensamento nos dois finíssimos maços de cigarros americanos nos bolsinhos de meu paletó.

— Pois bem. Você escreverá artigos contra o fumo, e os enviará aos jornais e revistas espíritas. Em suas preleções e conferências, reservará alguns parágrafos para esta campanha. Contamos com você.

Retirou-se; todos os olhares convergiram para mim interrogativamente. Pudera! Eu era o fumante número um dentre eles!

Duas medidas tomei para deixar de fumar:

A primeira: logo que cheguei ao escritório, ditei um memorando à minha secretária, dirigido aos meus colegas correspondentes, avisando-os de que não mais aceitaria cigarros ou qualquer espécie de fumos nas trocas natalinas; mandassem o que quisessem, menos fumo.

A segunda: fumei todo o meu estoque; não perdi um cigarro sequer. E ao fumar o último cigarro, o último charuto, a última cachimbada, nunca mais fumei.

Agora, na velhice, avalio quanto isso me fez bem. Que reserva de saúde acumulei para a tranquilidade de meus derradeiros anos de encarnado!

Livre do vício, atirei-me com entusiasmo à campanha. Sucederam-se artigos, conferências, palestras. Não sei se deram resultado; o certo é que as pessoas próximas a mim deixaram de fumar, todos, menos dois.

Influências Estranhas

> P. 459 — Os Espíritos influem sobre os nossos pensamentos e as nossas ações?
> R. — Nesse sentido a sua influência é maior do que supondes, porque muito frequentemente são eles que vos dirigem.
> O *Livro dos Espíritos*, trad. Herculano Pires

ACONTECEU UM FATO ESTRANHO quando eu trabalhava nas Oficinas Gráficas Q. Sarcinelli, no Cambuci.

Sempre fui avesso a bebidas alcóolicas. Em casa nunca as tive, com exceção dos domingos em que meu pai tomava um copo de vinho às refeições, e o resto da família, refrigerante.

Às onze e meia saíamos para o almoço. E um grupo, sempre o mesmo, encabeçado pelo nosso gerente, Mário Léo, parava na venda da esquina, do Del Papa, para o aperitivo.

Posto que os seguisse, nunca bebi nada, apesar das insistências. Porém, um dia...

— Prove um golezinho, experimente. Vou preparar-lhe uma caipirinha que você vai gostar, bem fraquinha.

E assim Mário fez. Engoli a dose, o que se repetiu por alguns dias.

Lá pelas duas horas da tarde, o sr. Ricardo, nosso presidente, disse-me:

— Eliseu, vá à Companhia de Linhas resolver aquele caso das etiquetas com o sr. Smith, por favor.

Obedeci. Não andei dez metros quando me assaltou um desejo incoercível de beber; meus lábios, minha língua, minha garganta ressecaram-se de sede; mas não era sede de água; eu sentia que aquela sede exigia álcool, caipirinhas, cerveja, pinga, para ser saciada.

Apressei-me a chegar à venda; lá eu mataria a sede, que mais e mais me apertava. Acelerei os passos. A porta do botequim se abria diante de mim.

Felizmente, antes de entrar, percebi que era a atuação de um Espírito alcoólatra desencarnado. E recuando para o meio da rua, gritei em alto e bom som:

— Vá beber com outro que comigo você não bebe!

A sede cessou por encanto. Os lábios, a língua, a garganta normalizaram-se. E às três horas da tarde eu sorvia um delicioso café com o sr. Smith.

Pregações

E quando vos levarem, não cuideis como ou o que haveis de falar; porque naquela hora vos será inspirado o que haveis de dizer.
Mateus, 10:19

SEMPRE QUE ME CONVIDAVAM A FALAR, eu levava minha preleção por escrito.

Certa vez, aceitando o convite de uma Associação Espírita do Interior, resolvi decorar a palestra. Escrevi-a com atenção e carinho, e pus-me a decorá-la. Tinha-a na ponta da língua, e parti sem levar a menor anotação.

Salão magnífico; cheio, gente de pé. Deram-me a palavra, levantei-me; silêncio absoluto; olhares cravados em mim. Depois dos cumprimentos usuais, emudeci.

Não me lembrava mais da conferência; dela não me vinha à cabeça uma única palavra. Tentei lembrar-me de outros temas, nada. Era como se eu tivesse a cabeça oca, apenas a capa sem miolos dentro.

Os assistentes expectantes já percebiam o meu embaraço. Cirene, entre eles, abanava nervosamente o leque.

E no momento em que a situação me parecia irremediável, vi... vi uma folha de um branco muito claro desdobrar-se ante mim, com caracteres azuis: era minha composição. Pus-me a lê-la em voz alta, e tudo me voltou à memória. A folha desapareceu; não me era mais necessária.

Nunca mais decorei preleções. Compus umas trinta delas, de variados temas espíritas e evangélicos, e, quando atendia a um convite, levava uma no bolso.

Um Caso de Efeitos Físicos

Os médiuns de efeitos físicos exteriorizam força psíquica em grande abundância; todos nós, porém, a possuímos em diversos graus. Mediante essa força é que se produz a suspensão de mesas ao ar, a mudança de objetos, sem contato, de um lugar para outro, o fenômeno dos transportes, a escrita direta em ardósia etc. É constante sua ação em todas as manifestações espíritas.

No Invisível, Léon Denis

Era uma menina de doze anos; magra, franzina, vestido rasgado, cabelos em desalinho; veio acompanhada de seu pai. Abraçou-se ao poste de luz em frente à casa, e não houve quem a tirasse dali; horrivelmente obsidiada, resistia a todos. Quatro homens, dentre eles meu primo Manlio, que fora da marinha mercante italiana, a seguraram e a desprenderam dali. No momento de entrar, voltou-se, enrijeceu os braços como se fossem duas alavancas e, erguendo-os abruptamente, atirou os quatro para o meio da rua, onde dois deles se estatelaram, e agarrou-se de novo ao poste, rindo de forma totalmente histérica.

Entramos e narramos o caso a dona Corina que, depois de meditar um pouco, nos disse:

— Pela força, ela não entrará. Irá um médium de cura que lhe dará um passe, e vocês fiquem em oração.

Assim foi feito, e largou o poste, sorriu admirada como se acordasse de um sono profundo, deu a mão ao pai e entrou.

Seguiram-se alguns trabalhos de desobsessão; seus obsessores foram encaminhados e ela sarou.

E meu primo Manlio, em seguida a uma blasfêmia caracteristicamente italiana, comentou:

— ... tive a impressão que fui fisgado por um guindaste, e jogado ao porão de um navio. Se isto não tivesse acontecido comigo, nunca acreditaria.

Cabem aqui alguns reparos quanto à doutrinação desses Espíritos. Formavam um grupo de sete; com exceção de um, demonstraram ser Espíritos primários, de escasso desenvolvimento intelectual, e dois deles em estado hipnótico. Martirizavam-na dia e noite, mas nada tinham contra a pequena, até sentiam dó dela. Obedeciam às ordens de um chefe; se lhes déssemos proteção contra ele, deixariam a garota aos nossos cuidados.

O chefe, como o chamavam seus asseclas, compareceu por último. Espírito inteligente, culto, conversou polidamente conosco. Constituíam um casal no passado; erraram muito juntos; tinham jurado união eterna. Ele ficara extremamente desapontado, julgara-se traído ao descobri-la reencarnada sem ele. Daí a perseguição que lhe movera, tentando desencarná-la; compreendia agora as causas que a levara a se reencarnar, e o que deveria fazer se quisesse merecê-la no futuro. Terminou pedindo-nos licença para trabalhar conosco em benefício de Espíritos transviados como ele.

Para mim, entretanto, o caso não parou aí; defrontei-me com um problema que se avultou ante o comentário de meu primo: como pudera aquele corpinho frágil de boneca, aqueles ombrinhos, aqueles bracinhos, aquelas mãos pequeninas, atirarem à distância de pelo menos três metros os quatro homens, sem se desconjuntarem, sem aqueles musculozinhos sofrerem a menor distensão? E darem a Manlio a impressão de ter sido apanhado por um guindaste?

Consultando as obras básicas, o que para mim é um dever constante, encontrei a solução: mediunidade de efeitos físicos. Ela possuía essa mediunidade, sem dúvida nenhuma!

O médium de efeitos físicos é altamente dotado de força psíquica, que irradia abundantemente, e os Espíritos a manipulam para a produção de fenômenos físicos: movimentação de objetos materiais, de mesas, de cadeiras, de móveis pesados etc., e também de pessoas, ainda que raramente, por meio do fenômeno conhecido como telecinese. A menina fornecera a força psíquica, os Espíritos fizeram o resto.

Meus Colaboradores

> A constituição de grupos comporta regras e condições cuja observância influi consideravelmente no resultado a alcançar.
> *No Invisível*, Léon Denis

APARECEU UM PROBLEMA que urgia resolver quanto antes: os médiuns trabalhavam em todos os Centros Espíritas da cidade; na segunda-feira trabalhavam em um; na terça-feira, em outro, e assim por diante; não trabalhavam fixamente em um só Centro, o que trazia sérios prejuízos para os trabalhos espirituais.

Aos poucos expliquei-lhes que cada Centro tem suas características espirituais próprias; cada Centro possui sua faixa vibratória diferente da dos demais, e com a qual o grupo se afina, sem o que não é possível uma boa enfermagem espiritual, quer a favor dos Espíritos encarnados, quer dos desencarnados, além de favorecer a intromissão de Espíritos desocupados.

E convidei-os a se fixarem num único Centro; os que quisessem trabalhar comigo ficariam na Associação Allan Kardec — o centro em que eu comecei a trabalhar quando me mudei para São José do Rio Preto em 1961— e não poderiam pertencer a conjuntos de outro Centro, e vice-versa.

Com a melhor boa vontade compreenderam a lição, e dentro em breve cada Centro Espírita tinha o seu corpo mediúnico bem formado.

Era o que também acontecia com as diretorias; um mesmo diretor ocupava cargos nas diretorias de diversos Centros; aqui era secretário; ali, tesoureiro; lá, vice-presidente ou presidente. Fiz-lhes ver a inconveniência de tal proceder. E não tardou que as diretorias se normalizassem.

Dezesseis eram os médiuns de meu grupo. E eis que topei com um osso difícil de roer. Meu pessoal possuía-se do maior entusiasmo; arquitetavam-se planos magníficos de trabalho; tratavam-me com carinho; sólidos laços de simpatia já nos uniam.

À procura de socorro, vieram obsidiados de todos os matizes. Entretanto, meus médiuns não estavam preparados para tal gênero de enfermagem, a enfermagem espiritual. Mediunicamente apresentavam defeitos que tinham de ser corrigidos: uns estavam semiobsidiados, noutros predominava o animismo; alguns se apavoravam só com a presença do obsidiado; vários estavam sob o domínio de mistificadores. Mantendo sempre o meu melhor sorriso, tratando-os como irmãos bem-amados, jamais lhes falei das falhas deles, o que poderia perturbá-los irremediavelmente; pelo contrário, incentivava-os ao bom trabalho.

Em casa, porém, antes de me deitar, analisava o trabalho de cada um; anotava-lhes os senões, e consultava os livros básicos em busca da solução.

Trocando ideias com Cirene, ela me aconselhou:

— Por que você não fala com mamãe? Pode ser que ela o ajude.

— Boa sugestão! — exclamei.

E dona Corina deu-me um plano: a título de visitar-me, mensalmente iriam a Rio Preto alguns dos médiuns bem treinados do "Mensageiros da Paz", ela inclusive, e trabalhariam conosco, com o que se corrigiriam sem perceber.

E assim foi feito. Em pouco tempo as anormalidades foram sanadas, e a enfermagem espiritual começou a produzir bons frutos.

A confiança que depositavam em mim era irrestrita, à qual eu me esforçava por corresponder.

O Hospital
Dr. Adolfo Bezerra de Menezes

Ora, em Jerusalém há, próximo á porta das ovelhas, um tanque, chamado em hebreu Betesda, o qual tem cinco alpendres.
João, 5:2

Luciano, um de meus médiuns passistas, convidou-me:

— Eliseu, você não quer ajudar-nos no Hospital Dr. Adolfo Bezerra de Menezes? Um grupinho vai lá aos sábados lá dar passes aos internados, e falar-lhes do Evangelho.

Visitei o hospital; naquele tempo pauperrimamente aparelhado, hoje hospital modelo, padrão A.

Percorrendo suas dependências, e conversando com os pacientes, notei elevado número de obsidiados; doentes das faculdades mentais em muito menor número. Obsidiados e obsessores compunham um quadro lastimável.

Aqui entra em cena um amigo queridíssimo que conquistei nessa minha romagem terrena: o dr. Orlando, médico psiquiatra, diretor-clínico do hospital, espírita de escol, trabalhador de "O Consolador", onde dava aulas de Espiritismo, além de desempenhar outras atribuições. Já o conhecia de nome ainda em São Paulo, porque era um propagandista entusiasta de meu jornalzinho A *Infância Espírita*, do qual lhes falarei mais adiante. Morava num apartamento ao lado de meu escritório e, desde minha chegada, laços de simpatia nos uniram para sempre. Ao lado do dr. Lotf, influiu decisivamente para o meu êxito na região. Não se passava um dia sem que gastássemos alguns minutos em doce palestra. À medida que se inteirava de meus trabalhos espirituais, dizia-me:

— Eliseu, concordo com você em noventa e cinco por cento; mas tenho minhas dúvidas em cinco por cento.

Agora que está na pátria espiritual, creio que suas dúvidas se transformaram em certeza.

Pois bem. Meu primeiro cuidado foi procurá-lo; inteirei-o de minhas observações, fiz-lhe ver a necessidade imperiosa de sessões de desobsessão, e expus-lhe o meu plano: o hospital dispunha de excelente salão unicamente para isso; haveria uma reunião por semana, aos sábados, das 15 às 17 horas e, eventualmente, quando necessário, outra às quintas-feiras, às 20 horas.

O dr. Orlando anuiu, com uma condição: ser ele o supervisor.

— Pelo menos por algum tempo — concluiu ele.

— Será para mim uma honra e um prazer tê-lo ao meu lado respondi-lhe agradecido.

— Fale agora com o Hermógenes. Diga-lhe que já tem a minha carta branca.

O sr. Hermógenes de Faria era o provedor do hospital. Recebeu-me com um grande abraço:

— Pois se o Orlando já lhe deu carta branca, meu filho, o hospital é seu. Veja lá em que podemos ajudá-lo; não faça cerimônias.

Deparou-se uma barreira: onde arrumar médiuns? O meu grupo no Kardec era ainda incipiente. Além do mais, médiuns de todos os Centros se revezavam nos passes semanais; seria lesa-fraternidade dispensá-los.

Meditei e tomei uma decisão: convidaria os médiuns de todos os Centros e, com os que aceitassem, formaria um grupo autônomo para atender o hospital.

Troquei ideias com o Faria, dr. José de Faria, para nós familiarmente o Faria, economista, filho do sr. Hermógenes, adepto sincero do Espiritismo, médium passista de real valor e, agora que escrevo estas linhas, provedor do hospital; ele mesmo se incumbiu dos convites.

Compareceram médiuns de alguns Centros. Com o passar dos dias, retiraram-se, permanecendo apenas minha equipe do Kardec; médiuns do "Mensageiros da Paz" auxiliaram por algum tempo.

Começamos por equilibrar espiritualmente o ambiente. Espíritos errantes que viviam transitando pelos corredores e quartos de pacientes, pela cozinha e outras dependências, espalhando desavenças e fomentando desordens, foram recolhidos a colônias correcionais do Invisível. O ambiente melhorou; tornou-se tranquilo, suave, acolhedor e fraterno. Chegara a hora de cuidar-se dos pacientes obsidiados.

Eram dezoito médiuns entre os de incorporação e os passistas. Formada a mesa mediúnica, cada qual em seu lugar, o dr. Orlando ao meu lado na cabeceira, entravam os pacientes, os quais eram convidados a assistir às reuniões; ninguém era obrigado, vinham se quisessem e todos vinham. No salão muito amplo, ao meu lado direito sentavam-se os homens, e no fundo à minha frente, as mulheres. Distribuíam-se os médiuns passistas pelas fileiras dos pacientes. O dr. Orlando convocava enfermeiros e enfermeiras que se mantinham vigilantes a fim de atender a qualquer ocorrência. Os pacientes acamados, se o desejassem, recebiam passes no leito.

A reunião se iniciava pela leitura de um trecho evangélico, do qual cada um de nós lia algumas linhas, inclusive os pacientes.

O Faria providenciava *O Evangelho segundo o Espiritismo* para todos; porém, uns pediam a Bíblia; outros, o Novo Testamento; alguns, um missal, e eram atendidos.

Em seguida, orava-se a Prece de Cáritas e o Pai Nosso; manifestavam-se os protetores dos médiuns, e procedia-se à recepção dos obsessores. Trabalho difícil, pesado, cheio de surpresas, em que os médiuns e o doutrinador tinham de dar o mais e o melhor que podiam; no desenrolar destas páginas, narrarei alguns episódios bem ilustrativos. Os médiuns passistas davam paz aos pacientes, e lhes ministravam água fluidificada em copinhos de papel.

Dava gosto ver o comportamento dos internados: silenciosos, compenetrados, oravam fervorosamente ou liam o Evangelho que traziam. E com que fé recebiam os passes! Alguns, é claro, tinham suas crises, no que eram prontamente socorridos por atendentes compassivos e solidários que para isso ali estavam.

Certa vez, o dr. Benedito, médico psiquiatra, chamou-me e disse-me:

— Estou lendo uma estatística recente de altas por cura em hospitais psiquiátricos, que dá por excelente o índice de 42%. Você sabe qual é o nosso índice?

— Não tenho ideia.

— Noventa e dois por cento.

O dr. Benedito, cujo apoio franco e gentil sempre merecemos, sucedeu ao dr. Orlando na direção clínica do hospital.

E nossa luta em benefício de obsidiados e de obsessores prosseguiu firme sem solução de continuidade; a equipe cada vez mais coesa, mais homogênea; e o dr. Orlando, com seus 5% de dúvidas.

Em homenagem ao dr. Adolfo Bezerra de Menezes, nosso grupo chamou-se Grupo Mediúnico "Irmão Max, seu pseudônimo de escritor espírita quando encarnado.

E o Socorro Chegou

> Portanto, não vos inquieteis, dizendo: Que comeremos? Que beberemos? Ou: Com o que nos vestiremos? Porque os gentios é que procuraram todas estas coisas; pois Vosso Pai Celeste sabe que necessitais de todas elas; buscai, pois, em primeiro lugar, o Seu Reino e a Sua Justiça, e todas estas coisas vos serão dadas por acréscimo.
> *Mateus, 6:31-33*

NESSA MANHÃ FUI PARA o escritório apreensivo. Na véspera, Sérgio Paulo me telefonara de São Paulo:

— Papai, depois de amanhã é o último dia de pagar a escola; se não pagar o trimestre, não poderei assistir às aulas.

— Fala com o responsável na secretaria, e por esses dias farei o reembolso.

— Já falei, papai, não podem arranjar.

— Fica tranquilo, não há de faltar.

Sentei-me à escrivaninha e pus-me a pensar em como sair da dificuldade. A quantia, no estado financeiro em que me achava, era grande para mim. Não me atrevia a pedir um empréstimo, por pequeno que fosse, a ninguém, pois era novo na cidade; o que diriam de mim? Meus pensamentos tornavam-se sombrios.

E vi, vi com estes olhos que a terra há de comer: materializou-se na soleira da porta um mago negro, um ser das Trevas; alto, trajava ampla túnica preta, que lhe cobria inteiramente o corpo: mangas largas, pretas as luvas, o capuz comprido e pontudo, cujas bordas lhe caíam pelo peito, ombros e costas, tinha dois buracos para os olhos de um brilho metálico.

Entrou, e apoiou uma das mãos na mesa. E mantivemos o seguinte diálogo mental, depois que me refiz do susto:

— Vida dura, não?

— Que fazer? Não mereço coisa melhor.

— Merece sim; é só você querer.

— Não vejo como.

— Pois pense num ricaço que você conheça; em pouco tempo nossa falange o fará quatro vezes mais rico do que ele.

Creio que sorri à ideia. E, sempre mentalmente, perguntei-lhe:

— E qual o preço? Quanto isso me custará?

— Quase nada. Abandone o Espiritismo, esqueça-o, não escreva mais livros, e não mais publique os que escreveu; cuide só de negócios, e deixe o resto por nossa conta.

E, mentalizando firmemente, respondi-lhe:

— É um preço muito caro; não o posso pagar.

— Você não sabe o que perdeu — retrucou chispando de ira. E recuando dois passos, desvaneceu-se.

Três horas da tarde; um calor de sufocar. Quem entra no escritório com um largo sorriso na face, e a testa gotejando de suor? O Faria; sim, o Faria em carne e osso; e dispensando cumprimentos foi logo dizendo:

— Eliseu! Acabo de receber um dinheiro que eu tinha emprestado a um conhecido havia anos, nem me lembrava mais disso, e ele veio pagar-me. Então pensei: esse camarada usou o dinheiro tanto tempo e não me fez falta; o Eliseu está começando aqui, e todo começo é duro; vou emprestr a ele para que o use também por uma temporada.

Espíritos Viciados se Tornam Obsessores

> Todas as coisas me são lícitas, mas nem todas as coisas convêm.
> Todas as coisas me são lícitas, mas eu não me deixarei dominar por nenhuma.
> *I Coríntios, 6:12*

Era um rapaz de seus vinte anos, bem-apessoado, estudante; internou-se no hospital várias vezes: toxicômano.

Com o tratamento médico bem orientado, paralelamente ao espiritual, o moço obtinha alta, recuperado.

Tempos depois, acompanhado pelo pai, reaparecia para nova internação; uma vez chegou de ambulância, tal a gravidade de seu estado.

Aconteceu que o pai veio à minha casa, e tivemos o seguinte diálogo:

— Vim procurá-lo, sr. Eliseu, para falar-lhe de meu filho. O senhor o conhece lá do Bezerra. Ele sai de lá sempre bom, alegre, saudável; volta a estudar com afinco; mas pouco demora para entregar-se de novo ao vício. Com autorização do dr. Orlando, como o senhor sabe, tenho assistido a seus trabalhos espirituais. Os Espíritos que perseguem o meu filho são doutrinados; e por que voltam?

— O problema é algo complexo — respondi-lhe. As pessoas escravizadas pelo vício não se entregam a ele sozinhas, sempre estão rodeadas de Espíritos desencarnados, que as usam para satisfazerem-se. Assim o fumante tem ao seu lado companheiros invisíveis, que sorvem a fumaça que lhe sai ainda quente dos pulmões. O alcoólatra é um verdadeiro copo vivo através do qual alcoólatras desencarnados embriagam-se colados ao encarnado, seja álcool rotulado de "uísque aristocrático", de cachaça caipira, ou de outro nome qualquer. O frequentador de bordéis, seja masculino ou feminino, seja o bordel de alto luxo ou o do mais baixo meretrício, é sempre seguido de Espíritos desvairados pelo sexo, satisfazendo-se mediante o corpo do encarnado. O toxicômano, caso de seu filho, não foge à regra. O encarnado, após desencarnar, ou como dizemos vulgarmente, o vivo, depois de morrer, continua o mesmo gênero de vida que cultivava durante sua existência terrena, até que resolva, de modo próprio, mudar-lhe o padrão.

Aqui, Cirene serviu-nos o café, e meu visitante, com um gesto, convidou-me a continuar.

— Por isso é sempre aconselhável, quando se trata de viciados, aplicar-lhes dois tratamentos: o tratamento médico e o tratamento espiritual. O médico consciencioso cuida-lhes do corpo, e sessões de desobsessão bem conduzidas encaminham-lhes os infelizes parceiros invisíveis.

— E por que os Espíritos que acompanham meu filho estão sempre aí?

— Não são os mesmos; quando esclarecidos, e tendo aceito mudar de vida, são conduzidos a Postos de Socorro Espirituais, onde se recuperam, e iniciam uma vida sã. Entretanto, o escravo do vício encarnado é um ímã a atrair os viciados desencarnados. Para que isso não suceda, e pretenda deveras livrar-se do vício, deverá prestar auxílio a três pessoas: a primeira, a si mesmo; a segunda, ao médico que o trata; a terceira, ao doutrinador; e tomará um remédio poderoso...

— Um remédio poderoso, sr. Eliseu, e qual é ele?!

— Força de vontade, sem o que todos os remédios materiais ou espirituais serão inócuos. Além do mais, o toxicômano tem um obsessor implacável, que lhe segue os passos com encarniçamento, e contra o qual nada, nada, nada podemos fazer...

— Nada! Quem é ele? — bradou com os olhos esgazeados.

— O traficante de entorpecentes.

O Companheiro

> Só Lucas está comigo. Traga Marcos com você,
> porque ele me é útil para o ministério.
> II Timóteo, 4:11

O TRABALHO ESPIRITUAL aumentava dia a dia; fazia-se arranjar-me um auxiliar. Depois de muito orar, minha escolha recaiu em Rubens de Campos. Conheci-o pela mão do dr. Orlando, desde a primeira hora de minha chegada a São José do Rio Preto. Foi assim:

— Estamos convidados para um almoço em casa de um grande amigo meu, e espero que ele seja um grande amigo seu também. É no próximo domingo. Você aceita?

— Claro, uma vez que é em sua companhia. Lamento Cirene ainda não estar aqui para irmos juntos.

E num domingo de um sol radiante, de um céu azul limpo como vi poucas vezes, as árvores do jardim irradiando um verde esmeraldino, a família Rubens de Campos ligou-se à minha por uma amizade muito forte.

E o dr. Orlando apresentou-me:

— Este é Eliseu Rigonatti, nosso amigo.

Dona Elba soltou uma exclamação:

— Eliseu Rigonatti, aquele que escreveu *A Mediunidade sem Lágrimas*?! Meu Deus, eu pensava que ele era um Espírito, e orava toda noite para ele vir ajudar-me!

— Bem se diz que a fé move montanhas. A senhora conseguiu trazer para cá o meu Espírito, a minha carne e os meus ossos, tudo para ajudá-la. Receio decepcioná-la.

Todos rimos, o que quebrou a formalidade das apresentações, e já à mesa éramos familiaríssimos.

Havia dez anos que dona Elba apresentava perturbações espirituais profundas; semiobsidiada, logo aos primeiros sintomas recorrera ao Espiritismo, mas não passara daquilo: uma inércia, um turbilhonamento no cérebro, um definhamento, e por vezes fortes crises de prostração e desânimo. Seu marido tratava-a carinhosa e pacientemente, e levava-a a dar longos passeios de carro pela cidade e arredores, o que lhe minorava o sofrimento. Estivera em Uberaba, no Chico Xavier, que lhe aconselhara: "Minha irmã precisa desenvolver sua mediunidade, e trabalhar". Mas desenvolver e trabalhar, como? Apesar de seus esforços, pouco conseguira e tratamentos médicos não deram resultados.

Após o almoço, passamos à sala de estar, e conversamos até a tardinha, naturalmente sobre o Espiritismo. Rubens era um estudioso; conhecia profundamente as obras brasileiras, e a literatura espírita lhe era familiar. Dona Elba desdobrou-se em atenções, e tomou parte ativa na conversa; parecia outra, dizia o dr. Orlando.

Ao ser servido o café delicioso e perfumado, coado pela própria dona da casa, eu já tinha minha opinião formada sobre o caso dela; e repondo a xícara na bandeja, disse-lhe:

— Bem, dona Elba, felizmente tenho certeza de que não a decepcionarei. O seu caso é simples, simplicíssimo: trata-se apenas de mediunidade mal desenvolvida e nada mais.

Silêncio absoluto se fez na sala; dona Elba estacara com a magnífica cafeteira de porcelana suspensa na mão, olhos cravados em mim e continuei:

— O Chico Xavier está com a razão. Desenvolva essa mediunidade, trabalhe e tudo se normalizará. Comecemos: espero-a amanhã no Kardec, às 20 horas.

Decorreram três meses, mais ou menos, e dona Elba trabalhava entusiasticamente nas sessões de desobsessão, e era médium de cabeceira do Grupo Mediúnico "Irmão Max". Os dez anos de perturbações perderam-se nas brumas do passado, porque mediunidade desenvolvida e produzindo, é saúde, é paz, é alegria.

Rubens tornou-se meu braço direito, e juntos tocamos para a frente as tarefas espirituais que se desdobraram muito. E quando retornei a São Paulo, de mudança, oito anos depois, sucedeu-me na direção do Kardec.

Um Caso de Ódio Antigo

> E os espíritos imundos vendo-o, prostravam-se diante dele,
> e clamavam, dizendo:
> Tu és o Filho de Deus.
> *Marcos, 3:11*

O CARRO DE PRESOS TROUXERA-O. Sitiante no vale do Rio Grande, tivera um súbito acesso de loucura. Desatinadamente quebrara móveis e louças de sua casa modesta, espancara a mulher, e por fim pusera-se a correr sem rumo, carregando a filhinha de três anos, espremendo-a de encontro ao peito. A custo dominado, quando lhe tiraram a pequenina dos braços, estava morta, estrangulada.

Amarrado, foi entregue às autoridades; sua fúria não se abrandou, posto que nada fizesse para se desvencilhar; limitava-se a gritar repetidamente: "Foi olho por olho, dente por dente; consegui, consegui". E ria obsessivamente e de forma muito alta.

Removido para o Hospital Dr. Adolfo Bezerra de Menezes, logo apresentava-se calmo, ainda que não em seu estado normal: ar abobalhado, olhos arregalados como que fixos em algo distante. Custando a sair do torpor em que mergulhara, o dr. Orlando encaminhou-o à sessão de desobsessão.

Poucas vezes lidamos com um Espírito possuidor de tal cinismo; impermeável a nossas palavras, era como se falássemos com uma rocha. Ao esgotarmos nossos recursos de doutrinação, nosso diretor espiritual interveio e disse-nos:

— Basta. O que hoje tínhamos para lhe dar, já lhe demos; seguirá conosco. Ambos pertencem a um grupo de Espíritos, alguns encarnados e outros desencarnados, comparsas de um drama doloroso que se desenrolara desde um passado não muito distante, e não sabemos quando terminará, dado que nenhum deles se socorre da ideia do perdão.

E o paciente despertou; abriu os olhos, levantou a cabeça, olhou ao redor e perguntou debilmente:

— Onde estou? O que aconteceu comigo?

— Você está em tratamento num hospital.

— Então eu fiquei doente! Há quantos dias?

— Há três semanas.

— Três semanas? Então minha filhinha está com muita saudade de mim; ela é tão bonitinha; tão agarradinha a mim. Assim que eu melhorar, vou comprar para ela um brinquedinho; vai ficar contente ao ver o papai chegar com um pacotinho para ela.

A custo reprimimos um soluço; de todos os olhos corriam lágrimas.

Dias depois, com alta médica, uma viatura policial levou-o embora.

Visitas de Espíritos Encarnados entre os Vivos

> P. 413 – Do princípio da emancipação da alma parece resultar que temos, simultaneamente, duas existências: a do corpo, que nos dá a vida de relação exterior, e a da alma, que nos dá a vida de relação oculta. É isso exato?
> R. — No estado de emancipação, a vida do corpo cede lugar à da alma, mas não existem, propriamente falando, duas existências; são antes duas fases da mesma existência, porque o homem não vive de maneira dupla.
> P. 414 – Duas pessoas que se conhecem podem visitar-se durante o sono?
> R. — Sim, e muitas outras, que pensam não se conhecerem, se encontram e conversam. Podeis ter, sem que o suspeiteis, amigos em outro país. O fato de visitardes, durante o sono, amigos, parentes, conhecidos, pessoas que vos podem ser úteis, é tão frequente que o realizais quase todas as noites.
> *O Livro dos Espíritos*, trad. Herculano Pires

Esse caso aconteceu com o dr. Orlando, que sempre o contava para nós.

No Rio de Janeiro, estudante ainda, iniciou-se no Espiritismo num modesto Centro Espírita, em Jacarepaguá, dirigido por um casal de tecelões. Estreita amizade o uniu a eles e aos demais integrantes do grupo. Estabelecendo-se em Rio Preto, passava suas férias no Rio de Janeiro, com seus familiares, que lá moravam; e não deixava de participar dos trabalhos do núcleo de Jacarepaguá; costumava escrever-lhes avisando-os dos dias em que compareceria às reuniões. Certa vez, porém, resolveu visitá-los de surpresa, sem lhes escrever antes.

O trânsito naquela noite estava uma calamidade. E eram pontuais com o horário; a porta fechava-se impreterivelmente às 20 horas e não se abria a ninguém.

"Não faz mal", pensava o dr. Orlando, "aguardarei do lado de fora o fim da reunião, e então abraçarei os amigos queridos."

Embora atrasado, apressou-se; ao dobrar uma esquina, avistou o Centro.

"O quê?! A porta está totalmente aberta! E passam-se quinze minutos das vinte horas! Terão mudado o horário?", pensava admirado.

Entrou; correram a cumprimentá-lo, abraçá-lo, demonstrando terem estado à sua espera.

— Por que está aberta a porta depois das oito? É novo horário?

— Nós o estávamos esperando, dr. Orlando.

— Mas eu não os avisei, queria fazer-lhes uma surpresa.

— Mas não a fez, porque nos visitou e deixou-nos um recado com um mês de antecedência.

E apresentaram-lhe um pedaço de papel, no qual reconheceu sua letra, como sempre quase ilegível, e leu:

"Estarei com vocês no dia tal; esperem-me."

O dr. Orlando, muito madrugador, deitava-se invariavelmente entre oito e meia e nove horas da noite.

Um Presente

> O resultado nos deu uma grande satisfação moral, sob o duplo aspecto das observações colhidas, e da constatação dos imensos progressos do Espiritismo.
> *Revista Espírita, 1862.*

À NOITE, RUBENS e dona Elba passaram por casa, e disseram-nos:

— Sabemos que amanhã é dia de seu aniversário, e queremos dar-lhe um presente, é uma viagem. Preparem a mala, ficaremos dois dias fora, partiremos às cinco da manhã.

— Para onde iremos? — perguntou Cirene.

— Surpresa — responderam.

E na hora combinada partimos: Rubens, dona Elba e Martinha; Cirene, Ana Maria e eu.

Deliciávamo-nos com o frescor da madrugada. O céu puríssimo, e nele, encravada, ainda cintilava a Estrela d'Alva; a orla do sol já se fazia perceber no horizonte, deixando escapar as pontinhas dos seus primeiros raios. O asfalto cortava o verde da campina cruzado pelos bandos de pássaros que o amanhecer despertava.

Em Ribeirão Preto, paramos para o almoço, e Rubens revelou-nos a surpresa:

— O presente é uma visita ao Chico Xavier. Bem sabemos que você recusa sistematicamente convites para visitá-lo, a fim de não roubar-lhe o tempo sem necessidade. Mas agora você vai. É um presente de Elba e meu.

Agradeci-lhes feliz, porque intimamente eu desejava mesmo abraçar o Chico.

Cinco horas da tarde; entramos na fila para cumprimentar o Chico; convidou-nos a acompanhá-lo em sua peregrinação habitual; ofereceu-nos um prato de sopa.

Na ida não tivemos oportunidade de conversar com ele, cercado pelo povo. Porém, Rubens e eu ladeávamos Waldo Vieira, que carinhosamente nos cobriu de gentilezas, e com ele mantivemos uma conversa valiosíssima sobre o Espiritismo. Entre outras coisas, Waldo nos disse:

— Daqui por diante, Rubens, o Espiritismo ganhará muito em amplitude, mas perderá em profundidade. Receio até que não manterá mais a simplicidade apostólica que Kardec lhe imprimiu. E o Espiritismo que ele nos legou será professado apenas por uma elite espiritual.

Tentávamos afastar de nós tão sombrios prognósticos, quando o Chico nos chamou, voltava da caminhada, e nos deu o braço: Rubens de um lado, eu do outro. De caminho, conversávamos; uma senhora se aproximou e perguntou-lhe:

— Chico, no Centro que eu frequento, no Rio de Janeiro, um Espírito se comunicou e disse que dentro de trinta anos o Catolicismo terá desaparecido. O que você acha, Chico?

— Não, minha irmã, não é assim, não. Repare numa árvore alta na floresta: se for derrubada repentinamente, destruirá ninhos, esmigalhará árvores menores, matará animaizinhos, enfim, causará um desastre. Ao passo que se cair vagarosamente, muito lentamente, nada disso acontecerá, nem mesmo se notará sua queda. Assim é o Catolicismo, que abriga em seus ramos ninhos de almas muito jovens ainda, e à sua sombra instituições respeitáveis.

Reconhecemos nela a senhora que, na fila, cumprimentara o Chico, o qual se desdobrara em amabilidades para com ela, beijou-lhe as mãos, achou-a linda, tratou-a de irmã querida. Muito bem-vestida, ostentando joias caras, perfumada, postou-se superiormente ao lado dele.

Atrás dela, a pessoa na fila era uma moça negra, grandona, lenço trançado como um turbante na cabeça, chinelos de corda já gastos nos pés, vestido de chita branco com florzinhas azuis e avental com pequenas manchas de temperos de cozinha. O Chico dispensou-lhe o mesmo tratamento, *ipsis verbis*, que o da senhora do Rio, e terminou beijando-lhe a testa que gotejava suor, exclamando:

— Como você está linda, minha irmã!

E a senhora do Rio, bem-humorada, bradou:

— Chico, não "ti guento!".

Convidou-nos a participar da mesa de estudos e pregações do Evangelho; apanhou o montante de pedidos, e ia retirar-se ao quartinho privativo, mas foi abordado por um moço que lhe pediu insistentemente que lhe cortasse a mediunidade, pois de forma alguma queria ser médium. De nada lhe valeram as explicações do Chico, que, virando-se para mim, disse em voz bem alta:

— Veja, Eliseu, este irmão quer livrar-se da mediunidade; e nós, se não a cultivássemos, de há muito estaríamos por detrás das grades de um hospício, não é verdade?

Cirene conversou com o rapaz, tentando esclarecê-lo sobre o valor do exercício da mediunidade; tudo em vão, por fim, citou-lhe uma frase que repito constantemente: "Se alguém descobrir um medicamento que corte a mediunidade, em poucas semanas estará mais rico do que um mascate libanês".

Quando Chico terminou sua tarefa, o relógio marcava uma hora da madrugada. Tínhamos de despedir-nos dele e do Waldo, mas nos disseram:

— Agora não, vamos conversar, não há pressa, já é domingo, tomemos um café juntos.

Formamos uma rodinha, e assuntos espirituais do mais alto interesse para nós foram ventilados.

E fiz a seguinte observação ao Chico:

— Chico, tenho notado que em nossas sessões de cura têm comparecido Espíritos de pessoas espíritas recém-desencarnadas, demonstrando grande sofrimento. Não consigo entender qual seria a causa, pois conheci várias, e eram boas, fraternas, espíritas sinceras.

— Realmente é o que está acontecendo — replicou Chico. — E é fácil compreender o porquê de tal ocorrência. É que os espíritas, em sua grande maioria, desencarnam deficitários, realizam pouquíssimo daquilo que deveriam realizar; são mais verbosos do que atuantes; são acomodatícios por demais; e quando o desencarne os arranca de suas comodidades, lá vem o choro e o ranger de dentes.

Recolhemo-nos ao hotel de madrugadinha. Completei meus cinquenta anos conversando com o Chico Xavier e com o Waldo Vieira. Foi o presente mais rico que ganhei em minha vida.

A Doutrinação dos Vivos

> Há na prática do perdão e na prática do bem em geral, além de um efeito moral, um efeito também material. A morte, como se sabe, não nos livra de nossos inimigos. Os Espíritos vingativos perseguem sempre com o seu ódio, além da sepultura, aqueles que ainda são objeto de seu rancor.
>
> *O Evangelho segundo o Espiritismo*,
> trad. *Herculano Pires*

O HOMEM ERA UM paciente do Hospital Dr. Adolfo Bezerra de Menezes; fora internado porque não conseguia dormir; à noite, em sua casa, era um tormento, ninguém repousava. E no hospital resistia a qualquer sonífero.

E ali estava ele, na mesa mediúnica, entre dois médiuns. Compareceu um Espírito extremamente revoltado, que nos disse:

— Não o deixo dormir e jamais o deixarei. Quando ele dormia, vinha do lado de cá e me surrava; por isso não o deixo dormir; fico, assim, a salvo de suas surras. Conheço o meu estado e sei o que estou fazendo.

E retirou-se.

Consultamos nosso diretor espiritual, que nos respondeu:

— O caso é mesmo como ele o descreveu, são inimigos, e o encarnado, ao se ver semilivre do corpo pelo sono, busca-o para agredi-lo. Há necessidade de doutrinar o Espírito encarnado. Marquem uma reunião entre meia-noite e uma hora da madrugada, e traremos os dois para um entendimento.

Autorizados pelo dr. Orlando, assim fizemos. O trabalho não foi fácil: o encarnado, conquanto ali em Espírito, não se rendia; ao percebermos que começava a vacilar, evocamos o outro Espírito, o que apanhava; e travou-se entre eles um dos mais interessantes diálogos que já nos foi dado ouvir. Intuído por nosso diretor espiritual, não nos intrometemos na conversa, deixamo-los à vontade discutiram muito, e acabaram por entender-se e perdoaram-se mutuamente.

E o nosso internado passou a dormir normalmente.

Coisas que não nos Convêm

> Mas tu, ó homem de Deus, foge destas coisas, e segue a justiça,
> a piedade, a fé, o amor, a paciência, a mansidão.
> I Timóteo, 6:11

MEU CORPO DORMIA profundamente em meu quarto, e meu Espírito estudava na biblioteca. E acercaram-se de mim quatro Espíritos: Dorvalino, Afrânio, desencarnados; o meu amigo O. F., encarnado, e nosso instrutor espiritual, Laurindo.

— Viemos convidá-lo, Eliseu, para um estudo e observações em local cheio de vícios. Vamos?

Senhores, senhoras e jovens desciam de seus automóveis e entravam numa boate luxuosa. O ambiente coberto por uma luz fraca, quase numa penumbra, exalava volúpia, uma espessa nuvem de nicotina entremeada de vapores alcóolicos envenenava o ar, uma orquestra tocava um tipo de música irritante e primitiva.

— Observem agora o ambiente espiritual — disse-nos Laurindo.

Um calafrio de medo e horror sacudiu-nos: Espíritos desencarnados, que o vício transformara em monstros animalescos, colavam-se ao corpo dos encarnados, e com eles partilhavam do fumo, do álcool, de drogas, e inspiravam-lhes os mais abjetos desejos. O consumo do uísque finíssimo excedia ao de todas as outras bebidas, embora a cachaça não estivesse esquecida. As emanações do fumo, a fumaça ainda quente dos pulmões, eram aspiradas sofregamente pelos desencarnados. Espíritos de maníacos sexuais, os masculinos enlaçavam-se ao corpo de senhoras e moças, em posições eróticas; e os femininos assim também se comportavam, enrolando-se aos rapazes e homens encarnados.

Não lhes contarei o estado desolador em que esses Espíritos se encontravam, porque me foi proibido. No entanto, um deles me chamou particularmente a atenção, e posso descrevê-lo.

A uma mesa na qual três casais bebiam e fumavam, achegou-se um espírito elegantemente trajado, de maneiras finas, e postou-se entre eles; e com o seu focinho, sim, com o seu focinho, pôs-se a beber com eles, e o consumo de bebidas aumentou. Eu escrevi focinho porque o rosto dele era um comprido funil, exatamente como o focinho de um tamanduá-bandeira, e com esse focinho sorvia as exalações do líquido que descia pela garganta das pessoas ali, mergulhando-o mesmo nos copos, e sorvendo voluptuosamente.

Nossa atenção também foi atraída por Espíritos de ambos os sexos que lá estavam, e nos pareceram um tanto diferentes dos outros, e eram em grande número; estrias negras pendiam-lhes da cabeça, e perdiam-se lá fora.

— São Espíritos ainda encarnados que, à noite, durante o sono do corpo físico, procuram este local; deles vocês encontrarão em qualquer antro de vícios: locais de jogatina, bordéis, boates etc.

Nossas observações continuaram, e a aula que recebemos visou especialmente as consequências causadas pelos vícios no perispírito, o invólucro energético do Espírito, e que se refletiriam dolorosamente nas futuras reencarnações daqueles adoradores do vício.

Ao despedirmo-nos, Laurindo nos perguntou:

— Digam-me: o que mais os impressionou nesta nossa excursão ás camadas inferiores por onde andamos?

Nossa resposta foi unânime:

— O elevado número de encarnados que se dirige a esses locais durante o sono físico.

— O Espírito estará sempre onde estiver o seu pensamento, meus caros discípulos...

Sobre a Questão do Aborto e o Espiritismo

Primeiro Relato

P. 344 — Em que momento a alma se une ao corpo?
R. — A união começa na concepção, mas não se completa senão no instante do nascimento. Desde o momento da concepção, o Espírito designado para tomar determinado corpo a ele se liga por um laço fluídico, que se vai encurtando cada vez mais, até o instante em que a criança vem à luz; o grito que então se escapa de seus lábios anuncia que a criança entrou para o número dos vivos e dos servos de Deus.
P. 358 — O aborto provocado é um crime, qualquer que seja a época da concepção?
R. — Há sempre um crime quando se transgride a Lei de Deus. A mãe, ou qualquer pessoa, cometerá sempre um crime ao tirar a vida da criança antes do seu nascimento, porque isso é impedir a alma de passar pelas provas de que o corpo devia ser o instrumento.

O Livro dos Espíritos, trad. Herculano Pires

HAVIA UM CASAL que frequentava as sessões das quartas-feiras, sentava-se comumente na primeira fila das cadeiras, ouvia a preleção evangélica-doutrinária, tomava o seu passe e a água fluidificada, e ao final da reunião, retirava-se.

Aconteceu que durante umas cinco ou seis semanas não os vi no lugar costumeiro; informaram-me que ela estava doente. Tão logo se recuperou, voltaram; e o marido pediu-me alguns minutos para uma conversa particular.

— Luíza, minha esposa aqui presente, está grávida e caiu doente com rubéola, e por isso não comparecemos. O médico aconselhou o aborto.

— Por quê?

— Porque a criança pode nascer anormal, por causa da rubéola — respondeu-me.

— Não discuto o parecer do médico, meus amigos; não tenho capacidade para isso. Contudo, lhes afirmo: quando um casal deve passar pela prova de ter filhos anormais com o fim de corrigir erros de encarnações antigas, a justiça divina não necessita da rubéola para se fazer presente.

— Então o senhor é contra o aborto?

— Sou contra e sou a favor ao mesmo tempo; quando a vida da mãe corre perigo, sou a favor; em quaisquer outras circunstâncias, o aborto é considerado um crime no meio da Doutrina Espírita. Vocês precisam saber que no momento da concepção, isto é, quando o espermatozoide fecunda o óvulo, dá-se a ligação do Espírito, e forma-se um embrião microscópico de vida própria, porquanto animado de um Espírito, cujo perispírito ou corpo espiritual, concentrará em si a matéria que lhe chegará através do útero materno. E inicia-se a formação do corpo de carne, cujo modelo é o perispírito do Espírito reencarnante. Vejam bem que a operação abortiva não destrói uma excrescência do útero, mas sim um ser vivo, um ser humano que se aninha no útero, de cuja dona espera carinho e proteção.

Ouviram-me atentamente. E o marido, com o olhar e o pensamento como que perdidos muito longe dali, murmurou:

— Conheço gente que enriquece fazendo esse tipo de procedimento...

— Sim, são assassinos, empreiteiros da morte, que se fazem pagar regiamente.

Meses depois, nascia-lhes a criança, uma menina. Quando deixei São José do Rio Preto, já era aluna do Instituto de Educação Monsenhor Gonçalves. Normal e inteligente como todas as suas coleguinhas.

Segundo Relato

P. 31 — A reencarnação inicia-se com as primeiras manifestações do embrião humano?
R. — Desde o instante primeiro de tais manifestações, a entidade espiritual experimenta os efeitos da sua nova condição. Importa reconhecer, todavia, que o Espírito mais lúcido, em contraposição com os mais obscurecidos e ignorantes, goza de quase inteira liberdade, até a consolidação total dos laços materiais com o novo nascimento na esfera do mundo.
P. 32 — Quando o embrião está sendo formado, existe uma interpenetração de fluidos entre a gestante e a entidade então ligada ao feto? Existem consequências verificáveis?
R. — Essa interpenetração de fluidos é natural e justa, ocasionando, não raras vezes, fenômenos sutilíssimos, como os chamados "sinais de nascença", que somente mais tarde poderão ser entendidos pela ciência do mundo, enriquecendo o quadro de valores da biologia, no estudo profundo das origens.

O Consolador, Emmanuel

EM MINHAS ANDANÇAS pelo Plano Astral noite adentro, semiliberto do corpo, encontrei meu amigo e companheiro O. F. acompanhado de uma senhora. O. F. apresentou-me:

— Esta irmã, em suas horas de liberdade parcial, dedica-se à nobre tarefa de combater o aborto, procurando desviar desse crime os casais que são tentados a perpetrá-lo. Vamos agora visitar uma clínica "fazedora de anjos". Quer vir?

A clínica situava-se num antigo bairro aristocrático, então em completa decadência; seus velhos palacetes haviam se transformado em casas de cômodos, ou pensões de terceira classe. Paramos diante de um deles, de linhas clássicas, rodeado de árvores, dando a impressão de completo abandono; grossas grades enferrujadas o cercavam.

— É aqui, entremos.

O vestíbulo era espaçoso circundavam-no poltronas aconchegantes, parecia uma sala de espera de consultório médico.

Casais com o semblante apreensivo aguardavam sua vez; emanações fuliginosas evolavam-se do alto do cérebro deles, indicando a que tipos de pensamentos se entregavam naquele delicado momento.

Ambiente tenso e asfixiante. Olhamos para nossa companheira interrogativamente.

— Isto, meus amigos, não é o plano espiritual; é terreno mesmo, existe aqui em São Paulo. É uma clínica de abortos que trabalha nas madrugadas. As pessoas que vocês veem aí sentadas são moças e seus amantes, maridos e suas esposas, enfim, casais que querem livrar-se do filho que já vive no acolhimento do corpo de suas já mãezinhas.

Visitamos o palacete; caminhamos por um corredor em cujos lados havia pequenas salas, umas prontas para receber as pacientes, outras fechadas por cortinas espessas, e dentro das quais se ouvia o manusear de instrumentos cirúrgicos.

A senhora que até aí nos acompanhara, desapareceu; tomou o seu lugar um nosso instrutor espiritual, que nos empurrou para dentro de um desses cubículos, sofrivelmente higienizado, e onde se processava uma operação de aborto.

Horrorizados, agrupamo-nos em torno de nosso instrutor, que nos disse:

— Não temam. Vocês assistiram ao que se passa materialmente nessas espeluncas, onde assassinos com alto título acadêmico matam impunemente, com o que acumulam consideráveis e nojentas fortunas. Vocês verão agora a parte espiritual disso, aquilo que os olhos humanos não veem.

Estendendo mãos espalmadas sobre nossa cabeça, aumentou-nos a visão espiritual. E ouvimos atormentado choro de bebês: choravam os Espíritos enxotados do útero materno. E de permeio a essa vozearia, escutávamos distintamente: "Assassinos, assassinos, assassinos... pais assassinos..."

Por detrás do médico operante e da enfermeira que o ajudava, postavam-se Espíritos obsessores, vampiros de horrendo aspecto, os quais sugavam avidamente a placenta, saciando-se dos fluidos vitais que ela continha. E demonstrando amplo conhecimento cirúrgico, aplicavam suas mãos às do médico, e trabalhavam agilmente com ele.

Retiramo-nos nauseados daquela sala sangrenta, e encontramos uma jovem que se retirava de outra, cambaleando. Um moço correu a ampará-la. Colado ao abdômen da operada, da altura dos seios até o baixo ventre, um Espírito em forma infantil, com seus bracinhos, abraçava a mãe que o enjeitara; sua cabecinha erguida fitava-lhe o rosto e flebilmente murmurava:

— Eu tanto que necessito renascer...

Finalizando, nosso instrutor explicou-nos:

— Não temos o direito de interferir no livre-arbítrio de quem quer que seja. O aborto criminoso amontoa karma sobre karma nos ombros dos responsáveis por ele; e o resgate será sempre difícil e penoso.

Como Ganhei um Amigo Espiritual

> Levanta-te, toma o teu leito e vá para tua casa.
> *Marcos, 2:11*

Era carpinteiro, jovem ainda, na casa de seus vinte e seis anos, trabalhador, arrimo da família, solteiro. Morava com a mãe viúva, e alguns irmãos menores, num casebre em cidadezinha próxima a São José do Rio Preto.

Uma tarde chegou do trabalho, deitou-se na cama, e havia dois anos nela jazia sem se levantar; raras vezes ingeria algum alimento. Obrigava sua mãe a um esforço hercúleo para higienizá-lo.

A miséria visitou-lhe o lar. Resignada, sua mãe recorria à caridade pública, nem sempre generosa.

Um amigo dele procurou-me e expôs o caso:

— Recorremos a vários médicos inutilmente. Não se consegue dar-lhe os medicamentos, nem alimentá-lo. Quer ir vê-lo?

E fui. O mau cheiro que se desprendia daquela cama tosca e do corpo do rapaz era insuportável. Ao aproximar-me, arregalou desmesuradamente os olhos, e ao passar-lhe minha mão em sua testa banhada em suor, soltou um grunhido feroz. Percebendo meu diretor espiritual ao meu lado, perguntei-lhe mentalmente o que fazer.

— É um simples caso de obsessão — respondeu-me. — Reúna o pessoal e vamos trabalhar. Em seguida deve ser recolhido a um hospital para tratarem-lhe do corpo, porque, no estado de fraqueza em que está, não irá longe.

No dia e hora aprazados, lá estávamos; acomodamo-nos como pudemos naquele quarto exíguo e infecto, e a enfermagem espiritual se desenrolou normalmente. Era vingança de Espíritos que a vítima atual muito prejudicara no passado distante e que, esclarecidos, retiraram-se.

No estado em que sua saúde se encontrava após dois anos de sofrimentos, era urgente que fosse hospitalizado; mas não o conseguimos. Apelamos então para o dr. Orlando, o qual o internou no Bezerra de Menezes. Dois meses depois, plenamente restabelecido, voltou para casa.

Há um detalhe, graças ao qual jamais me esqueci desse caso: o amigo espiritual que ganhei. O último Espírito a comunicar-se foi o de um menino:

— Eu sou o moleque; tomo conta da porta.

— E por que você toma conta da porta?

— Para ninguém entrar. Quando o senhor saiu outro dia, deram-me muitos pontapés porque o deixei entrar.

— Quem lhe deu os pontapés?

— Aqueles que judiavam do moço.

— E qual é o seu nome?

— Moleque. Não tenho nome, bem que eu queria ter um. Como você se chama?

— Eliseu. Você gosta desse nome?

— Gosto.

— Pois então seu nome será Eliseu.

— Uma moça bonita está aqui e disse que vai cuidar de mim.

— Obedeça-lhe, Eliseu, e não me esqueça.

Duas ou três vezes por ano Eliseu me visita em meus trabalhos espirituais; hoje é um Espírito esclarecido e trabalhador. Passaram-se vinte anos, mas sempre se anuncia com aquela vozinha de menino:

— Eu sou o Eliseu.

Olho por Olho

Não terás misericórdia com ele, mas far-lhe-ás pagar vida por vida, olho por olho, dente por dente, mão por mão, pé por pé.
Deuteronômio, 19:21
Então, chegando-se Pedro a ele, perguntou: Senhor, quantas vezes poderá meu irmão pecar contra mim que eu lhe perdoe? Será até sete vezes? Respondeu-lhe Jesus: Não te digo que até sete vezes, mas que até setenta vezes sete vezes.
Mateus, 18:21-22

TROUXERAM-NO DE UMA FAZENDA PERTO DO AVANHANDAVA. Jovem, na flor da idade; vinha com recomendação expressa do fazendeiro ao dr. Orlando, e seu acompanhante explicava em sua pitoresca linguagem sertaneja que o rapaz era trabalhador, não escolhia serviço era, como diziam, "pau pra toda obra", mas de uns tempos pra cá ficara pelos cantos, de mau humor, sem conversar, sem comer, emagreceu, ficando desse jeito, pele e osso, vivendo à base de remédios, que não estavam mais surtindo efeito. Como o rapaz era afilhado do patrão, foi enviado para Birigui afim de se tratar, mas de nada adiantou. Mandaram ele para Araçatuba, e também não melhorou. Até que disseram para o patrão do rapaz para levá-lo ao Hospital Dr. Adolfo Bezerra de Menezes, em São José do Rio Preto, para ver se conseguiam salvar sua vida. O dr. Orlando ouviu-o, leu a carta, e ordenou aos atendentes que o recolhessem. Jazia estirado no último banco da ambulância. Estendido na maca, a situação física do rapaz era de penúria; quase um esqueleto vivo.

E mereceu do corpo clínico cuidados especiais; começou a andar pelo pátio apoiado no braço de um atendente, mas não comia; sua alimentação era artificial; raramente pronunciava alguma palavra.

No fim da segunda semana, o dr. Orlando encaminhou-o para o salão de desobsessão. Coloquei-o ao meu lado. A enfermagem espiritual decorria normal, quando dona Cidinha foi tomada por um Espírito que, olhando fixamente para o rapaz, foi dizendo:

— Isso é para você ver como é bom matar os outros de fome. Há muito, muito tempo você me acorrentou à parede de uma masmorra imunda; e mandava colocar um prato de comida e uma bilha de água à minha frente; mas eu não comia nem bebia porque não alcançava nem um nem outra. E esse suplício durou até que morri de fome e de sede. Ao deixar o meu corpo apodrecido, um só pensamento obcecou-me: vingar-me de ti, fazê-lo sofrer o que sofri: a tortura da fome e da sede. A oportunidade se me deparou agora, nessa sua presente encarnação. Não mais continuarei minha vingança. Nestes últimos quinze dias aprendi muito. Na parte invisível desse hospital funcionam escolas, trabalham médicos da alma, que cuidam dos Espíritos infelizes como eu. E aprendi sobretudo que das malhas do sofrimento só escaparemos quando pagarmos o último centavo de nosso karma. Você voltará para sua casa; eu aqui permanecerei mais algum tempo; instrutores abnegados me auxiliarão a recompor o meu destino. Adeus.

Os médiuns passistas aplicaram-lhe passes de dispersão. e logo que se dissolveram os fluidos pesados que o envolviam, deu de gritar:

— Fome, tenho fome; sede, tenho sede; quero comer, quero água.

Consultei o dr. Orlando com o olhar; mas meu diretor espiritual instruiu-me:

— Contávamos com isso; os médicos espirituais já lhe prepararam o organismo; se o dr. Orlando consentir, pode dar-lhe a comida, que só lhe fará bem.

Dei o recado ao dr. Orlando, que ordenou a um atendente que fosse à cozinha buscar um prato de comida. E serviram-lhe um belo prato de arroz e feijão coroado por um suculento bife acebolado.

Tínhamos outros casos a atender e, enquanto trabalhávamos, o jovem já bem disposto, jantava ali na mesa mediúnica, e comeu até o último grão de arroz, e bebeu até a última gota d'água.

Restabeleceu-se depressa. E quando o capataz o veio buscar, o mesmo que o trouxera, ao deparar com ele sorrindo na sala de espera, entreparou e exclamou:

— Uai, gente! É vancê mesmo?

Um Caso Espiritual de Licantropia

> E lançar-te-ão da companhia dos homens, e tua habitação será com os animais e feras; comerás feno como o boi, e sete tempos passarão por cima de ti, até que reconheças que o Excelso tem um poder absoluto sobre o reino dos homens, e que os dá a quem lhe apraz.
>
> *Daniel, 4:32*

AOS HOSPITAIS E CONSULTÓRIOS PSIQUIÁTRICOS acorrem muitos casos de licantropia. Tivemos ocasião de observá-los sob vários aspectos. Dentre eles, descreveremos dois que bem ilustram o processo obsessivo: o de um paciente licantropo que se julgava um cachorro.

O licantropo crê ser um lobo; e por extensão qualquer outro animal, e mesmo um inseto e até plantas.

Um dos mais antigos exemplos é narrado pela Bíblia; o episódio de Nabucodonosor: "[...] durante sete anos foi atacado de uma loucura extraordinária que o fez viver entre os animais e como eles". (Daniel, 4:1-34).

Apesar de aparentar grande complexidade, o processo é muito simples: é uma aplicação do hipnotismo diretamente ao Espírito a ser obsidiado. Durante o sono, quando o Espírito se desprende parcialmente do corpo carnal, o obsessor aproveita para ministrar-lhe passes hipnóticos, sugerindo-lhe ser isto ou aquilo. E o paciente, acordado, passa a viver esquisitamente; e à medida que o obsessor reforça a sugestão, mais e mais aumentam as esquisitices.

Era um paciente que se internou como um cachorro, e procedia como tal: rosnava, latia, andava de joelhos e apoiado nas mãos como se tivesse quatro patas, e que alguém invisível o puxasse por uma corrente; sentava-se a um canto, farejava e ameaçava atacar quem dele se aproximasse; enfim, era um perfeito cachorro em forma de gente.

Levado ao trabalho de desobsessão, apresentou-se um Espírito por meio de dona Elba, que foi declarando:

— Esse cachorro é meu, tratou-me como um cão, agora é minha vez, eu é que trato dele.

E ali mesmo deu algumas ordens ao pseudocachorro, no que foi obedecido servilmente.

A enfermagem espiritual foi longa e árdua. Inteligente e maligno, o obsessor compareceu a inúmeras sessões. Só depois que se rendeu à evidência é que pudemos desfazer o efeito da hipnose espiritual do paciente, no que fomos bastante auxiliados por seu antigo algoz.

Houve também o caso de uma senhora de meia-idade que se comportava como uma borboleta: agitava os braços como se fossem asas, corria pelos corredores gritando: "Eu sou uma borboleta, eu sou uma borboleta". E parava de espaço a espaço, na postura de uma borboleta, a sugar o néctar das flores.

Não deu muito trabalho. Seu obsessor manifestava-se pela médium dona Margarida; em poucas sessões esclareceu-se, e a normalização da paciente foi rápida.

Todavia, a cura total da licantropia só é possível quando a atuação do obsessor for recente, cingindo-se ainda ao perispírito da vítima. Porém, se a atuação for velha e já atingiu o âmago do cérebro, a cura se torna dificílima; nesse caso, pode haver cura, mas sempre parcial, nunca total.

Assombração e Casas Assombradas por Espíritos Existem

> No horror de uma visão noturna, quando o sono costuma ocupar os sentidos dos homens, assaltou-me o medo e o tremor, e todos os meus ossos estremeceram.
> Jó, 4:13-14

ERA UM CASAL DE ESTUDANTES com três filhos, e o quarto a caminho. Lutavam contra enormes dificuldades financeiras; ela dava aulas de inglês, ele trabalhava à noite na seção de computadores de um grande banco. Sempre que podiam, compareciam ao Centro.

Um dia me disseram:

— Sr. Eliseu, precisamos muito falar com o senhor.

— Qual o problema?

— Como o senhor sabe, vivíamos num apartamento muito pequeno, um quarto só, com três crianças, era um martírio o que passávamos. Não podíamos alugar um maior, o aluguel era fora de nosso alcance. Tivemos a fortuna de encontrar uma casa, sr. Eliseu, uma casa grande, quintal enorme com árvores, dessas casas antigas, mas muito bem reformada, cômodos espaçosos, rua sossegada, poderemos ter seis filhos e ainda sobra lugar, além de um bom porão para as crianças brincarem nos dias chuvosos, mas não podemos ficar lá... temos de mudar...

Ela parou de falar; soluços embargaram-lhe a voz; enxugava as lágrimas que lhe corriam pela face.

E o marido continuou:

— É assim mesmo como Joana diz, sr. Eliseu. A casa e o aluguel são uma preciosidade para nós; assinamos o contrato por três anos, veja o senhor. Se o quebrarmos, há multa que não podemos pagar. Os aluguéis por aí estão fora de nossas possibilidades; mesmo o cubículo que deixamos triplicou de preço...

— Mas, afinal, por que que é que vocês vão ter de mudar?

— A casa é assombrada, sr. Eliseu — respondeu Joana já refeita. — À noite ninguém dorme; as crianças gritam e choram apavoradas, dizem ver caretas feias querendo mordê-las; as portas batem; dão murros na mesa, nas paredes, nos armários; ao deitar-me, sinto um sopro gelado nas costas. Refugiamo-nos na sala, os quatro amontoados no sofá, luz acesa. O Carlos chega de madrugada do serviço, cansado, precisa refazer-se a fim de enfrentar a faculdade de manhã. Esperamos que ele tome o seu lanche para acomodar-nos de novo; mas basta apagar-se a luz, e tudo recomeça até clarear o dia.

— Agora percebemos por que conseguimos tão facilmente e tão barata a casa. Uma vizinha nos informou que há anos ninguém consegue nela morar por muito tempo. O inquilino que ficou mais tempo aguentou três meses; e o último, antes de nós, ficou quinze dias, e aconselhou-nos a mudar.

— Pena não terem sabido disso antes de assinarem o contrato; tirariam partido dele para obter um aluguel ainda mais em conta. Por enquanto, não façam nada, não se mudem dali; pedirei uma orientação sobre o caso. Coragem, oração e paciência; aguardem até a próxima reunião espírita-evangélica.

Devo aqui fazer uma ligeira digressão para explicar aos meus leitores como classifico as sessões espíritas:

a) Sessão Espírita-Evangélica: são as sessões de propaganda do Evangelho comentado segundo o Espiritismo, e preleções sobre a Doutrina Espírita, ministração de passes e água fluidificada; recepção de orientações espirituais, e de mensagens psicofônicas de Espíritos esclarecidos e amigos. Duração: duas horas no máximo; e são públicas.

b) Sessão de Desenvolvimento de Médiuns: são as sessões destinadas exclusivamente ao desenvolvimento de médiuns, e ao seu treinamento. Estudo da mediunidade, seu valor e aplicações. Duração: duas horas no máximo; privativas.

c) Sessão de Enfermagem Espiritual: são sessões dedicadas ao atendimento de Espíritos sofredores, tratamento de obsidiados, e encaminhamento de obsessores. Formadas apenas com médiuns bem desenvolvidos, saudáveis e sem vícios, tanto os de incorporação como os passistas. Admitem-se os pacientes e um seu acompanhante, somente um acompanhante por paciente. Duração: duas horas, quando muito; rigorosamente privativas.

d) Sessão de Estudos: são sessões organizadas por pessoas de alta cultura para o estudo científico do Espiritismo. Duração: até três horas; privativas; somente acessíveis a pessoas de nível universitário, podendo haver exceções.

e) Sessão de Socorro aos Suicidas: falarei delas mais adiante, em capítulo especial.

A denominação usual "sessões práticas" não tem nenhum significado para mim; nunca teve, embora seja usada por altos expoentes da Doutrina.

Voltemos à casa assombrada. A orientação veio: "É um caso banal de assombramento. Reúna o grupo e lá estaremos para ajudá-los". E manifestou-se o ex-dono da casa, que declarou:

— Sou eu quem não deixa parar ninguém aqui. Construí essa casa com sacrifício. Desrespeitaram o meu testamento; ela foi parar nas mãos de quem eu não queria; nunca gostei desse meu familiar, seu atual dono. E assim prosseguiu por mais alguns minutos. Convenientemente doutrinado, compreendeu a situação, e meio ansioso perguntou:

— Eu largo essa casa, e para onde irei?

— Um amigo vai mostrar-lhe para onde deve ir. Acompanhe-o e volte para nos dizer se gostou.

Retornou rindo e bem-humorado, dizendo:

— Ora, ora, e eu que não sabia que depois de morto a gente tem lugares belíssimos para morar! Já tenho amigos e conhecidos à minha espera, mas...

— Mas o quê?

— E essa meia dúzia de coitados que arranjei para me ajudar nas desordem que assombram a casa?

— Vá tranquilo que cuidaremos deles.

E a família passou a dormir tranquilamente após esse trabalho.

Reforma Íntima Espiritual

> P. 401 — Durante o sono a alma repousa como o corpo?
> R. — Não, o Espírito jamais fica inativo. Durante o sono os liames que o unem ao corpo afrouxam-se e o corpo não necessita do Espírito. Então ele percorre o Espaço, e entra em relação mais direta com os outros Espíritos.
> O *Livro dos Espíritos*, trad. Herculano Pires

À NOITE, quando se desapertam os laços que nos prendem ao corpo, gozamos uma semiliberdade espiritual. Damos então abertura aos nossos desejos e aspirações, recalcadas na vigília: os Espíritos menos adiantados no Caminho dirigem-se aos locais dos gozos sensuais; os viciados, aos dos vícios; os estudiosos, aos de estudo, conferências, aulas. Há aqueles que integram caravanas de Espíritos socorristas, dedicando-se a amparar o próximo; outros vão molestar seus desafetos; alguns continuam a cuidar de seus negócios; e muitos se tornam fácil presa de obsessores, que os vampirizam. Daí se originam casos de desequilíbrios, de moléstias indefiníveis e de grande parte dos males que afligem a humanidade.

Procurou-nos um jovem de seus vinte e oito anos, simpático, alto, forte, que se queixou:

— Vivo perturbado, nervoso, irrequieto, durmo agitado, de dia não tenho coragem para o trabalho, uma preguiça invencível me domina, sr. Eliseu.

Solicitamos uma orientação, eis a resposta: "Que preguiça, que nada! É farra. Logo que se desprende do corpo, amigos farristas o apanham e caem na boemia paulistana até de madrugada, quando extenuado, retorna ao corpo. Por isso, de dia não tem ânimo para nada. Ele que moralize seus pensamentos, e tudo se normalizará".

O filho de um amigo meu, estudante, tem um modo curioso de estudar. Contou-me um dia em sua casa, em resposta a uma observação de seu pai.

— Não o desapontarei, papai. O meu modo de estudar e *sui generis*, o senhor bem o sabe.

— E qual é? — perguntei-lhe.

— É simples. Durante a aula, presto atenção em tudo, e anoto tudo; não deixo escapar nada; das oito às dez da noite repasso os pontos, assinalando dúvidas que aparecerem, e procurando solucioná-las; às dez retiro-me para dormir. Antes de conciliar o sono, faço uma oração ao meu anjo da guarda, pedindo-lhe que me conduza a um local onde eu possa estudar minhas lições. Aproveito o sábado para rever tudo novamente. Aos domingos, jogo futebol e vou nadar.

— E você é levado a um lugar de estudos?

— Tenho certeza absoluta, e já o vi. Ao adormecer, sinto-me como que transportado para lá. O prédio é magnífico, estilo renascença francesa, no meio de um parque bem cuidado; porém, ao transpor-lhe os portões, não me lembro de mais nada.

— Conheço seus esforços, filho. Mas se lhe fiz a observação é por causa de minhas finanças limitadas — replicou-lhe o pai.

— Não tem perigo, papai. Minha aprovação é certa — concluiu sorrindo.

Aí está como passam a noite os dois Espíritos: um na gandaia, e o outro no estudo. Temos dúzias de casos para lhes narrar: dolorosos uns, grotescos outros, maravilhosos muitos; todavia, bastam estes.

No meio espírita, fala-se muito em reforma íntima; raro o orador que, ao assomar à tribuna, não teça vultosos comentários sobre ela.

A reforma íntima é a maneira pela qual podemos disciplinar nossa conduta, nossos pensamentos, quer de dia, acordados, quer de noite, semilibertos. Divide-se em três partes: a reforma espiritual, a reforma intelectual e a reforma material.

A reforma espiritual é o estudo do Evangelho, e à medida que o formos compreendendo, pautamos nossa vida por ele.

A reforma intelectual é o cultivo da boa leitura, dos livros nobres; jamais envenenar a mente com a leitura de revistas eróticas e de livros libidinosos. Não se comprazer com conversas menos dignas, nem assistir a espetáculos indecorosos.

A reforma material é manter rigorosa higiene corporal; não conspurcar o corpo com atos vis, nem alimentar vícios; ser comedido em tudo, lembrando-se de que todas as coisas nos são lícitas, mas nem todas elas nos convêm, como nos adverte o apóstolo Paulo.

Sobre o Karma

A vida atual é, como se sabe, um simples episódio de nossa longa história, um fragmento da grande corrente que se desenrola para nós todos através da eternidade. E constantemente recaem sobre nós, em brumas ou claridades, os resultados de nossas obras.
O Problema do Ser, do Destino e da Dor, Léon Denis

Muitas pessoas perambulam pelos consultórios médicos, internam-se em hospitais, sofrem operações, entopem-se de remédios, atormentam seus familiares, queixam-se de mil males e nada os cura; por fim, aportam a um Centro Espírita, trazendo nos olhos o brilho da esperança; e o Centro Espírita também se revela impotente para sará-los. Sabem por que isso ocorre? Porque são portadores de enfermidades kármicas.

O karma é a lei do encadeamento de causa e efeito; é o princípio aperfeiçoador do Espírito.

Nossos atos, desde o mais insignificante, imprimem-se fidelissimamente em nosso perispírito e, de tanto praticarmos o mal, forma-se uma crosta negra, espessa, como que fuliginosa, envolvendo-o. E quando essa camada atinge um limite indeterminável por nós, processa-se o expurgo do perispírito.

Essa limpeza só pode ser feita através de nosso corpo de carne, que funciona como um filtro, mediante o qual se escoam as impurezas provenientes de nossa teimosia em desrespeitar as leis divinas. Chamamos a isso queimar o karma, isto é, expiar o passado criminoso, o que se manifesta em nosso corpo carnal por sofrimentos, por doenças, por males incuráveis.

O que se origina do karma não tem cura; tudo o que é curável não é karma. E como não sabemos distinguir o que é mal kármico daquele que não o é, temos o dever de lutar para obter a cura do mal que nos aflige; mas enquanto ela não vem, devemos sofrer resignadamente.

O castigo dos crimes que cometemos não nos são aplicados por terceiros. Não há agentes externos que nos condenem a tais ou tais penas, e nos obriguem a suportá-las; elas emanam da parte mais baixa de nosso ego; brotam da profundeza de nós mesmos, como resultado do mal que praticamos em nossas encarnações.

É bom notar que o karma só começa a queimar quando o Espírito está em condições de enfrentar a expiação; antes disso, pode até ter existências felizes, de repouso, fortificando-se para enfrentar as duras provas que o aguardam.

Há duas maneiras de se queimar o karma; somos livres para escolher a que mais nos convém:

a) o sofrimento.

b) a prática do bem.

Queimado o karma, livre das manchas que o maculavam, o perispírito se torna luminoso, e o Espírito está apto a galgar planos melhores. E para ilustrar isso, vamos contar aqui uma história.

Um casal compareceu ao Centro. Ela estampava inenarráveis sofrimentos no rosto: inquieta, parecia estar sendo atacada por um enxame invisível de marimbondos. E o marido nos disse:

— Há vinte anos que sofremos, já não sabemos onde bater; perto de trinta especialistas cuidaram dela, esteve internada em diversos hospitais, e nada, não consegue parar em parte alguma. Não sei mais o que fazer. Peço a caridade de um auxílio espiritual.

A orientação que recebemos dizia simplesmente: "Passes, água fluidificada, orações e leitura do Evangelho à noite, ao deitar-se".

Ainda que meio desapontado com a resposta, trazia-a semanalmente ao Centro. Passaram-se semanas, meses e seu estado permanecia inalterado. Diante de tanto sofrimento, perguntamos a nosso superior espiritual o motivo, o porquê de não tentarmos algo em seu favor. Respondeu-nos: "Examinamos a ficha espiritual do casal. Ela acumulou karma sobre karma, nunca praticou um benefício; sempre dura para com o sofrimento alheio, jamais moveu uma palha a favor de quem quer que seja. Além do karma anterior, sua ficha acusa abortos criminosos nesta atual encarnação. Seu marido é seu parceiro de há muito e sempre concordou com os desatinos dela, e deles participou. Não podemos interferir no karma de ninguém; deixemo-los entregues ao seu livre-arbítrio. Que fazer? São Espíritos culpados, rebeldes, orgulhosos, egoístas, a se depurarem através do sofrimento. Iguais a esses, há legiões".

Entretanto, há outros que seguem caminho inverso: trilham o caminho da resignação e da humildade; não reclamam, oram; transformam-se em fonte de alegria para quem os cerca; e seu karma se lhes torna leve, suave, e a esperança mora em seus corações; fazer o bem, por menor que seja, é-lhes pensamento constante.

Muitos e muitos anos atrás, um amigo convidou-me:

— Você não quer acompanhar-me numa visita a um amigo internado no Leprosário Padre Bento, em Vila Galvão? Domingo tomaremos o trem da Cantareira, e às seis da tarde estaremos de volta. Ele é espírita, falei-lhe de você; sua ida será uma alegria para ele.

E fomos, o sr. João também. E por longos anos passávamos um domingo por mês com o Gildo, para o que obtivemos licença especial do Serviço de Combate à Lepra.

Gildo nos recebia com um sorriso franco e acolhedor; e com a convivência, notamos que ele era o anjo bom daquela colônia de expiação. À porta de seu quarto batiam os internos em busca de uma palavra carinhosa, de um passe espiritual, de uma prece, da resolução de seus problemas.

Gildo tinha *O Evangelho segundo o Espiritismo* no coração e nas mãos, pregando-o constantemente pela palavra e pelos atos. E quantas vezes, a horas mortas da noite, um interno, desesperado com seu estado, soltando gritos lancinantes, era levado ao quarto do Gildo, que o recebia nos braços, acalmava-o com a tranquilidade de sua voz, passificava-o, orava com ele, deitava-lhe a cabeça em seu ombro, até que as lágrimas parassem de correr e o sono, bênção divina, lhe fechasse os olhos; então deitava-o em sua cama, sentava-se numa cadeira ao seu lado, e velava-o lendo o *Evangelho* até o amanhecer.

E a lepra, moléstia incurável naquela época, roía-lhe o corpo sem misericórdia. Raro era o domingo em que não nos anunciava rindo:

— Hoje estou mais leve; perdi mais um pedacinho da minha carcaça.

Primeiro foram os dedos das mãos, que lhe caíram falange por falange; depois o metacarpo, ficando-lhe apenas o carpo de cada mão recoberto por uma pele avermelhada; já não podia pegar nada, e para comer, pedia que lhe amarrassem a colher no toco da mão, como dizia. Chegou a vez dos pés, que foram roídos até os calcanhares. Na oficina do Leprosário, pregaram quatro rodinhas a uma cadeira de madeira, que os companheiros empurravam; mais tarde, ganhou uma cadeira de rodas.

E a lepra continuava a caminhar; foram-se os olhos, ficou cego; óculos escuros ocultavam-lhe os buracos; desfizeram-se-lhe o septo nasal, as orelhas, as gengivas, e outras partes do corpo que a roupa encobria.

E Gildo continuava sempre o mesmo, nada o abateu; era o amigo sereno, o porto seguro para os lázaros que se insurgiam contra o karma purificador e aperfeiçoador. E largou o resto que a doença não consumira, e alçou-se para as regiões da luz.

E, certa vez em que nos visitava numa reunião espírita-evangélica no "Mensageiros da Paz", nos disse:

— Sou feliz, irmãos, felicíssimo; cada pedacinho de minha carne que a lepra devorava, era uma dívida tenebrosa que eu saldava. Agora sou um Espírito livre, queimei o meu karma que a morfeia comia expiando minhas faltas, meus crimes. Todavia, não foi só ela que me remiu de meu passado culposo: auxiliares valiosos foram-me os pequeninos instantes que dediquei a mitigar a dor de meus colegas de infortúnio. E cada sorriso de gratidão que eu recebia deles curava uma ferida putrefata de meu perispírito. Ser bom é sempre um bom negócio – concluiu, despedindo-se.

E numa sessão de estudos, revendo nossas anotações sobre o karma, O. F. me avisou:

– Gildo está aqui e quer lhe falar.

Tomou o médium e nos narrou o seguinte:

– Eliseu, você sabe que não há efeito sem causa. Você não me perguntou o motivo, o porquê passei uma existência inteira apodrecendo vivo, sem família, sem lar, sem nada de meu, nem mesmo o corpo, que a podridão destruía lentamente.

"Tentarei explicar-lhe:

"Tão longe quanto minha memória pode alcançar, vejo-me ocupando alto posto no exército romano. Diocleciano era o imperador, e seu governo foi manchado pelas perseguições aos cristãos, tanto que foi denominado a era dos mártires, dado o recrudescimento das perseguições nos anos de 303 a 311.

"Eu era ambicioso, insaciavelmente ambicioso; queria ser rico, rico como os mais ricos romanos. E, para conseguir o meu objetivo, a riqueza, usei os mais torpes, os mais ignóbeis meios.

"Vali-me do meu cargo e da perseguição aos cristãos; entreguei-me à caça deles, mas só dos mais ricos. Mandava meus espiões denunciá-los; e eu, fingindo extremado zelo pelas nossas instituições romanas, prendia-os, a família toda, mandava-os para os jogos do circo, aos leões, e me apossava de seus bens.

"Minha fortuna crescia e com ela, minha insaciabilidade. A avareza cegava-me. Mergulhar as mãos em minhas arcas cheias de joias, de pedras preciosas, de moedas de ouro e outros bens valiosos, e enumerar minhas propriedades faziam-me delirar de prazer. E com a riqueza vieram-me as honrarias, tanto desejadas.

"E eu pensava: quero mais, mais, hei de ter mais.

"Tornei-me salteador. Enquanto Roma dormia, embrulhada no manto da noite, eu e o meu bando saíamos roubando e assassinando.

"Agora me vejo reencarnado em pleno século XVII, na Espanha. Sou um monge. Trajo o hábito de uma das mais famosas ordens religiosas que o mundo já viu.

"O vício da avareza, a fome de ouro, não me abandonou; pelo contrário, reviveu ferozmente em meu íntimo. Para satisfazê-lo, usei a Inquisição; tornei-me um algoz temível.

"Os judeus ricos eram minhas presas; delatava-os ao Santo Ofício; arrastava-os às prisões; submetia-os a suplícios atrozes, até arrancar-lhes a última moeda. Tomava-lhes os bens; emparedava-os vivos em sombrias masmorras, enquanto suas esposas e filhas eram selvagemente seviciadas por carrascos implacáveis, aos quais eu dava mão forte.

"Desencarnei.

"Não lhe descreverei o que sofri nos abismos infernais do submundo espiritual.

"Século XVIII. Estou reencarnado de novo na Espanha, como riquíssimo fidalgo espanhol. Hoje sei que aquela riqueza me fora concedida para que eu a empregasse em benefício da pobreza espanhola: fundando hospitais, orfanatos, escolas, fábricas, campos de trabalho honesto, promovendo por todos os meios, sem medir sacrifícios, ampla assistência social. Tal era o preço com que remiria meu passado culposo.

"Nada fiz.

"E, depois de assistir as minhas faustosas pompas fúnebres, vi-me transportado a uma planície estéril, entenebrecida por um céu nevoento; árvores secas, retorcidas, repontavam aqui e acolá. Toda a pomposidade que me acompanhara desvanecera-se. Um hábito de frade grosseiro e esfarrapado me vestia. E eu imóvel no centro daquela imensidão.

"E uma voz terna, posto que enérgica, vinda não sei de onde, chamou-me pelo nome e disse-me:

"— Para solveres um passado criminoso, oportunidades valiosas de redenção te foram concedidas. Ao partires para a lide terrena através da reencarnação, prometeste cumprir o programa que te fora traçado. Mas permaneceste surdo à voz de tua consciência, impermeável às intuições que te enviamos daqui, escravizado ao ouro que te ensandeceu. Doravante ficarás entregue a ti mesmo.

"Calou-se a voz.

"Um vento gélido começou a assoprar, me fazendo experimentar o mais intenso frio que já sentira.

"E você sabe, Eliseu, o que é um Espírito ficar entregue a si mesmo?"

— Não faço a menor ideia, Gildo.

— É o pior castigo que um Espírito desencarnado pode sofrer. Ser abandonado a si mesmo, sem mão amiga que se estenda para ele na escuridão da infraespiritualidade, sem merecer a mínima proteção espiritual. Seus inimigos o aprisionam, e lhe infligem as torturas mais cruéis.

"Não fugi à regra.

"Apoderaram-se de mim e, nos antros abismais para onde me arrastaram, supliciaram-me atrozmente.

"Foi o caso: colhi o que plantei, não é verdade?"

— Mas, Gildo, não apareceu ninguém para ajudá-lo, um amigo ao menos?

— Amigos? Eu lá cuidara de fazer algum amigo? Julgava que todos os que se acercavam de mim eram interesseiros, atraídos por meu dinheiro, e afastava-os.

"Aquelas sevícias tiveram o dom de me fazer esquecer totalmente minha paixão pelo ouro. Contudo, despertaram em mim sentimentos mais desumanos: o ódio, o desejo de vingança; massacrar os que me massacravam, muito embora eu merecesse o castigo.

"Meu coração árido ressecou-se mais ainda.

"Sim! Eu me vingaria. Se meus inimigos estavam ali, é porque eram iguais a mim; haveriam de se reencarnar, e então seria minha vez. Eu os perseguiria sem tréguas; não me escapariam.

"E quando, cego de ódio e de dor, dispunha-me a prestar um terrível juramento que me ligaria por séculos aos Carrascos das Trevas, senti que lágrimas pingavam sobre mim, como gotas luminosas.

"Alguém chorava por mim! Mas quem?! Haveria um coração que pulsasse por mim? Meus carrascos perceberam e recuaram aterrados.

"E recuei no tempo e relembrei: Nausica! Sim, só poderia ser ela!

"Ante tal recordação, chorei por horas a fio. O pranto fundiu-me o coração. Meu ódio esvaneceu-se. Meus algozes deixaram-me.

"A fim de reorganizar a legião romana que estacionava na Dalmácia, hoje Iugoslávia, munido de plenos poderes por Diocleciano, lá demorei três anos.

"Comprei escravos para servirem-me. E de um mercador fenício, adquiri uma cativa grega, virgem de seus vinte anos, de nome Nausica; bonita, fiz dela minha concubina. Notei que se desenvolvia dentro de mim um sentimento doce e terno, ao qual ela correspondia. E, por que não confessar? Amamo-nos e fomos felizes.

"Chegara, todavia, o termo de minha missão; fui chamado a Roma.

"Preparando-me para partir, reuni meus escravos e os vendi; Nausica inclusive.

"Ela me fitou com os olhos úmidos, não disse palavra, e afastou-se com a caravana.

"O remorso e a saudade me andaram mordendo; porém, dissolveram-se logo.

"As lágrimas que me banharam naquela escuridão de horrores só poderiam ter vindo dos olhos de Nausica, de ninguém mais.

"E materializaram-se diante de mim dois mensageiros:

"— Sossega, ela nos enviou para socorrê-lo; venha.

"Matricularam-me num Pronto Socorro Espiritual, muito próximo à superfície da Terra, onde me preparei, auxiliado por mentores clarividentes, para minha reencarnação.

"E reencarnei-me como um leproso.

"O resto você sabe."

— E Nausica, você não a viu, não a vê?

— Não. Eliseu, um sapo dentro do brejo é mais feliz do que eu: ele pode ver uma estrela; eu ainda não posso ver um anjo. Sei que Nausica me ampara, mas não me é permitido vê-la.

Considero-me redimido. A lepra, privando-me do convívio amoroso de meus familiares, despojando-me de todo e qualquer bem material, infligindo-me padecimentos quiçá iguais aos que provoquei aos outros, limpou-me o períspirito. Resta-me limpar a consciência. O remorso ficou, e queima-me abrasadoramente. E para limpar a consciência, livrar-me do remorso, purificar o meu Espírito, devo trabalhar sem descanso, semear felicidade, sacrificar-me para que os outros sejam felizes. Depois... só depois poderei ver Nausica."

Seria Possível Provar para uma Pessoa Materialista que a Mediunidade Existe?

> Evite, porém, controvérsias tolas, genealogias, discussões e contendas a respeito da lei, porque essas coisas são inúteis e sem valor.
>
> Tito, 3:9

Aconteceu que o dr. Orlando me convidou:

— Eliseu, você estará ocupado sábado à noite?

— Apenas em leituras. Por quê?

— O Carmelo Grisi, um bom amigo e espírita, querendo muito conhecê-lo, convidou-nos para jantar.

— Se o senhor for, aceito.

— Então iremos. Mas vai prevenido que, depois do jantar, o Carmelo quer defrontá-lo com o dr. Cizenando, o qual conhece muito bem a Doutrina Espírita, só que não aceita a mediunidade. O Carmelo programou esse jantar, visando esse confronto.

— Recusar o convite será indelicado; compareceremos.

E agora? Não gosto de discussões e, principalmente, religiosas; sou avesso a elas; em geral, criam antipatias. Opiniões são como relógios: marcam horas diferentes, porém, cada um se guia pelo seu.

O jantar decorreu magnífico, preparado pelo próprio sr. Carmelo, exímio cozinheiro. E ao café, servido na sala de estar, incitado pelo nosso anfitrião, o dr. Cizenando puxou conversa:

— Apesar de estudar muito o Espiritismo, pois leio tudo o que se publica sobre essa doutrina, tenho sérias dúvidas. O Carmelo me disse que você me esclareceria a contento. No entanto, advirto-o de que até hoje ninguém me convenceu.

Observara-o durante o jantar e percebi que eu não era adversário para ele; antes do quarto assalto, eu seria nocauteado.

E timidamente arrisquei:

— Sempre é um prazer trocar ideias com pessoas estudiosas. Vejamos suas dúvidas.

— Giram todas em torno da mediunidade; não creio nela.

— E o senhor tem acompanhado atentamente trabalhos mediúnicos?

— Tenho e não me convenceram, não constituem provas concretas; e são provas concretas que eu quero.

Possuidor de sólida cultura médica, desenvolveu uma série de brilhantes teorias sobre consciente, inconsciente, condicionamentos mentais, e mais coisas, tudo entremeado de citações de autores de nomes difíceis, e por aí afora; discorreu por uns quarenta minutos. Os presentes o ouviam embasbacados.

Pobre de mim! Como contestá-lo se eu quase nada entendera do que ele dissera e, na verdade, eu nem sabia que tudo aquilo existia? Ele soltara uma divisão de tanques de guerra contra mim, que mal me abrigava atrás de um montículo de areia.

E todos os olhos e orelhas voltaram-se para mim; era minha vez e, talvez por inspiração, respondi:

— Tenho condições de lhe apresentar provas concretas, concretíssimas sem a menor dúvida...

— Até que enfim! É à procura delas que ando — interrompeu-me num brado o dr. Cizenando.

— Entretanto, há uma condição, se o senhor concordar...

— Concordo, mesmo sem saber qual seja...

— É simples; consiste em transferirmos o final dessa discussão para daqui a cinquenta anos. Estaremos então do outro lado do véu que nos oculta o mundo espiritual, e me será fácil apresentar-lhe as provas, tantas quantas o senhor quiser.

Todos rimos. E a discussão terminou. E o sr. Carmelo, desapontado, perguntou-me:

— Você não vai convencer o Cizenando?

— Não, Carmelo. Transferimos a discussão para o ano 2010 — finalizou o dr. Cizenando.

Daí em diante, afetuosa amizade nos uniu; dele recebi inúmeras gentilezas; médico clínico do Hospital Dr. Adolfo Bezerra de Menezes, eram frequentes nossos encontros; e um dia, já em São Paulo, recebi a notícia de seu desencarne.

Passaram-se meses, e numa de nossas reuniões privativas de estudo, comunica-se o nosso inesquecível dr. Cizenando, cujo diálogo tentarei reproduzir:

— Eliseu, você sabe quem está aqui?

— É o dr. Cizenando — respondi intuitivamente.

— Ele mesmo. Mas jogue pra lá esse doutor; esse título pertenceu ao meu corpo, que se tornou pó, e com ele o título. Sou apenas um seu irmão em crescimento espiritual como você.

— E então, quem ganhou?

— Você ganhou. De fato, já tenho as provas concretas, concretíssimas da mediunidade; não me foi necessário esperar cinquenta anos. Mas se você não tivesse tido aquela ideia, você não me venceria, não! Você sabe como eu era eloquente.

— Esperava de há muito essa sua visita, sinto-me feliz com ela; é um presentão que ganhei hoje.

— Pois é! Eu queria tornar-me visível a você em sua biblioteca, durante seus estudos; mas quando as condições me eram favoráveis, ou você cochilava, ou o chamavam.

"Pobre do mundo se não fosse a mediunidade! Ela é a alavanca que impulsiona a Terra para o concerto dos mundos superiores. A luz ainda bruxuleante, mas que se tornará radiosa a iluminar a Terra. A escada de Jacó pela qual subiremos ao Altíssimo!

"Sabe em que me ocupo aqui, dentre outras atividades?"

— Não imagino.

— Em pregar, em ensinar a mediunidade; porém, os Desígnios Superiores me permitem ir somente aos Centros Espíritas bem humildes, bem modestos, e por médiuns inconscientes. Tenho de me cingir ao linguajar primário deles. Médiuns inconscientes são difíceis de encontrar. E quando tenho a felicidade de encontrar algum, ele dispõe de reduzidíssimo vocabulário, ao qual tenho de me ater. E, como médico que fui, sempre que é oportuno, ensino-lhes remédios, e aprendo com eles a virtude das ervas medicinais. Ministram-me também um excelente medicamento, o qual me está fazendo muitíssimo bem, chama-se Humildade. Por aí você pode calcular que provas concretíssimas, irrefutáveis, meus Superiores me apresentam. Estou contente, sou feliz, o trabalho me agrada.

E com palavras carinhosas e encorajadoras, despediu-se.

Agora visita-me sempre. É quase como se continuássemos a nos encontrar no Bezerra, anos atrás. Tem especial cuidado com minha saúde. Ainda outro dia, endereçou-me um bilhete psicografado nestes termos: "Eliseu, cuidado com a saúde; não se descuide; porque senão você logo será meu colega do lado de cá. E por enquanto não lhe convém, Cizenando".

Sobre Casos de Psicometria

> Pois que a psicometria não passa de uma das modalidades da clarividência, a esta pertencem, também, os seus enigmas.
> *Enigmas da Psicometria*, Ernesto Bozzano

Psicometria é uma faculdade mediúnica que permite a quem a possui ler as impressões gravadas fluidicamente num objeto ao se pôr em contato com ele. É uma modalidade da clarividência. Os médiuns psicômetras são raros.

É um ramo fascinante da mediunidade, oferecendo um campo amplíssimo de estudos e de observação aos pesquisadores. Quem desejar estudá-la pode principiar pelos livros *Enigmas da Psicometria*, de Ernesto Bozzano, e *Nos Domínios da Mediunidade*, de André Luiz.

Pelos casos que observei, simples e poucos, faço a seguinte comparação, posto que não explique, nem de longe, o fenômeno psicométrico.

Comparo o médium psicométrico a um toca-fitas, e o objeto a ser perscrutado por meio de psicometria à fita magnética gravada. Ao acionarmos o toca-fitas, o som se desprende da fita, transformando sinais eletromagnéticos em sons audíveis para o ouvido humano. Assim o médium psicométrico: ao concentrar-se e ao pôr a mão no objeto, vê conscientemente desenrolarem-se as cenas a que o objeto assistiu, e as descreve. Não importa qual seja o objeto: um livro, um pedaço de pedra, uma estátua, uma máquina, um osso, um retalho de pano, um ramo de árvore, uma joia; enfim, o que quer que seja; nem tampouco a idade do objeto: um dia, um mês, um ano, dez, cem, mil, dez mil anos... o tempo não conta.

Como se gravam e se conservam nas coisas os fatos revividos pelo psicômetra? Bem, essa é a questão.

Creio ser uma lei física como tantas outras e que compete ao homem ainda descobrir. Não há nada de sobrenatural nisso. Aliás, o sobrenatural não passa de um conjunto de leis físicas que não foram descobertas ainda.

À custa de estudos e de observações, muitos fenômenos hoje enquadrados no sobrenatural, ou no misticismo religioso, serão transportados para o quadro das leis da física: é apenas uma questão de tempo e de pesquisas. E então o homem amará a Deus, o Pai Altíssimo, em Espírito e Verdade, sem muletas de qualquer espécie.

Pendurado numa das paredes da casa de meu amigo O. F., há um relógio antigo, de fabricação inglesa, do princípio do século XIX. Numa das visitas que lhe fiz, o relógio já quase bissecular atraiu-me a atenção. Notando minha curiosidade, O. F. convidou-me:

— Sentemo-nos na sala e lhe contarei a história desse relógio; ganhei-o de uma colega de serviço, pertenceu ao avô dela.

"Enquanto o avô viveu, moravam numa casa solarenga pelos lados da Cantareira. Com o desencarne dele, e a casa absorvida pelo desenvolvimento da cidade, derrubaram-na e construíram outra no mesmo terreno, na qual moram.

"Junto com os trastes que jogaram fora, estava este relógio.

"Naqueles dias, numa tarde de domingo, visitei a família e dei com ele no meio daquela velharia esperando remoção.

"Pedi que me dessem o relógio e assim o fizeram.

"Por algum tempo, deixei-o guardado, porque não funcionava. Aconteceu que me lembrei dele, e mandei restaurá-lo; ficou bom; pendurei-o nesta sala acima do sofá onde você está.

"Daí em diante, sempre que me defrontava com o relógio, invadia-me um mal-estar indefinível, embora rápido; outras vezes uma sensação de angústia, de tristeza. Mudei-o de lugar; fixei-o no corredor, onde você o vê, julgando assim acabar com aquilo.

"E então as coisas se complicaram; comecei a acordar de madrugada, ouvindo o choro de um homem, e não mais dormia. Repetindo-se isso por vários dias, resolvi consultar meu protetor, o irmão B., que me ordenou:

"— Levante-se e coloque a mão sobre o relógio. – Obedeci.

"E a cena mudou espetacularmente: já não era o corredor, nem minha casa; achei-me na biblioteca de um solar antigo na Espanha. Esse mesmo relógio pregado à parede funcionava; um homem sentado à escrivaninha lia atentamente; notei que era a casa-grande de uma fazenda; do lado de fora nevava.

"E sorrateiramente, com passos leves e ágeis como os de um gato, pela porta do fundo ao lado duma estante de livros, entrou um homem. Protegia-se do frio com largo poncho cinza-escuro, em cujos ombros havia laivos de neve. Aproximou-se por detrás do leitor, vibrou-lhe violento golpe na nuca, estendendo-o de bruços no livro que lia. E relanceando os olhos ao redor, buscava ansioso um objeto qualquer que lhe servisse de arma. Deparou com o relógio, cujo pêndulo terminava em pequena, posto que afiada lâmina. Abriu-o, retirou-lhe o pêndulo às pressas, e cravou-o nas costas da vítima, perfurando-lhe os pulmões. Golfadas de sangue alagaram a mesa. O ferido ainda conseguiu gritar, acorrendo gente.

"E a visão se dissipou. De novo me vi em minha sala, ao lado do relógio.

"E no domingo fui visitar a família, com a qual almocei. E contei-lhes que mandara restaurar o relógio, que ficou muito bom e bonito, como quando saiu da fábrica. E uma velhinha muito simpática nos narrou o seguinte:

"— Há uma tradição em nossa família a respeito daquele relógio; pertenceu a meu bisavô, que era de origem inglesa, radicado na Espanha, para onde se mudara, e com a mudança foi o relógio. Meu bisavô era plantador de uvas. No inverno não havia trabalho para os camponeses, por causa da neve que tudo cobria; sofriam fome e frio; mal pagos no verão, quase nada lhes sobrava com que enfrentar os longos meses invernosos. E ele, duro de coração, não os socorria nem com migalhas. Um de seus empregados, transtornado de desespero pela penúria da família, premeditou sua morte e matou-o, diziam, com o pêndulo daquele relógio. Essa é a história que ouvi meu avô contar muitas vezes quando eu era menina.

"— O irmão B. ao qual narrei o caso, perguntou-me:

"— Sabe do que morreu o avô de sua colega de trabalho?

"— De uma violenta hemoptise...

"— Eis aí como se processou a justiça divina, ou seja, a queima do karma: o avô de hoje, que desencarnou com os pulmões destruídos pela tuberculose, é o assassino de ontem, que perfurou os pulmões do patrão.

"— O pêndulo já não tem a lâmina; é o mesmo, mas sem ela; mandei tirá-la."

Dei de presente a O. F. um livro usado, um exemplar da *Antologia Nacional*, edição de 1915.

Certa vez, O. F. deitou-se no sofá com ele na mão, lendo-o, e adormeceu. E viu uma ampla sala de aula, janelas à direita pelas quais entrava a vozeria dos alunos em recreio no pátio. O professor em sua cátedra chamava aluno por aluno para a leitura. Os alunos trajavam uniforme azul, túnica presa à cintura com cinto do mesmo pano e cor, gola engomada com pontas redondas, larga, e com um lacinho azul como gravata; chamou um deles, cujo nome O. F. guardou, o qual se apresentou com uma *Antologia Nacional* igual à que eu lhe dera.

O. F. acordou; sua mão direita apoiava-se no livro que caíra no chão; apanhou-o e, examinando-o atentamente, descobriu numa das páginas internas um nome e uma data: o nome era o do aluno que o professor chamara. Psicometricamente O. F. assistiu a uma aula que havia ocorrido num dia do ano de 1916.

Possuo uma máquina de costura, daquelas antigas, que só servem para enfeite. A minha tem mais de cem anos e não funciona; comprei-a num depósito de sucata. Lembrei-me de submetê-la ao exame psicométrico de O. F. Eis o que se nos revelou: um navio chegando a um porto, é um navio do século XIX. O cais é pequeno, construído de madeira, de grossas pranchas. Não se vê a praia, oculta por um muro alto. Desembarcam caixas, muitas caixas. Transportam as caixas de trem.

Apresenta-se uma sala espaçosa; ao lado da janela está uma senhora negra, costurando um vestido de noiva; a máquina é esta e nova.

A cena é outra, a sala é a mesma; há um vaivém de pessoas; ao lado da máquina, uma senhora negra experimenta em uma moça um vestido de noiva.

Agora a máquina está mais velha; a mesma senhora negra, já idosa, costura. Na mesa ao lado da máquina, há roupas pretas, vestes de luto.

Tudo escuro, a máquina está sozinha na escuridão.

É uma sala muito pobre; como que jogada a um canto, esquecida, jaz a máquina.

É um depósito de quinquilharias, coisas imprestáveis, entre elas a antiga máquina de costura enferrujada, encostada, esquecida.

Crônicas sobre os Suicidas e o que Sucede a Eles após o Desencarne

> Ninguém tem o direito de dispor de sua vida, porque ela lhe foi concedida visando aos deveres que teria de cumprir na Terra. Por isso não deve abreviá-la sob pretexto algum. Visto possuir o livre-arbítrio, ninguém pode impedi-lo de fazê-lo, mas terá sempre de sofrer as consequências.
> O suicídio mais severamente punido é o cometido por desespero, no propósito de fugir das misérias da vida. Sendo estas ao mesmo tempo provações e expiações, furtar-se a elas é recuar diante da tarefa que se impôs...
> Allan Kardec, O *Céu e o Inferno*, trad. Herculano Pires

> P. 944 — O homem tem o direito de dispor de sua própria vida?
> R. — Não, somente Deus tem esse direito. O suicídio voluntário é uma transgressão dessa lei.
> O *Livro dos Espíritos*, trad. Herculano Pires

HÁ NUM CANTINHO RECÔNDITO de nosso ser, um instinto que, mais do que qualquer outro, nos preserva a vida, que nos faz temer a morte, que nos ajuda a suportar sofrimentos e dificuldades, a vencer quaisquer obstáculos para que possamos sobreviver.

Esse instinto é uma lei da natureza, e chama-se instinto de conservação. No homem, é um instinto racional, nos animais é meramente mecânico.

Se ele é tão forte assim, por que há o suicídio?

O suicídio é uma transgressão da lei divina de conservação. O homem, usando seu livre-arbítrio, transgride essa lei, sobrepõe-se ao instinto, e destrói seu corpo. Mas só seu corpo, notem bem, só o seu corpo carnal, efêmero, que temporariamente lhe abriga o Espírito.

Não há morte. A vida prossegue sempre, e continua porque somos Espíritos indestrutíveis, imortais, eternos; porque somos partículas emanadas de nosso Criador, Deus, o Pai Altíssimo.

Jesus nos afirma: "Vós sois deuses". Sim, somos deuses em crescimento, rumo a altíssimos destinos.

E nesse crescimento: corpos de carne, riqueza, pobreza, desilusões, sofrimentos, humilhações, cargos de poder, situações subalternas, diferenças de raças e de cores, títulos honoríficos e profissionais, desastres financeiros, velhice, desgostos, tudo constitui valioso material didático que paulatinamente vamos usando e abandonando à medida que ingressamos em estágios superiores dessa Universidade Infinita que é o Cosmos.

A Terra, nessa Universidade, é uma pequenina classe primária, onde Espíritos infantis ainda começam a soletrar o bê-a-bá da Espiritualidade.

Muitos não aceitam os utensílios de ensino que a vida lhes fornece; rebelam-se, não gostam das lições que se lhes afiguram duras, difíceis demais, e fogem da escola pelo suicídio. E quando percebem que trocaram simplesmente de classe: de uma classe de lições suportáveis por outra de lições aterrorizantes... tarde, muito tarde... Só lhes resta o choro e o ranger de dentes. E para ilustrar isso, vamos aqui relatar um caso.

Corria o ano de 1938 quando minha família foi atingida pela calamidade do suicídio. Sim, porque o suicídio é uma desgraça tanto para quem o comete como para seus familiares.

Vasquinho, meu irmão de dezoito anos, passou pela empresa de propaganda em que eu trabalhava, conversamos um pouco, e despediu-se com um "até logo".

Como de costume, cheguei em casa às sete e meia da noite; jantávamos às oito da noite.

— O Vasquinho ainda não chegou — disse mamãe. — É o único que falta.

Papai fazia questão de, ao jantar, estarmos todos juntos.

— Não deve demorar, mamãe, ele passou pelo escritório esta tarde.

E não veio.

Seu lugar à mesa ficou vazio.

Depois das vinte e duas horas, a inquietação de mamãe contagiou-nos, e a dela se transformou em angústia; não se deitou, esperando a qualquer momento abrir-se a porta.

Com o raiar do dia, avivaram-se nossas preocupações. Iniciamos as buscas, que se prolongaram por mais de quinze dias. Utilizamo-nos de todos os meios de comunicação existentes. Recorremos às autoridades, necrotérios, hospitais, e nada, nem sinal dele.

Mamãe, desolada, consolava-se orando e chorando. Papai era o único que acalentava esperanças, e sustentava-nos com sua voz enérgica, posto que repassada de carinho.

Éramos doze irmãos, mais papai e mamãe, catorze; mais dona Rosina, uma senhora calabresa, amiga de meus pais que morava conosco; e mais a Emília, já havia trinta anos governanta de nossa casa; ao todo, uma família unidíssima de dezesseis pessoas, agora mutilada com a falta de Vasquinho.

Aproximava-se o dia de finados.

Mamãe recebeu uma carta de sua irmã Edwiges, que morava em Santa Rita do Passa Quatro. Pedia-lhe que fosse ao cemitério do Araçá, e mandasse renovar a pintura do túmulo de seu filho.

E mamãe, acompanhada de minha irmã Francisca, dirigiu-se à Administração do Cemitério. O funcionário que a atendeu, encarou-a fixamente e perguntou-lhe:

— A senhora tem algum filho que se pareça consigo?

— Tenho muitos filhos — respondeu-lhe mamãe —, mas o que mais se parece comigo desapareceu de casa... — e pôs-se a chorar.

— É ele! — E contou-lhe.

Retiraram um cadáver do rio Tietê, nas proximidades da Ponte Grande, de um moço parecidíssimo com ela. Pelos trajes, parecia ser filho de boa família. Esperou que alguém viesse reconhecê-lo, e por fim sepultaram-no.

E, apanhando uma ficha no arquivo, continuou:

— Aqui está. Desconhecido: *Causa mortis*, segundo a autópsia: suicídio por afogamento. Sepultura nº...

Auxiliado por Francisca, amparou mamãe sentando-a numa cadeira, e mandou buscar um cordial numa farmácia próxima.

Refeita do choque, mamãe pediu-lhe humildemente que as acompanhasse ao túmulo de seu filho. Ajoelharam-se diante daquele monte de terra, e oraram pelo Vasquinho.

E o atendente lhe disse que guardara alguns objetos do rapaz; se ela quisesse levá-los. E na capela, entregou-lhe uma gravata, uma cinta e um chaveirinho com uma chave.

A gravata... mamãe reconheceu-a logo: era minha e Vasquinho gostava de usá-la, mas... há tantas gravatas iguais. A cinta... pela ação da água estava irreconhecível. Restava a chave.

Era uma chavinha de caixa do correio central, com o número gravado numa plaquinha. Vasquinho, funcionário do jornal *Diário de São Paulo*, encarregava-se de apanhar a correspondência; daí possuir aquela chave.

Papai e eu fomos ao correio imediatamente. E quando aproximou a chave da fechadura, percebi que ele orava para que não servisse.

E serviu... e abriu a caixa...

Já não cabiam dúvidas.

Vasquinho se suicidara.

Dias depois, fomos ao cemitério. E meu irmão Orlando me perguntou:

— Por que estás tão ensimesmado, Eliseu? O que há contigo?

O porquê não lhe confessei. Faço-o hoje.

Saí do cemitério com um sentimento de culpa que me atormentava: julgava-me culpado daquele ato que meu irmão praticara. Todos compreendíamos o Espiritismo, que era a religião que professávamos, principalmente eu, que o estudava apaixonadamente. Todavia, estávamos no terreno da teoria; não o praticávamos. Médiuns em potencial, não cuidávamos de desenvolver a mediunidade, de frequentar um Centro Espírita, de agarrar no arado, e trabalhar na seara do Pai, tão carente de trabalhadores.

Sim! O grande culpado era eu, que, como irmão mais velho, deveria dar o exemplo, e todos me seguiriam, porque me amavam. Quiçá não teria evitado o desastre que sacrificara meu irmão, e dilacerara o coração de meus pais.

E tomei uma resolução: "Doravante pertencerei ao Espiritismo; cumprirei meus deveres para com a Família, para com a Pátria, e para com a Humanidade; viverei de acordo com minha condição humana; mas a bandeira que erguerei bem alto, e à qual serei fiel até o fim, é a do Espiritismo evangélico, o Espiritismo cristão".

E como iniciar meu trabalho espiritual?, perguntava-me eu.

Jantávamos e mamãe fez uma observação a dona Rosina:

— Dona Rosina, que pressa é essa de jantar? Comer assim tão depressa lhe fará mal.

— Angelina, está na hora de eu ir ao Centro; não quero chegar atrasada.

— Centro, que Centro? — perguntei.

— É um Centro Espírita aqui perto; frequento-o desde que o Vasquinho desapareceu.

— Posso acompanhá-la?

— Como não?! Vamos.

E foi assim que ingressei no Centro Espírita "Mensageiros da Paz", dirigido espiritualmente pelo Espírito de José Cavalcante de Oliveira, e materialmente por dona Corina Antunes Garagarza e por seu irmão, Antonio de Paula Antunes.

Papai foi à padaria e voltou meio transtornado.

— Que é isso, Vasco, houve alguma coisa? Você está com uma cara! — disse-lhe mamãe tirando-lhe das mãos o leite e o pão.

— Ao abrir a porta do alpendre, vi o Vasquinho no portão. Olhou-me fixamente por instantes e desapareceu.

À tarde, Francisca queixou-se:

— Tive a impressão durante o dia todo de que o Vasquinho está por aqui e quer falar-nos.

À noite, fomos ao Centro; mamãe, não; raramente ia, embora não nos deixasse faltar; se um de nós quisesse faltar, tinha de lhe apresentar uma razão muito poderosa; depois que nos via a caminho do Centro, sossegava; acomodava-se à sua cadeira de balanço junto ao rádio, e ali ficava a esperar-nos o regresso, quando nos servia uma xícara de café com leite, e recolhia-se.

Trazido pelo irmão Cavalcante, Vasquinho veio; comunicou-se por dona Corina emocionadíssimo e sofredor. Não lhes descreverei suas palavras, seu sofrimento; mais adiante ele mesmo o fará, apenas direi que perguntou:

— E mamãe, ela está?

— Não, não veio.

— Peça-lhe que venha na próxima reunião; tenho urgente necessidade de vê-la, de falar-lhe; abracem-na por mim.

Mamãe recebeu a notícia e não proferiu palavra; apenas uma lágrima rolou de seus olhos. Então, ela nos acompanhou à reunião. E Vasquinho manifestou-se.

Não reproduzirei o estado em que estava: era lastimável, suas palavras doloridas arrancaram lágrimas de todos; e terminou dizendo:

— Perdoe-me, mamãe, quero abraçá-la; quero deixar-lhe um sinal para que a senhora não duvide.

Mamãe achegou-se à médium por cujo intermédio ele abraçou-a e beijou-lhe uma das faces.

No dia seguinte de manhã, ao mamãe pentear o cabelo no espelho do banheiro, lançou uma exclamação, quase um grito:

— O que é isso, meu Deus?!

Em sua face, no lugar onde Vasquinho a beijara, sobressaía nítida uma mancha marrom reproduzindo fielmente os lábios dele. Papai tentou tirá-la com a ponta da toalha molhada, o que avivou-a ainda mais. Mamãe volta e meia postava-se diante do espelho a observá-la: era algo de seu filho.

Três dias depois a mancha apagou-se, e com ela a dor opressiva que lhe martirizava o coração.

Contudo, os suicídios em minha família não param aí; tempos depois seguiu-se o de Décio, sobrinho de minha mãe. E mais tarde, bem mais tarde, o de meu tio Chico, seguido do de meu tio João, ambos irmãos de meu pai.

Décio tinha dezoito anos; primogênito de minha tia Leontina, que ficara viúva em Santa Rita do Passa Quatro. Mudara-se para São Paulo com dois filhos pequenos e, junto a Décio, já empregado em São Paulo, a vida lhe seria mais fácil.

Um dia, pelas onze horas da manhã, ela apareceu em casa aflita e foi dizendo:

— Angelina, o Décio desde anteontem que não vem para casa. O que terá acontecido?

Papai articulava providências para procurá-lo, e o telefone tocou; atendeu-o e, pendurando o fone no gancho, chamou mamãe para o quarto, e disse-lhe:

— É o Orlando que telefona de Santa Rita, avisando que o Décio foi encontrado esta manhã enforcado numa árvore no bosque, atrás do posto. Ele já tratou de tudo, e espera Leontina urgente.

Mamãe transmitiu a triste notícia à cunhada e partiram imediatamente.

E meu tio Orlando, cunhado de minha mãe, contou-lhes:

— Como de costume, cheguei cedo ao Posto (Posto de Agricultura, do qual era o chefe) e vi passar gente correndo. Alguém gritou-me: "Há um homem enforcado aí no bosque". Obedecendo à curiosidade, fui ver. E deparei com o Décio pendurado de uma corda no galho duma árvore. Estava morto. Uma vintena de pessoas rodeava-o comentando o fato.

Décio suicidara-se.

Meus tios Chico e João, ambos septuagenários, atiraram-se ao Tietê, com pequeno intervalo de tempo um do outro.

Como Funciona o Socorro aos Suicidas

> Ajudá-lo-emos com nossas preces que seriam, porém, infrutíferas, se não nos secundar com seus esforços.
> — Obrigado! Oh! Obrigado por vossos conselhos. Eu muito precisava deles, pois sou mais infeliz do que queria demonstrar. Vou pô-los em prática, garanto-vos, e vou preparar-me para minha próxima encarnação, onde agirei de modo a não sucumbir desta vez.
> Allan Kardec, *O Céu e o Inferno*, trad. Herculano Pires

Após o suicídio de Vasquinho, os anos foram passando e as transformações vieram. Casamo-nos todos e cada um de nós foi cuidar de seu lar. Mudei-me para São José do Rio Preto. Meus pais desencarnaram, bem como dona Rosina e Emília. Nunca mais soube do Vasquinho nem dos outros. Organizado o trabalho espiritual, choveram sofredores de todos os lados, não me sobrando tempo nem mesmo para orar por aqueles Espíritos queridos.

Chegara uma remessa de livros na livraria do Kardec, e pus-me a escolher as novidades; dentre elas, deparei-me com o livro de Yvonne A. Pereira, *Memórias de um Suicida*, que havia muito eu desejava ler.

A leitura desse livro abriu novos horizontes a meus trabalhos espirituais. Lembrei-me de meus amados suicidas, já longe no tempo. E resolvi fundar um grupo mediúnico de socorro aos suicidas. Os médiuns que trabalhavam comigo estavam bem preparados, não haveria dificuldades; convoquei-os. Entre médiuns de incorporação, ou psicofônicos, e passistas, éramos vinte e dois.

Expliquei-lhes a finalidade da reunião. Constituirmos um grupo de socorro aos suicidas, mediante o seguinte regulamento:

a) Uma sessão mensal de duas horas no máximo.

b) Amor e abnegação. Quem se dedicar a esse tipo de trabalho deverá fazê-lo com absoluta devoção e amor, pondo-o acima de qualquer compromisso nesse dia.

c) Doutrinação amorosa, evitando quaisquer indiscrições. Lembrar-se de que são Espíritos extremamente sofredores, e quase enlouquecidos pela dor.

d) Contribuirmos com grande dose de nossas próprias energias para alívio dos infelizes que nos forem encaminhados, uma vez que muitos deles precisam de nosso concurso para se adaptarem à vida espiritual; por isso os médiuns deverão estar em boas condições de saúde.

e) Não haverá assistentes, em hipótese alguma.

f) Não serão permitidas faltas, a não ser por absoluta força maior:

g) Levarem muito a sério os trabalhos e responsabilidades desse grupo.

h) Prepararem-se algumas horas antes dos trabalhos com preces, leituras evangélicas, ou mesmo um simples repouso, afastando de si toda e qualquer preocupação material ou social.

i) Depois dos trabalhos, voltarem diretamente para seus lares, prepararem-se convenientemente para o repouso, não formando grupos para dar vazão à vida social. Os trabalhos com os suicidas continuam noite adentro até alta madrugada, e nossos superiores espirituais precisam de nós semilibertos do corpo, para o transporte dos Espíritos suicidas às unidades de recuperação. Devemos saber que não podemos servir a Deus e às riquezas, o que vale dizer que não podemos atender à parte social e à espiritual ao mesmo tempo. A noite desses trabalhos é uma noite sagrada e como tal, deve ser considerada por todos.

j) A sessão se dividiria em duas partes: estudo e enfermagem espiritual. Para o estudo seriam adotados dois livros: *Memórias de um Suicida*, de Yvonne A. Pereira, e *Conduta Espírita*, de André Luiz.

k) Seria marcado pequeno trecho de cada livro, que cada participante estudaria em casa, durante o mês, com carinho e atenção, aos poucos e bem meditados, devendo o aprendiz iniciar a composição de suas lições com uma prece. Não devem ser feitas de forma descompromissada, à última hora, porque o objetivo delas é desenvolver a intuição do estudante, o que não se conseguirá fazendo-as às pressas. Recomenda-se fazer um exercício de concentração, de uns dois minutos após a oração, e antes de se desenvolverem os temas por escrito, os quais serão recolhidos pelo responsável pela sessão, e devolvidos na reunião seguinte, com a classificação pura e simples de: regular, bom e ótimo. Escolhem-se dois ou três deles para serem lidos em voz alta. Não se discutem as composições.

l) Em seguida, passa-se para a enfermagem espiritual.

m) Depois do socorro aos Espíritos suicidas em sofrimento, os médiuns se prepararão, pela oração, para receber os Espíritos suicidas já recuperados que se quiserem comunicar. Os médiuns não devem negar-se a recebê-los, pois para eles o manifestarem-se é um conforto, e para nós trazem palavras de carinho e lições preciosas.

n) Haverá um caderno de registro de suicidas. Quem souber de alguém que se suicidou, anotará nome, idade, endereço e como se suicidou, o que figurará no caderno aberto no meio da mesa por um ano.

Formou-se com entusiasmo o Grupo de Socorro dos "Legionários da Esperança", cujo emblema espiritual é uma bandeira branca, com pequena cruz verde no centro, circundada de um círculo da mesma cor. O dia designado foi o quarto sábado de cada mês, às vinte horas. E no quarto sábado do mês de junho de 1965, às vinte horas, iniciaram-se os trabalhos, que prosseguem até hoje.

Não lhes descreverei as cenas comoventes, de cortarem o coração, a que assistimos. E agora temos a alegria de receber a visita de muitos desses infortunados irmãos em franca recuperação.

Quem se interessar em conhecer esse imenso campo de trabalho que é o socorro aos suicidas, e quiser dedicar-se a ele, recomendo com empenho os seguintes livros: *Céu e Inferno*, de Allan Kardec, tradução de Herculano Pires; *Memórias de um Suicida*, de Yvonne A. Pereira, e *O Martírio dos Suicidas*, de Almerindo Martins de Castro.

Como Vive um Suicida no Além

P. 154 – Quais as primeiras impressões dos que desencarnam por suicídio?
R. – A primeira decepção que os aguarda é a realidade da vida que se não extingue com as transições da morte do corpo físico, vida essa agravada por tormentos pavorosos, em virtude de sua decisão tocada de suprema rebeldia.
Suicidas há que continuam experimentando os padecimentos físicos da última hora terrestre, em seu corpo somático, indefinidamente. Anos a fio, sentem as impressões terríveis do tóxico que lhes aniquilou as energias, a perfuração do cérebro pelo corpo estranho utilizado com a arma do gesto supremo, o peso das rodas pesadas sob as quais se atiraram na ânsia de desertar da vida, a passagem das águas silenciosas e tristes sobre os seus despojos, onde procuraram o olvido criminoso de suas tarefas no mundo e, comumente, a pior emoção do suicida é a de acompanhar, minuto a minuto, o processo da decomposição do corpo abandonado no seio da terra, verminado e apodrecido.

O Consolador, Emmanuel

Após oito anos residindo em São José do Rio Preto, retornei a São Paulo, e dessa vez, de mudança, para ficar.

Minha sogra, Corina Antunes Garagarza, continuava impávida a dirigir o "Mensageiros da Paz", assessorada por companheiros de real valor. Seria uma indelicadeza deslocar qualquer deles para me dar lugar. E fiel ao dito caboclo que diz: "Muitos moirões juntos não fazem boa cerca", resolvi fundar outro Centro Espírita. E com o companheiro Feres Busaide criamos a Sociedade Paulista de Estudos Espíritas, mantenedora do Grupo Espírita "Peregrinos da Paz".

Permaneci no "Mensageiros da Paz", ao lado de minha sogra no Supremo Conselho, e participando de seus trabalhos algumas vezes por mês.

E numa dessas vezes, pelo médium O. F., Vasquinho transmitiu-me a seguinte mensagem:

"Que a paz do Senhor Jesus esteja hoje e sempre no coração de todos vocês, e muito particularmente no seu, querido irmão Eliseu, que tantas alegrias me proporcionou acatando minha sugestão de fundar um grupo de socorro de Espíritos encarnados que trabalhasse em benefício de Espíritos suicidas.

"E fui ouvido, eu que sou um Espírito tão cheio de mazelas e dificuldades, em virtude de minha vida irregular para o mundo dos Espíritos. Na verdade, a forma pela qual passei para cá, prematura e irregular, tolheu-me as oportunidades que se eu teria desencarnado regularmente.

"Todavia, com o transcorrer do tempo, tenho recebido muitas tarefas, mas só eu sei com que dificuldades me defronto para desempenhá-las.

"O suicida tem de procurar reaprender e reiniciar tudo; e eu também tive de assim proceder. Não importa se ele veio para cá premeditadamente, ou por exageros que lhe arruinaram a saúde, ou por obsessões ocultas, ou mesmo próprias, pois se vacilamos é porque alguém encontrou um ponto fraco em nós, e isso já é o bastante. Dizendo isso, começarei a relatar as duras penas que sofri e sofro ainda neste plano.

"Vejo-me agora, como há anos atrás, quando eu saía cedinho de nossa casa para o trabalho. (É interessante que amigos me ajudam a reviver as cenas como se fossem realidade.) Estou às margens do Tietê, e sinto um desejo ardente de mergulhar em suas águas, que de repente se me tornaram convidativas, fascinaram-me, induzindo-me a um convite inaceitável.

"Percebo-me então mergulhado no rio, e aos poucos sendo tragado por doce fascinação, mas que em breve se tornaria amarga como fel. E no instante de chegar ao fundo, algo desperta em mim. 'O que fizeste, Vasquinho?', ouço alguém dizer. E um sofrimento e um arrependimento terríveis me vêm, como se alguma coisa se rompesse em mim, e eu caísse na realidade. Furiosamente tento voltar à superfície, porém, tarde demais; minha cabeça bate em alguma coisa dura, era uma pedra, e perco os sentidos.

"Por diversos dias vivi em estado comatoso, segundo hoje sei. Até que em determinado dia me vi levado ao Centro de dona Corina, e lá, com dificuldade, recebo esclarecimentos do magnânimo Espírito do irmão Cavalcante, através da mediunidade dela.

"Não pense, mano, que com isso tive regalias ou proteção, muito pelo contrário: vivi como qualquer outro Espírito suicida, com a diferença apenas de ter um atenuante: ter eu sido induzido a praticar meu ato sinistro por meus inimigos de vidas anteriores; e também por me ter arrependido no momento crucial. Não resta dúvida que esses dois atenuantes me ajudaram. Mas um arrependimento atroz me acompanha em meu estágio aqui na Espiritualidade até os dias de hoje.

"Sim, eu fui induzido, mas de certa maneira abri brechas para que me arrastassem à tragédia; de outro modo, eu consciente ou inconsciente, nada conseguiriam.

"O que mais me marcou, mano, foi quando mamãe, indo ao Cemitério do Araçá, depois de eu ter deixado minha roupagem física, encontrou na capela os restos de meus trajes de encarnado. Assisti a tudo de perto: o desespero de mamãe, suas lágrimas, sua dor, como se um ferro em brasa me perfurasse o coração. Em seguida, vivi o processo da decomposição de meu corpo físico; foi horrível, mano, explico:

"Nós, Espíritos suicidas, ficamos presos ao nosso corpo carnal, porque o desencarne provocado não desata os laços fluídicos que nos liga a ele desde nossa concepção no útero materno. E, como ficamos atados ao corpo denso da carne, sentimos todos os sintomas da decomposição: o formigar dos vermes que nos roem e nos picam, a queda dos cabelos, das sobrancelhas, das unhas, o mau cheiro do corpo apodrecendo, o frio das madrugadas.

"E quando nos afastamos poucos metros de nosso sepulcro, voltamos espavoridos a refugiar-nos nele, porque magotes de obsessores, de aparência monstruosa, caçam os Espíritos suicidas, conduzindo-os ao umbral, onde os seviciam e os transformam em instrumentos de obsessão.

"Somente depois de terminado o apodrecimento de nosso corpo de carne, é que nós, suicidas, recebemos os primeiros socorros. Redigem a nossa ficha, levam-nos ao local do suicídio, onde rememoramos as impressões de nosso ato. Este é o primeiro resgate dos suicidas. Saindo dali, somos encaminhados, de acordo com nossas condições e atenuantes, ou ao Vale dos Suicidas ou a um Posto de Socorro.

"O suicida que vai para o Vale nele permanecerá em resgate e sofrimento até o término do tempo de sua vida física; só então é recolhido pelos comboios dos Legionários de Maria, e dá entrada no Hospital Maria de Nazaré.

"O Hospital é imenso, mais de um quilômetro de frente, para abrigar o grande número de Espíritos suicidas hospitalizados semanalmente.

"O suicida que é recolhido em Postos de Socorro é o que tem atenuantes, por ter sido induzido ao crime fatídico por terceiros, quer sejam encarnados ou desencarnados. Sofre os mesmos padecimentos no local em que praticou o ato, bem como os da tumba; porém, por breve tempo, e com maiores possibilidades e oportunidades de recuperação.

"Contudo, irmão, o que passei e lhe descrevi acima não me foi tão doloroso como o ver mamãe mergulhada no desespero; porque é uma dor pungente para o suicida receber as vibrações de sofrimento da família, principalmente de sua mãe ainda encarnada, e nada poder fazer.

"Acompanhei mamãe e Chiquinha pelas ruas, ora querendo me aproximar de uma, ora de outra. E aos poucos cheguei em frente à nossa casa, onde papai me viu de manhã; e à noite fui socorrido pelo nosso Cavalcante. A partir daí, sucederam-se horas de remorso, de arrependimento, de lágrimas e de amarguras.

"Com a aproximação de Wanda e de outros familiares e amigos desencarnados, devagar recuperei as forças e saí de minha apatia. (Wandinha, nossa irmã, desencarnada aos seis anos de idade por desastre: um latão de água fervente caiu-lhe em cima, queimando-a mortalmente.)

"Uma ocasião, conversando com Wandinha, tive uma intuição ('É, mano, nós aqui também temos intuições'); expus-lhe o que era: fundar um grupo de encarnados para, juntamente conosco, trabalhar em benefício de nossos irmãos que resvalaram para o abismo do suicídio. Lembrei-me de você, pois jamais deixei de seguir os seus passos; e quando eu não podia, Wanda me dava notícias suas e dos outros.

"Wanda achou viável minha exposição e, após consultas a nossos Superiores Espirituais, e palestras com você nas madrugadas, em sua semiliberação do corpo físico pelo sono, consegui o que eu queria, e formou-se o Grupo de Socorro dos Legionários da Esperança.

"Qual não foi o meu desapontamento aqui, mano, você não pode calcular! Eu desencarnaria aos trinta anos de idade, de câncer, queimando um velho karma, libertando-me de um passado culposo. E tudo ficou por fazer!

"No mais, mano, estou aqui ao lado de Wandinha, que tanto me ampara. E sou orientado por papai, que quer as coisas na máxima perfeição.

"Sabe, Eliseu, papai poderia estar em esfera superior, ocupando novos cargos espirituais, mas preferiu não subir para não deixar mamãe, que também labuta bastante por todos nós. Ela, porém, ainda é muito intransigente, o que faz com que não receba maiores oportunidades.

"Papai, aqui no nosso mundo, conserva sua velha mania, o seu hábito de andar. E nas noites de plenilúnio, faz longos passeios pelos grandes e belos jardins de nossa esfera. Em seguida reúne-nos a todos para o estudo do Evangelho; é aquele mesmo nosso querido velho.

"Já lhe dei nossas notícias; de vocês as tenho; abrace os manos por mim, especialmente a Marin, que era menina quando a deixei.

"Eliseu, obrigado por você me ter atendido; vou-me feliz, e na certeza de, em breve, podermos realizar um trabalho de muito proveito em nome de Jesus e da magnânima Maria de Nazaré.

"Seu mano, Vasco Rigonatti Filho, um servo de Maria para servir a todos."

Esta comunicação ocorreu em 28 de julho de 1978, quarenta anos depois de seu gesto impensado.

O Trabalho Espiritual
para Ajudar os Suicidas

O argumento espírita contra o suicídio não é apenas moral, como se vê, mas também biológico, firmando-se no princípio de ligação entre o Espírito e o corpo. A morte, como fenômeno natural, tem as suas leis que o Espiritismo revela através de rigorosa investigação. O sofrimento do suicida decorre do rompimento arbitrário dessas leis; é como arrancar à força um fruto verde da árvore.

O *Livro dos Espíritos*, de Herculano Pires

De todos os desvios da vida humana, o suicídio é, talvez, o maior deles pela sua característica de falso heroísmo, de negação absoluta da lei do amor e de suprema rebeldia à lei de Deus, cuja justiça nunca se fez sentir junto dos homens, sem a luz da misericórdia.

O *Consolador*, Emmanuel

Tão logo nasceu o Grupo Espírita "Peregrinos da Paz, dediquei-me a formar o seu quadro mediúnico para o socorro dos obsidiados e de seus obsessores. Fui feliz: logo contava com catorze médiuns de ambos os sexos, devotadíssimos. E Feres sugeriu:

— Por que não formamos também um núcleo de socorro aos suicidas, semelhante ao de São José do Rio Preto?

E pusemos mãos à obra; falamos com Vasquinho, que se encarregou de obter a aprovação de nossos Superiores Espirituais. Os médiuns receberam o convite com entusiasmo.

E constituiu-se o Grupo de Socorro dos "Servos de Maria", também mantido pela Sociedade Paulista de Estudos Espíritas, funcionando no segundo sábado de cada mês; rege-se pelo regulamento citado anteriormente, acrescentando-se apenas uma ligeira ata dos trabalhos, e abrindo-se a sessão com a música "Ave Maria", ouvida por todos profundamente concentrados em oração por nossos irmãos desafortunados.

Aconteceu que, numa dessas reuniões, comunicou-se minha tia Leontina, cumprimentou-me e disse-me:

— Eliseu, o Décio permanece em poder de obsessores temíveis, dos quais não conseguimos libertá-lo. Vim pedir socorro à sua corrente espiritual.

— Faremos o que o Altíssimo permitir, tia Leontina; tenha fé, tenha esperança.

Não foi fácil. Entretanto, auxiliados por nossas correntes espirituais, principalmente por nossa corrente africana, composta de Espíritos africanos que foram ex-escravos no Brasil, peritos nesse gênero de trabalho, libertou-se Décio, e encaminharam-se os irmãos que o retinham servindo-se dele para seus atos reprováveis.

Tia Leontina demonstrou intensa alegria, posto que o estado dele fosse desolador. E agora, Décio, em companhia de sua mãezinha, ia trilhar o longo e torturante caminho da recuperação.

Meses depois, com pequeno intervalo entre um e outro, comunicaram-se meus tios João e Chico, já amparados, embora às voltas com as consequências funestas do que fizeram.

Eu não poderia encerrar o assunto "Suicídio" sem prestar o meu tributo de respeito e gratidão à seareira Yvonne do Amaral Pereira que, desde mocinha até hoje, já septuagenária, ergue bem alto a bandeira de combate ao suicídio. Sua obra volumosa é um farol de alerta aos imprudentes que, por questões passageiras e facilmente vencíveis, cometem a loucura do suicídio.

Fomos visitá-la no Rio de Janeiro, onde mora numa casa com sua irmã Amália Pereira Lourenço, no bairro de Piedade.

Recebidos carinhosamente pelo casal César Augusto Lourenço e Amália, e risonhamente por dona Yvonne, passamos uma tarde encantadora, desfrutando de um magnífico banquete espiritual.

Dona Yvonne possui uma riquíssima bagagem de casos espirituais e mediúnicos que ilustram linha por linha as obras básicas do Espiritismo. E, rememorando-os, instrui-nos, deleita-nos e fortifica nossas convicções.

Espírito positivo, não pactua com o erro, nem usa de meias palavras e sorrisos para agradar amigos. É fiel à recomendação de Jesus: "Seja o vosso falar sim, sim, e não, não; porque o que passar daí é obra do mal".

Não contraiu núpcias; pobre, sem aposentadoria, vive às expensas do casal. Satisfeita com a pobreza, sem pretensões a aplausos, não se desvanece com os respeitos humanos. Aspira, sim, aspira a bem cumprir sua tarefa mediúnica até o último dia de sua vida terrena, antes de partir para a pátria espiritual pela qual suspira.

Bate-se denodadamente pela pureza do Espiritismo, pela simplicidade dele. Não admite os arrebiques com que querem enfeitá-lo, nem o sensacionalismo de que tentam revesti-lo.

— Tudo é simples no Espiritismo, por que complicá-lo? Estudo, minha gente, estudo e humildade é quanto basta! — apregoa ela.

Prega o estudo porque estuda. Conhecedora emérita dos autores basilares: Allan Kardec, Léon Denis, Gabriel Delanne, Ernesto Bozzano, é de ver a riqueza de minúcias com que os comenta.

"[...] apontamentos que, desde o ano de 1926, isto é, desde os dias de minha juventude e os albores da mediunidade, que juntos floresceram em minha vida, penosamente vinha eu obtendo de Espíritos suicidas, que voluntariamente acorriam às reuniões do antigo Centro Espírita de Lavras, na cidade de mesmo nome, no extremo sul do estado de Minas Gerais, e de cuja diretoria fiz parte por algum tempo."

Assim nasceu *Memórias de um Suicida*, o livro máximo doutrinário e também básico do Espiritismo que já se obteve mediunicamente. Tanto que, se perdêssemos todos os livros do Espiritismo, e nos restasse unicamente este, por meio dele reconstituiríamos toda a Doutrina Espírita, sem dúvida nenhuma.

Dona Yvonne é uma senhora robusta, corpulenta, levemente morena, olhos vivos e penetrantes, lábios e sobrancelhas bem arqueadas, nariz bem formado, cabelos curtos, brancos, bem penteados. Alegre, conversadora incansável, possuidora de uma memória fotográfica, relembra fatos e mais fatos com uma precisão admirável.

E nós, que já tivemos o coração trespassado pelo ferro em brasa do suicídio de entes queridos, só podemos homenageá-la com estas insignificantes palavras:

"Obrigado, irmã Yvonne, muito obrigado."

Sobre a Cremação e os Suicidas

P. 93 — O Espírito propriamente dito vive a descoberto ou, como pretendem alguns, envolvido por alguma substância?
R. — O Espírito é envolvido por uma substância que é vaporosa para ti, mas ainda bastante grosseira para nós; suficientemente vaporosa, entretanto, para que ele possa elevar-se na atmosfera, e transportar-se para onde quiser.
O Livro dos Espíritos, trad. Herculano Pires

Consideremos o Espírito, antes de mais nada, na sua união com o corpo. O Espírito é o elemento principal dessa união, pois é o ser pensante e que sobrevive à morte. O corpo não é mais que um acessório do Espírito, um invólucro, uma roupagem que ele abandona depois de usar.
Além desse envoltório material, o Espírito possui outro, semimaterial, que coligia ao primeiro. Na morte, o Espírito abandona o corpo, mas não o segundo envoltório que o liga ao primeiro, a que chamamos perispírito. Esse envoltório semimaterial, que tem a mesma forma humana do corpo, é uma espécie de corpo fluídico, vaporoso, invisível para nós em seu estado normal, mas possuindo ainda algumas propriedades da matéria.
O Livro dos Médiuns, trad. Herculano Pires

O apóstolo Paulo, como podemos ver na I Epístola aos Corínthios, chama o perispírito de corpo espiritual, que é o corpo da ressurreição. As investigações científicas da Metapsíquica e da Parapsicologia tiveram de enfrentar, malgrado o materialismo dos investigadores, a existência desse corpo material.
O Livro dos Médiuns, nota de rodapé de Herculano Pires

Reunido o grupo de estudos mensais, estudávamos a comunicação de Vasquinho, quando J. C. levanta a seguinte questão:

— Se o Espírito suicida fica preso ao corpo físico até a total consumação dele no túmulo, qual será sua situação ante a cremação de seu corpo carnal, logo após preenchidas as formalidades legais?

O problema proposto por J. C. era digno do mais sério estudo, atualíssimo e fascinante.

Qual a resposta?

Para evitar discussões estéreis e consequente perda de tempo, nossos estudos realizam-se assim: sobre a mesa ao redor da qual sentamos, há sempre disponível papel em branco, lápis e as obras completas de Allan Kardec, Léon Denis, Gabriel Delanne e Ernesto Bozzano.

Apresentado o tema, cada um de nós apanha papel e lápis e o desenvolve por escrito, marcando-se o prazo de até uma hora, findo o qual recolhem-se as respostas, que passam a ser estudadas. Foi o que fizemos com a proposição de J. C. Analisadas as soluções, conquanto algumas bastante engenhosas, sobrou apenas uma que nos pareceu a mais convincente, a de A. L., que aqui reproduzo:

"Com base em Kardec, que nos ensina em O *Livro dos Médiuns* ser o perispírito um envoltório semimaterial que acompanha o Espírito, creio que cremar-se o corpo de um suicida é-lhe uma desgraça, pois o perispírito é semimatéria, posto que não a possamos compreender ainda, nem catalogá-la na ciência física atual; e como o invólucro grosseiro, deve estar sujeito às impressões produzidas pelo fogo. Não digo que o perispírito seja destruído pelo fogo; digo que o Espírito experimentará as sensações da cremação por meio do corpo semimaterial que o envolve, uma vez que esse corpo, o perispírito, possui algumas propriedades da matéria. Quanto a esse corpo não nos ser visível, isso não invalida a minha tese, visto que a maioria dos gases nos é invisível, e eles não deixam de ser matéria e queimarem-se."

Preparávamo-nos para lavrar o parecer à tese acima, mas um de nossos companheiros avisou-nos:

— Acionem o gravador (temos um dos grandes para essas ocasiões) que um instrutor espiritual quer falar-nos.

"Amigos e irmãos,

"A cremação é natural para pessoas de vida normal, e que usam os bens materiais sem se apegar a eles.

"A cremação não é aconselhável para aqueles que se escravizam às coisas da Terra, por mínimas que sejam, por exemplo: a uma joia, a uma casa, a seus haveres pequenos ou grandes, e outras mais. O apego reforça os laços que prendem o Espírito ao corpo.

"Os laços fluídicos que atam o Espírito ao corpo, desatam-se devagar, não se arrebentam bruscamente. São raros os Espíritos que se libertam do cadáver antes de setenta e duas horas, e por isso a cremação é aconselhável que se faça depois desse prazo.

"Para a retirada dos Espíritos demasiadamente presos à materialidade terrena, os Técnicos da Desencarnação se deparam com dificuldades, e frequentemente não conseguem retirar o Espírito do defunto antes da cremação, e nesse caso sofrem o impacto do fogo.

"O tempo de desligamento varia de Espírito para Espírito: vai de algumas horas até meses. De algumas horas para os Espíritos que cultivaram sentimentos nobres, elevados, levaram uma vida sã e moralizada; tais Espíritos despregam-se facilmente de seus restos. Quanto aos de sentimentos vis, sensuais, de baixa moral, extremamente dedicados à vida material, esses geralmente são expulsos de seus despojos pela podridão e pelos vermes.

"Recomendamos que, antes de se decidirem pela cremação, analisem bem seus sentimentos e a maneira pela qual vivem, para que não topem com momentos desagradáveis, ao soar-lhe a hora da partida.

"Voltemos aos suicidas.

"Suicidar-se não é karma; depende apenas do livre-arbítrio da pessoa.

"Suicidar-se não está no destino de ninguém; e por isso o suicida perde todos os seus direitos; é considerado um desertor da Terra, um clandestino no plano espiritual.

"A cremação também não está no karma de encarnado nenhum. Ninguém está destinado a ser cremado; é escolha simplesmente da vontade de cada um.

"Cremar o cadáver de um suicida é um crime, porque lhe deforma o perispírito, por meio do qual o Espírito está atado ao corpo; não se lhe desatou nenhum dos laços que o prendiam, embora diante de nós tenhamos um morto.

"Se a pessoa que mandou cremar um suicida não souber disso, nenhuma culpa lhe será imputada; porém, se o souber e mesmo assim mandar cremá-lo, será acusada constantemente pelo Espírito suicida, donde lhe advirá um remorso pungente que muito a marcará.

"Já que não se deve colocar um suicida no forno crematório, do mesmo modo não será colocado na geladeira. Lembrem-se de que o Espírito suicida está ligado a seus despojos, e não deve sofrer o padecimento insuportável do congelamento.

"A tese do irmão A. L. é correta.
Laurindo, pequeno instrutor".

Transfigurações e Mediunidade

> E aconteceu que, passados quase oito dias que disse estas palavras, tomou Jesus consigo não só a Pedro, mas a Tiago e a João, e subiu a um monte a orar. E enquanto orava, pareceu todo ouro o seu rosto, e fez-se o seu traje todo alvo e brilhante.
>
> *Lucas, 9:28-29*

> Assim, pois, viam os filhos de Israel o rosto de Moisés, e que resplandecia a pele do seu rosto; e tornava Moisés a pôr o véu sobre o seu rosto, até entrar para falar com ele.
>
> *Êxodo, 34:35*

122 – Passemos a tratar do segundo fenômeno, o da transfiguração, que consiste na modificação do aspecto de um corpo vivo. Eis a respeito um caso cuja perfeita autenticidade podemos garantir, ocorrido entre os anos 1858 e 1859, nas cercanias de Saint-Étienne: Uma jovem de uns quinze anos gozava da faculdade de se transfigurar, ou seja, de tomar em dados momentos todas as aparências de algumas pessoas mortas. A ilusão era tão completa que se acreditava estar na presença da pessoa, tamanha a semelhança dos traços do rosto, da tonalidade da voz, e até mesmo das expressões usuais da linguagem. Esse fenômeno repetiu-se centenas de vezes, sem qualquer interferência da vontade da jovem. Muitas vezes tomou a aparência de seu irmão, falecido anos antes, reproduzindo-lhe não somente o semblante, mas também o porte e a corpulência.

Um médico local, que muitas vezes presenciara esses estranhos fenômenos, querendo assegurar-se de que não era vítima de uma ilusão, fez interessante experiência. Colhemos as informações dele mesmo, do pai da moça e de muitas outras testemunhas oculares, bastante honradas e dignas de fé. Teve ele a ideia de pesar a jovem no seu estado normal, e, durante a transfiguração, quando ela tomava a aparência do irmão que morrera aos vinte anos, e era muito maior e mais forte do que ela. Pois bem: verificou que na transfiguração o peso da moça era quase o dobro. A experiência foi conclusiva, sendo impossível atribuir a aparência a uma simples ilusão de óptica. Tentemos explicar esse fato, que sempre foi chamado de milagre, mas que chamaremos simplesmente de fenômeno.

123 – A transfiguração pode ocorrer em certos casos, por uma simples contração muscular que dá à fisionomia expressão muito diferente, a ponto de tornar a pessoa quase irreconhecível. Observamo-la frequentemente com alguns sonâmbulos.

Mas, nesses casos, a transformação não é radical. Uma mulher pode parecer jovem ou velha, bela ou feia, mas será sempre mulher, e seu peso não aumentará nem diminuirá. No caso de que tratamos, é evidente que há algo mais.

A teoria do perispírito nos vai pôr a caminho. Admite-se em princípio que o Espírito pode dar a seu perispírito todas as aparências. Que por uma modificação das disposições moleculares, pode lhe dar a visibilidade, a tangibilidade e, em consequência, a opacidade. Que o perispírito de uma pessoa viva, fora do corpo, pode passar pelas mesmas transformações, e que essa mudança de estado se realiza por meio da combinação de fluidos. Imaginemos então o perispírito de uma pessoa viva, não fora do corpo, mas irradiando-se ao redor do corpo de maneira a envolvê-lo como uma espécie de vapor. Nesse caso, ele pode sofrer as mesmas modificações de quando separado. Se perder a transparência, o corpo pode desaparecer, tornar-se invisível, velar-se como se estivesse mergulhado num nevoeiro. Poderá mesmo mudar de aspecto, ficar brilhante, de acordo com a vontade e o poder do Espírito. Outro Espírito, combinando o seu fluido com esse, pode substituir a aparência dessa pessoa, de maneira que o corpo real desapareça, coberto por um envoltório físico exterior cuja aparência poderá variar como o Espírito quiser. Essa poderá ser a verdadeira causa do fenômeno estranho — e raro, convém dizer do fenômeno da transfiguração. Quanto à diferença de peso, explica-se da mesma maneira que a dos corpos inertes. O peso próprio do corpo não varia, porque a sua quantidade de matéria não aumenta, mas o corpo sofre a influência de um agente exterior, que pode aumentar-lhe ou diminuir-lhe o peso relativo, segundo explicamos no número 78 e seguintes. É provável, portanto, que a transfiguração na forma de uma criança diminua o peso de maneira proporcional

124 — Concebe-se que o corpo possa tomar uma aparência maior que a sua ou das mesmas dimensões, mas como poderia tornar-se menor, do tamanho de uma criança, como acabamos de dizer?
Nesse caso, o corpo real não deveria ultrapassar os limites do corpo aparente?

Por isso não dizemos que o caso se tenha verificado, mas quisemos apenas mostrar, referindo-nos à teoria do peso específico, que o peso aparente poderia também diminuir. Quanto ao fenômeno em si, não afirmamos nem negamos sua possibilidade. No caso de ocorrer, o fato de não poder explicá-lo satisfatoriamente não o infirmaria. É preciso não esquecer que estamos no começo dessa ciência, e que ela ainda está longe de haver dito sua última palavra sobre este ponto, como sobre muitos outros. Aliás, as partes excedentes do corpo poderiam perfeitamente ser tornadas invisíveis.

O Livro dos Médiuns, trad. Herculano Pires

> Há numerosos casos de observação de uma máscara transparente sobre o rosto do médium, reproduzindo o rosto do Espírito comunicante. Observamos um desses casos em 1946, em São Paulo, com o médium Urbano de Assis Xavier. Nesses casos, como se vê acima, a máscara se forma pela combinação fluídica do perispírito do médium com o Espírito comunicante. É um fenômeno de sintonia e não de penetração no corpo do médium.
>
> O *Livro dos Médiuns*, nota de rodapé de Herculano Pires

NA ÉPOCA EM QUE AINDA RESIDIA em São José do Rio Preto, uma médium que trabalhava conosco, que denominaremos aqui apenas como N, veio até mim e disse:

— Sr. Eliseu, faltarei a nossos trabalhos no Bezerra de Menezes por um mês, porque vou a São Paulo operar-me da vista.

N. era totalmente estrábica do olho direito, a ponto de aparecer apenas a esclerótica, com ligeira parte da íris, num cantinho da pálpebra. O olho esquerdo era normal.

— Sentiremos sua falta, e o grupo fará vibrações por você. Tenha confiança de que tudo correrá bem.

Todavia, no sábado seguinte compareceu à reunião. No decorrer dos trabalhos, notei que N. estava com os olhos abertos, fixando-me intensamente; não mais estrábica, os dois olhos perfeitos.

"Estranho", pensei "N. me disse que se demoraria um mês em São Paulo, e numa semana foi e voltou operada, com a vista em ordem?!"

A sessão desenvolvia-se como de costume, e N. a fitar-me. Ao chegar sua vez, incorporou-se um Espírito e N. fechou os olhos, quando o Espírito se retirou, N. soltou um profundo suspiro, esfregou os olhos com as costas das mãos e os abriu: estrábica outra vez.

E dona Cidinha, uma médium que não deixava escapar nada, interpelou-a:

— Ó N., que você fazia com aqueles dois olhões arregalados para "seu" Eliseu?

— Não sei, Cidinha, senti meus olhos tão pesados... no mês que vem irei operar-me.

Algo semelhante aconteceu com o médium Wilson.

A enfermagem espiritual naquela tarde de sábado no Bezerra de Menezes foi trabalhosíssima. Obsessores do mais baixo calibre foram atendidos, obrigando os médiuns a um esforço penoso. Finda a tarefa, preparávamo-nos para a prece final, e Wilson com voz dorida gritou:

— Seu Eliseu, olhe só como estão minhas mãos, como poderei trabalhar para sustentar minha família? — E se pôs a chorar.

Um arrepio gelado me sacudiu; um "ooh!" de espanto saiu de todas as bocas: as mãos de Wilson estavam às avessas, como se tivessem girado nos pulsos. E meu diretor espiritual instruiu-me fortemente:

— A sessão ainda não terminou; concentrem-se, recebam seus protetores a começar pelo Wilson; em seguida faremos a prece final.

As mãos voltaram ao normal, mas dona Cidinha não deixou de beliscá-lo:

— Que susto, hein compadre?! — E caiu na risada, no que a acompanhamos aliviados.

Pedro Coelho, esforçado médium de incorporação, tendo sofrido de osteomielite, tem as coxas e a bacia a partir da quinta vértebra lombar paralisadas; as pernas movem-se, embora com dificuldade; não se senta na cadeira, estende-se. Quando o Espírito se lhe incorpora, principalmente os obsessores violentos, é necessário segurar-lhe firme a cadeira para que não caia.

Aconteceu que, numa das sessões do Bezerra de Menezes, um dos pacientes entrou em agitação extrema. Os atendentes acudiram sem conseguir acalmá-lo, e o dr. Orlando ordenou que o recolhessem. Então Pedro Coelho me pediu:

— Dá licença para eu dar-lhe um passe?

E levantou-se. Pedro Coelho estava transfigurado; ele tem ascendência africana e seu rosto resplandecia. Caminhou para o paciente, andando como qualquer um de nós: suas coxas, sua bacia, sua coluna, suas pernas flexionavam-se; seu andar era firme, regular; seu porte, ereto, majestoso. Aproximou-se do paciente, deu-lhe um passe magnético pousando suas mãos à cabeça. O doente acalmou-se, sorriu para o médium, que o tomou carinhosamente pelo braço, e levou-o a sentar-se na cadeira, da qual tinha sido tirado.

E Pedro Coelho, sempre ostentando um semblante nobre, voltou ao seu lugar na mesa mediúnica. O esplendor de sua face desapareceu, e inteiriçou-se na cadeira.

Os dois casos, o de N. e o de Wilson, correspondem à observação do professor Herculano Pires. Acredito que não foi o olho de N. que voltou ao normal, ainda que por instantes; mas sim que lhe foi superposta uma máscara fluídica, corrigindo-lhe o olho estrábico, o que talvez explique o peso que sentiu nos olhos. As mãos de Wilson não giraram nos pulsos; a elas também devem ter-lhes aplicado uma máscara, um par de luvas fluídicas às avessas. Foram dois casos de sintonia, não de penetração no corpo dos médiuns. Tanto numa como na outra manifestação de transfiguração parcial, os fluidos materializaram-se, motivo pelo qual os fenômenos se tornaram visíveis.

A transfiguração total de Pedro Coelho julgo enquadrar-se perfeitamente no que Allan Kardec explica no parágrafo 123.

O Espiritismo é rico de exemplos que confirmam a codificação feita por Kardec; e, por que não proclamarmos em alto e bom som? É a Doutrina que elucida os fatos narrados na Bíblia e tidos como sobrenaturais.

Entretanto, esses fenômenos não se apresentam de roldão, nem a esmo, nem ao bel-prazer do pesquisador: produzem-se paulatinamente, à medida que nos tornamos dignos de assistir a eles, pelo nosso trabalho incessante, e pelo atendimento carinhoso que dispensamos aos Espíritos necessitados que nos procurem.

O Preço do Fanatismo

P. 833 — Há no homem alguma coisa que escape a todo constrangimento, e pela qual ele goze de uma liberdade absoluta?
R. — É pelo pensamento que o homem goza de uma liberdade sem limites, porque o pensamento não conhece entraves. Pode-se impedir sua manifestação, mas não aniquilá-lo.
P. 837 — Qual é o resultado dos entraves à liberdade de consciência?
R. — Constranger os homens a agir de maneira diversa ao seu modo de pensar, o que os tornará hipócritas. A liberdade de consciência é uma das características da verdadeira civilização e do progresso.
O *Livro dos Espíritos*, trad. Herculano Pires

HÁ EM QUALQUER CAMPO DAS ATIVIDADES HUMANAS um indivíduo que invariavelmente sobressai em relação a todos os outros: é o fanático. Pontifica no futebol, nos setores científicos, nos literários, nas artes, nas profissões, nos partidos políticos, enfim, onde quer que haja um agrupamento humano, lá está ele. Apaixonado, obcecado por sua ideia, por sua opinião, só ele sabe, só ele tem razão. Não adianta mostrar-lhe os fatos em toda sua clareza; contra o que pensa, não aceita explicações por mais racionais que sejam.

No entanto, onde o fanatismo exerce sua ação mais funestamente é no setor religioso. Nas guerras políticas das nações, mesmo entre os adversários há comiseração, trocam-se gentilezas, um estende ao outro o seu cantil, mitigando-lhe a sede; e, quando ferido, carrega-o até o posto de socorro mais próximo. Porém, nas lutas religiosas, não.

O fanático religioso reveste-se da sutileza das serpentes, da sanha dos animais carniceiros, da hipocrisia da hiena, e ataca ferozmente. Ai daquele que o fanático considera pecador! Para ele não há compaixão: massacra-o, esmaga-o. Permitem-se as mais ignóbeis crueldades, tais como na sangrenta Noite de São Bartolomeu.*

Contam-se às centenas em todas as religiões, no Espiritismo inclusive. São incapazes de compreender que a mais bela, a mais sublime conquista do homem é a liberdade de pensamento; sermos respeitados em nosso pensamento, termos a liberdade de consciência. E para conquistar essa liberdade, a humanidade lutou por milênios,

---

* Massacre ocorrido na França em 1572 perpetrado pelos católicos contra protestantes. Na noite do dia 24 de agosto (dia de São Bartolomeu), ocorreram milhares de execuções por ordem de Catarina de Médici, viúva de Henrique II e mãe de Carlos IX, o jovem rei da França. (N. do E.)

correram rios de sangue, os mártires desse ideal passaram por torturas inenarráveis. E o fanático, se lhe fosse possível, se dispusesse de poderes, com uma penada anularia esse sacrifício milenar.

O fanático religioso é um cego espiritual; é impermeável a qualquer explicação; cristaliza-se nas ideias que se lhe inculcaram, e alimenta-as com carinho.

E indivíduos fanatizados, não os há somente entre os encarnados; deles também há entre os Espíritos desencarnados.

Antonieta era uma gentil mocinha que frequentava o "Mensageiros da Paz". Estudante normalista, ansiava por formar-se, ser professora dos pequeninos.

Formada, conseguiu cadeira em longínqua cidade do interior de nosso estado. As férias escolares, passava-as com a família, e retornava ao "Mensageiros da Paz".

E numa dessas férias, deu-me a grande novidade:

— Sabe, irmão Eliseu, estou amando e sou amada. Ficarei noiva nas próximas férias, quando ele virá pedir-me a meus pais. Posso colocar o nome dele em nosso quadro de orações? Chama-se Olyntho, é professor também, ambos lecionamos no mesmo colégio.

Casaram-se e tiveram filhos.

Aproveitando uma de suas viagens a São Paulo, Antonieta me entregou um pacote:

— São os meus livros espíritas, quero doar à biblioteca do Centro. A religião do Olyntho é outra, posto que não o catolicismo. Ele não tolera o Espiritismo, nem mesmo estes livros em casa. Acompanho-o em sua religião, na qual estamos criando os nossos filhos. Não deixo que a questão religiosa turve nossa paz. Que você acha, irmão Eliseu?

— Antonieta, quando vocês começaram a namorar, antes mesmo de se tornarem noivos, discutiram o problema religioso? Qual seria a religião de seu lar?

— Sim, falamos muito sobre isso.

— Ele sabia que você era espírita?

— Sim, sabia; expus-lhe francamente o meu pensar.

— E ele aceitou-a?

— Não; fanático intransigente de sua religião, declarou-me que em nosso lar não haveria outra religião que não fosse a dele.

— E você, que decisão tomou?

— Concordei.

— E o Evangelho?

— Estuda-o com carinho, se bem que segundo a interpretação de sua religião.

— Encontre-se então com Olyntho no estudo do Evangelho. É o quanto basta. O mais virá com o tempo.

E um dia, uma notícia inimaginável abalou o nosso grupo: Antonieta e Olyntho tinham desencarnado carbonizados num desastre de automóvel.

Doze anos se passaram. E já no "Peregrinos da Paz", no final de uma sessão privativa de estudos, recebi uma visita inesperada:

— Irmão Eliseu, você sabe quem está aqui?

— Não faço a menor ideia — respondi depois de pensar um pouco.

— Sou eu, a Antonieta.

— Oh! Antonieta, que prazer sua visita me causa! Como você está?

— Bem, estou bem mesmo. Auxiliada por Benfeitores Espirituais, e pelo pouco que aprendi no Espiritismo, recuperei-me logo, quase que imediatamente. E, desde então, estudo e trabalho em minha colônia espiritual.

— Que desencarne horrível vocês sofreram! E o Olyntho, como está, ele está aí?

— Sim, foi uma expiação dolorosa, mas houve uma causa que hoje sei. Olyntho não está aqui. É mais por ele que vim procurá-lo, irmão Eliseu. Depois do acidente, e já desligado daquele corpo reduzido a cinzas, recusou toda e qualquer espécie de auxílio, refugiando-se no lar terreno, no qual permanece até hoje, conservando no periespírito as marcas dolorosas do fogo, interferindo na vida de nossos filhos, perturbando-os com a mente cristalizada no passado. Sempre que me faço visível a ele, trata-me com os maiores impropérios, acusa-me de traidora, e de ter abandonado o lar e os filhos. Ainda na semana passada, lá estive; a custo materializei-me; tentei falar-lhe, não me quis ouvir, e expulsou-me quase que a pontapés. Amigos dedicados o protegem; não fosse isso, Olyntho estaria nas mãos de falanges criminosas que enxameiam no ambiente terreno. Lembrei-me de você, e vim pedir-lhe socorro para Olyntho.

— Farei o possível para atendê-la, Antonieta. O "Peregrinos da Paz" está à sua disposição. Pedirei instruções ao meu Superior Espiritual. Aguarde com paciência.

Então, passado um curto período, as instruções vieram.

Seria um trabalho privativo de cinco médiuns, juntamente comigo, o doutrinador. Quatro médiuns funcionariam (por analogia) como acumuladores de fluidos, cujas cargas seriam utilizadas à medida que se tornassem necessárias. Um médium receberia Olyntho por incorporação; eu conversaria com ele. Antonieta se conservaria invisível, e só se mostraria no momento oportuno, bem como outros amigos espirituais.

E assim foi feito.

No dia e na hora aprazados, todos a postos, invoquei-o por uma imperiosa ordem mental. Manifestou-se num átimo de segundo; reconheceu-me e tentou recuar; não conseguiu; e, cerrando os punhos, arremeteu-se contra mim:

— Satanás maldito, filho de Satanás, feiticeiro do inferno, eu sabia que um dia te encontraria. Tu, tu, que com teus feitiços, afastaste aquela miserável do meu lar, abandonando a mim e aos meus filhos. Vê o estado a que o desastre me reduziu, mas não fugi, não deixei meus filhos. E ela ainda me vem com histórias do Espiritismo, religião de demônios. Escorracei-a de casa, e da porta ela avisou-me que vinha procurar-te, e veio.

E Olyntho continuou nessa vibração colérica por algum tempo. Ao fazer uma pausa, perguntei-lhe:

— Mas, Olyntho, você não notou que alguma coisa mudou em sua vida, ao seu redor, em seus filhos?

— Para mim, nada mudou; vou à minha igreja todos os domingos; só que meus filhos, depois que a mãe sumiu, pouco me ouvem.

— Durante esses doze anos, você não faltou à igreja nenhum domingo?

Aqui Olyntho soltou um grito:

— Doze anos?! Você disse doze anos?

— Sim, há doze anos que houve o desastre, que você desencarnou, que você vive preso em um casulo falso de ideias no seu passado antes do acidente automobilístico que tirou-lhe a vida. Na sua igreja não lhe explicaram isso?

— Não, não; lá só nos ensinam que o Espiritismo é obra do demônio, e cantamos hinos tão bonitos!

Percebi que perdia meu tempo; não aceitava as explicações, e rebatia-as furioso, apoiado em passagens da Bíblia. Não admitia que se tivessem transcorrido doze anos; tudo lhe parecia ter sido ontem. Enraivecia-se contra o acidente; bradava que fora vítima de uma injustiça, e clamava aos céus.

E meu protetor instruiu-me:

— Não há outro recurso senão aplicar-lhe a regressão à memória; vai ser-lhe penoso, mas ante tal teimosia, gerada por um fanatismo cego, que fazer?

E Olyntho recuou no tempo; transportou-se ao final do século XVII, a uma cidade europeia, quando, então casados, Olyntho e Antonieta, queimaram viva, no forno da padaria que possuíam, uma moça, sua empregada, única testemunha de vultoso roubo que praticaram e que os enriquecera.

A cena se lhe aflorou à lembrança em toda sua hediondez: a resistência da jovem diante da boca do forno, seus gritos misturados ao crepitar das chamas, que o cerrar da porta abafou. Duas vezes carregaram o forno para o total calcinamento dos ossos.

Quando a janela para o passado feneceu, Olyntho voltou-se em um pranto convulsivo:

— Tal e qual aconteceu conosco no automóvel... tal e qual... é a lei da causa e efeito... o choque de retorno... que você me explicava havia pouco... não há efeito sem causa... não há acaso... tudo tem o seu troco... o bem e o mal... Antonieta muitas vezes me falava disso... mas... e essa pobre moça, por onde anda? Eu pensava que esse crime jamais fosse relembrado...

Reproduzi-lhe as intuições que eu recebia de meu protetor:

— Bem perto daqui, Olyntho; você quer vê-la?

— Sim... quero... quero pedir-lhe perdão.

— Contenha sua emoção e preste atenção.

Seguiu-se um grito lancinante:

— Paulina, minha filha, você, filhinha, que eu amava mais que tudo... minha caçulinha...

E como que caindo em si, chamou em voz alta:

— Antonieta, querida... perdoe-me, venha buscar-me!

E Antonieta se lhe tornou visível, no esplendor de um Espírito redimido.

Após o esclarecimento de sua mente obscurecida pelo fanatismo, e ante os vigorosos passes de dispersão, seu períspirito foi totalmente curado dos sinais de queimadura. E abraçando-o, Antonieta levou-o, não sem antes dizer-nos:

— Obrigada, amigos, pelo tesouro que me restituíram!

O casal frequentemente me visita. Transcrevo aqui um bilhete que Olyntho me deixou dias atrás:

"É o Olyntho, Eliseu.

"Vamos em frente. Sabemos o que escreveste. Continua.

"De fato, o fanatismo nos coloca uma venda, e nada mais vemos. E o pior é que dificilmente a tiramos, mesmo do lado de cá.

"Antonieta, cada vez mais bela, te abraça. Olyntho."

Em seguida ao bilhete acima, Antonieta compareceu a uma de nossas reuniões mensais de estudo:

"Caros amigos e irmãos.

"Venho trazer-lhes alguns esclarecimentos sobre o caso do meu querido Olyntho.

"Todas as religiões terrenas têm o seu correspondente no mundo espiritual. Desde a mais primitiva e tribal até o Espiritismo, com a amplidão com que Allan Kardec o descreve em sua magnífica codificação.

"Todas elas possuem no plano espiritual suas colônias, seus grupos de socorro e seus adeptos que desencarnam, suas escolas, seus instrutores, seus missionários e tudo o mais.

"A Providência Divina é imparcial. Todos somos seus filhos, e nada concede a um mais do que a outro. Todos, indistintamente, gozam dos mesmos direitos, das mesmas regalias. Não há privilegiados de espécie nenhuma.

"O que prendeu Olyntho à nossa casa terrena não foi a religião que ele professava; mesmo de sua religião não lhe faltaram socorros. Olyntho era regularmente visitado por equipes de seus confrades, enviadas pelos dirigentes de sua colônia, os quais tentavam sempre, embora em vão, libertá-lo.

"O que prendeu Olyntho foi o seu fanatismo, sua obstinação em permanecer num passado morto, não aceitando explicações de quem quer que fosse, não querendo compreender o seu estado.

"E não pensem vocês que não há por aqui espíritas nas mesmas condições do Olyntho; deles, há, e muitos!

"Olyntho em breve integrará em sua colônia um grupo socorrista, que presta os primeiros cuidados aos que desencarnam em desastres. Convidou-me, não aceitei. Agora sigo o que eu quero. Aqui os laços matrimoniais se desatam; somos individualistas; obedecemos somente a nossos superiores espirituais.

"Antonieta, uma irmã espiritual."

Sobre o Homossexualismo na Doutrina Espírita: Exame e Depoimentos de Desencarnados

P. 200 – Os Espíritos têm sexo?
R. – Não como o entendeis; porque o sexo depende da constituição orgânica. Há entre eles amor e simpatia, mas baseados na afinidade de sentimentos.
P. 201 – O Espírito que animou o corpo de um homem pode animar o de uma mulher e vice-versa?
R. – Sim, pois são os mesmos Espíritos que animam os homens e as mulheres.
P. 202 – Quando somos Espíritos, preferimos encarnar num corpo de homem ou de mulher?
R. – Isso pouco importa ao Espírito; depende das provas que ele terá de sofrer.
O Livro dos Espíritos, trad. Herculano Pires

O corpo fluídico que o homem possui é o transmissor de nossas impressões, sensações e lembranças. Anterior à vida atual, inacessível à destruição pela morte, é o admirável instrumento que a alma constrói para si, e que aperfeiçoa através dos tempos; é o resultado do seu longo passado. Nele se conservam os instintos, acumulando-se as forças, fixam-se as aquisições de nossas múltiplas existências, os frutos de nossa longa e penosa evolução. O perispírito... é o organismo fluídico completo; é ele que, durante a vida terrestre, pelo agrupamento das células, ou no espaço, com o auxílio da força psíquica que absorve dos médiuns, constitui, sobre um plano determinado, as formas duradouras ou efêmeras da vida. É ele, e não o corpo material, que representa o tipo primordial e persistente da forma humana.
No Invisível, Léon Denis

Estabelecemos de princípio, por experimentações espíritas, que os Espíritos conservam a forma humana, e isto não só por se apresentarem tipicamente assim, como porque o perispírito encerra todo um organismo fluídico-modelo, pelo qual a matéria se há de organizar, no condicionamento do corpo físico.

> Precisamos recorrer ao perispírito, pois é ele que contém o desenho prévio, a lei onipotente que servirá de regra inflexível ao novo organismo e lhe assinalará o lugar na escala morfológica, segundo o grau de evolução. É no embrião que se exerce essa função diretiva.
>
> *Evolução Anímica*, Gabriel Delanne

EM NOSSOS ESTUDOS, CERTA VEZ, houve uma proposta sobre a questão do homossexualismo para o estudo do mês. Foi dificultoso, se prolongou por três meses, isto é, por três reuniões; consumimos muito mais páginas de anotações do que o usual; na quarta reunião consubstanciamos numa única página, as teses aprovadas. Como estávamos estudando nossa doutrina, nos cabia explicações de cunho científico ou psicológico, então nos debruçamos sobre a nossa linha de estudos.

Nós, Espíritos encarnados, somos compostos de três elementos: o Espírito, o perispírito e o corpo carnal. Quando desencarnados, conservaremos nossa personalidade, que então será composta do Espírito e do perispírito, e seremos tais quais fomos quando encarnados: homens, se tivermos sido homens, e mulheres, se tivermos sido mulheres.

O desenvolvimento dos Espíritos se processa em duas linhas evolutivas: a linha masculina, e a linha feminina, para a manutenção da harmonia do Universo.

O Espírito não muda de linha evolutiva, porque constrói, por si mesmo, o seu perispírito muito lentamente, por milhões de milênios, nos mais diversificados ambientes, até tornar-se o perispírito humano.

O Espírito, nós, a nossa individualidade, a consciência íntima de que somos, de que existimos, é a partícula divina emanada do Criador, individualmente, através de milênios imperscrutáveis.

E quando essa centelha, desprendida do Criador, Deus, começa a individualizar-se, a conscientizar-se e, mergulhada na matéria, iniciar a formação do seu perispírito, seguirá uma das linhas evolutivas e jamais a abandonará. E assim caracteriza seu sexo: será feminino se conscientizar-se na linha feminina; e masculino se conscientizar-se na linha masculina. Assim o próprio Espírito organiza o seu sexo no seu perispírito em formação, porque a chispa divina, o Espírito, puramente Espírito, não tem sexo.

No decorrer dos milênios, o Espírito alcançará a sublimação, será uma estrela fulgurante ao lado do seu Criador, Deus. Seu perispírito terá então nessa fase evolutiva uma diafaneidade inconcebível para nós, e as duas linhas se confundirão.

Todavia, se um Espírito Sublimado descer a um planeta material como a Terra para desempenho de uma missão, reencarnará segundo sua linha evolutiva.

O Espírito não muda de sexo a seu bel-prazer para reencarnar-se. Devido a seu perispírito, já polarizado como masculino ou feminino em sua vibração, que lhe modela no útero materno o corpo carnal, não poderá ser numa encarnação um boxeador brutal, e na seguinte uma mocinha delicada, ou vice-versa. A razão repele isso.

Então, dadas essas informações, como explicar o homossexualismo? Nossa tese parou aí; não sabíamos como terminá-la.

Entretanto, em nosso auxílio veio um de nossos instrutores espirituais, e nos disse que existem homens e mulheres que utilizam da energia sexual de forma muito concupiscente, atraindo para si falanges obsessoras, que visam corromper os Espíritos por meio do sexo. Disse-nos ainda que pessoas que tratavam como objeto sexual as pessoas do sexo oposto reencarnavam nesse sexo de que foi opressor em uma vida pregressa, para, dessa forma, quitar sua dívida kármica com o sexo oposto. Dito isso, nos concedeu o depoimento de dois Espíritos. Eis suas palavras de apresentação antes dos depoimentos.

"Amados amigos e irmãos, tenham paz, muita paz em seus corações.

"Trouxe-lhes dois Espíritos, um da linha evolutiva masculina, e outro da feminina, os quais, de muito boa vontade, concordaram em prestar depoimento de suas experiências sexuais.

"O primeiro a depor é o da linha masculina, que temporariamente envergou um corpo feminino, apresentando o homossexualismo entre mulheres. Ouçam-no:"

O Homossexualismo

Primeiro Depoimento

"Eu fui lésbica. Dentro de meu corpo de mulher, eu me sentia um homem.

"Desde pequena, meus pendores foram todos masculinos. Menina, e meus companheiros de brincadeiras eram os meninos, tanto que minha mãe repetia constantemente: 'Não sei a quem me saiu a Laurinha; é peralta como um menino, está sempre no meio deles; coisa feia!'

"E assim era: em qualquer reunião, fosse qual fosse, raramente me encontrava entre minhas amiguinhas. Porém, nos grupos de rapazes, lá estava eu, não como mulher, mas como homem, que intimamente me parecia ser.

"Veio-me a menstruação; sofri horrores que se repetiam inexoravelmente mês após mês. Era como se mergulhassem meus órgãos genitais num caldeirão de água fervente.

"Completei quinze anos. Eu era bonita de rosto, conquanto desgraciosa de corpo. E meus pais chamaram-me em particular, e me aconselharam: 'De agora em diante, Laurinha, evite estar tanto entre os moços; você tem coleguinhas, por que isso?'

"Respondi-lhes: 'Mas, mamãe, não gosto das conversas delas, de vestidos, de modas, de sapatos, de batons, de penteados, de namoradinhos. Eu, por mim, cortaria meus cabelos como homem, e vestiria calças'. Minha resposta desgostou-os.

"Dei de mudar. Apaixonava-me facilmente por mocinhas, meninotas, mulheres casadas. Deliciava-me em frequentar o vestiário de meu clube; contemplando aqueles corpos nus, lavando-se, esfregando-se, enxugando-se, muitas vezes, com os olhos repletos de luxúria, surpreendia-me exclamando: Ah! Se eu fosse homem!'

"Viciei uma prima; além do prazer que ela me proporcionava, dava-me a sensação de ser verdadeiramente um homem. Descobriram-me, e passei a ser vigiada. Evitavam-me. Papai tratava-me com rispidez. Uma fria solidão envolvia-me. Mesmo assim, me casei.

"Não lhes descreverei o horror do sofrimento íntimo que senti em minha noite de núpcias, em minha lua de mel; foi assustador.

"Meu esposo tinha nos braços e acariciava um corpo de mulher, dentro do qual se escondia o Espírito de um homem. E durante as carícias, enlaçada pelos braços vigorosos de meu marido, que me abraçava e me beijava, quantas vezes tive ímpetos de repeli-lo e gritar: 'Eu também sou um homem!' Jamais ele o percebeu; fui-lhe fiel até o fim.

"Nossa união durou quinze anos; não tivemos filhos. Meu marido enviuvou, e contraiu segundas núpcias, dessa vez com uma autêntica mulher, de corpo e de alma.

"Quando desencarnei, compreendi o porquê dessa encarnação como mulher; porque eu, um Espírito masculino, fora embutido, sim, *embutido* é o termo certo, num corpo feminino.

"Por quatro encarnações consecutivas, eu havia estabelecido o sexo como a busca suprema de um homem.

"A mulher para mim era um objeto, um mero instrumento de prazer, de gozo. Quando uma me saciava, atirava-a para um canto qualquer, e me servia de outra.

"Jamais lhe respeitara a dignidade. Jamais a reconhecera como mãe, esposa, irmã.

"E nos intervalos de minhas encarnações, em vez de corrigir-me, frequentando as escolas correcionais da Espiritualidade, para o que não me faltaram convites, associava-me a hordas maléficas, cujo escopo era implantar o domínio do sexo no plano material.

"Até que, por ordem superior, encaminharam-me compulsoriamente aos Engenheiros Maternais, que me agrilhoaram a um corpo feminino a fim de que eu aprendesse a valorizar a mulher.

"Felizmente, tão dolorosa experiência valeu-me. Corrigi-me. Não só aprendi a valorizar a mulher, como a divinizá-la em seu papel de mãe, de esposa, de irmã.

"Voltei à minha linha masculina. Trabalho agora no setor de socorro aos náufragos do sexo. Quando soar a hora, tornarei à superfície da Terra em corpo de homem normal, e saberei respeitar a mulher no altar sagrado do casamento.

"Obrigado por, me ouvirem. Possa este meu depoimento alertar alguém.

"E ao depararem com homens e mulheres homossexuais, tenham compaixão, muita compaixão para com eles. E os trate com amor e respeito, pois são seres humanos em evolução como todos os outros. E não devemos fazer distinção de sua condição espiritual em sua atual encarnação.

"Ataíde, um mínimo servidor."

Segundo Depoimento

"Eu fui uma prostituta em seis encarnações sucessivas; sucintamente lhes descreverei, uma por uma.

"A primeira foi num navio pirata. Apanharam-me numa invasão contra nossa cidadezinha às orlas do Mediterrâneo; com o saque e outros cativos, embarcaram-me em sua caravela.

"Eu era jovem e bonita; pouco depois percorria o barco com a permissão do comandante, do almirante, como o chamavam. Um dia, ele me atraiu para seu camarote. Percebi-lhe as intenções. Eu já tinha meus planos e, antes que ele tomasse a iniciativa, adiantei-me: 'Saiba que sou uma virgem. Quanto oferece por minha virgindade?'

"Sorriu e nada respondeu. Dirigiu-se a uma das arcas ao pé do leito, abriu-a; estava cheia de joias preciosas, produto de pilhagens. Tirou um punhado delas, e colocou-as sobre uma mesinha à minha frente.

'É pouco', disse-lhe com firmeza.

"Voltou à arca, e mergulhando nela ambas as mãos em concha, encheu-as de outras joias valiosíssimas, colocou-as sobre as primeiras.

"'É o bastante', falei-lhe.

"Ainda por muitas vezes arranquei-lhe peças de valor. Quando notei que o almirante estava farto de mim, entreguei-me aos outros marujos a troco de ouro, que todos possuíam.

"Consegui desembarcar no porto de uma cidade europeia. Rica, dediquei-me ao meretrício de alto luxo.

"Vejo-me agora reencarnada na França, na época do Primeiro Império. Sou dama da corte. E, para obter honrarias, joias, luxo, prostituí-me não abertamente, mas entregando-me aos cortesãos que me poderiam ser úteis, que servissem aos meus intentos.

"A terceira encarnação foi em Portugal. Casei-me com um caixeiro modesto em pequena cidade portuguesa. Abandonei-o e transferi-me para Lisboa, onde montei casa de tolerância, desgraçando a vida de mocinhas ingênuas e desencaminhando pais de família.

"Em minha quarta encarnação, ainda em Portugal, não me sujeitando a uma pobreza digna, tão logo me emancipei, comerciei com meu corpo. E por isso minha mãe suicidou-se de desgosto.

"Como uma cobra venenosa, atraía a mocidade da nobreza, sugando-lhe impiedosamente seus bens, e até mesmo a honra, em um luxuoso prostíbulo no Rio de Janeiro, no tempo do Brasil Império, em minha quinta encarnação.

"E no início do século XX, ainda no Rio de Janeiro, aos catorze anos de idade, eu já andava envolvida no meretrício.

"De nada me adiantavam os intervalos de minhas encarnações. Não dava ouvidos a Espíritos Benévolos que me queriam afastar dessa vida imunda. Endurecida no vício, filiava-me a grupos de obsessores sexuais, e praticava desatinos vampirescos com encarnados que aceitavam minhas sugestões.

"Até que os Espíritos conhecidos como Engenheiros Maternais decidiram aplicar-me a reprimenda cabível. Estudaram minuciosamente meu passado; submeteram-me a rigoroso exame psíquico; e concluíram que só havia um remédio para mim, posto que este seria o mais amargo, porém o mais eficaz: teria que reencarnar em corpos masculinos, tantas vezes quantas fossem necessárias. A petição seguiu para instância superior e foi aprovada.

"E eu, mulher, Espírito essencialmente feminino, reencarnei em corpo de homem, no Rio de Janeiro, o quarto e último filho de um casal de classe média, remediado. Hoje sei dos motivos que teve esse casal para receber-me como filho; porém, não vem ao caso mencioná-los aqui.

"Bem cedo começaram meus martírios. Eu adorava brincar com meninas, evitava os meninos. Na escola, ouvia os mexericos dos colegas; e ao ir ao quadro-negro dar a lição, a classe caía na risada ante o meu andar afeminado. Durante o recreio, escondia-me.

"Com a idade, mais se acentuou minha inclinação feminina: parava diante das vitrines de lojas de roupas e de joalherias, e extasiava-me admirando os vestidos, os sapatos, as meias, os colares, os brincos, os braceletes, tudo enfim que pertencesse ao universo feminino. Por vezes, ansiava por dirigir-me à cabeleireira para que fosse maquiado, e com muito custo me reprimia.

"Meu pai não me aceitava; meus irmãos detestavam-me e repeliam-me; minha mãe, pobrezinha, era meu único refúgio: consolava-me, acariciava-me, infundia-me ânimo, abraçava-me.

"A solidão embrulhou-me em seu pesado manto.

"Certa vez, atraído por um homem, fui com ele ao seu apartamento. O horror, o nojo que isso me causou vocês não podem imaginar. Quis tornar-me seu amante; tive dificuldade em livrar-me dele.

"Para vocês terem uma pequena ideia do meu suplício de Espírito feminino embutido, sim **em-bu-ti-do**, num corpo masculino, faço-lhes uma comparação:

"Havia outrora um instrumento de tortura, que consistia numa caixa de ferro, mais ou menos no formato de um homem, em cuja porta, do lado de dentro, engastavam-se punhais. O condenado era colocado nessa caixa, e nela ficava por dias e dias, esperando que o carrasco recebesse ordem de fechar a porta, quando então era transpassado pelas lâminas afiadas.

"Todavia, raramente o corpo do condenado se amoldava à caixa; e então quatro carrascos o ajustavam à força naquele aparelho em que, com o corpo horrivelmente comprimido, aguardava o fechamento da porta, cessando seu tormento.

"O condenado à tortura seguida de morte na Donzela de Ferro era mais feliz do que eu: o sofrimento dele durava poucos dias; o meu durou sessenta e oito anos, que se arrastaram como uma eternidade.

"Nunca, jamais me passou pela cabeça a ideia do suicídio, ou de prostituir-me; nunca, felizmente. Aguentei firme, o que para mim foi uma provação.

"Uma tarde, ao voltar para casa, um grupinho de estudantes desocupados pôs-se a debochar de mim. Para fugir deles, entrei na primeira porta que vi aberta; subi pequena escada, e achei-me num vasto salão; muitas pessoas lá estavam; sentei-me entre elas.

"Era a Federação Espírita Brasileira. Com medo de estar sendo aguardado na saída, fiquei até o fim da reunião, da qual gostei. Um senhor ao meu lado puxou prosa comigo, e perguntou-me:

"'É a primeira vez que vem aqui?'

"'Sim e por acaso; para fugir de uns engraçadinhos que estavam me importunando.'

"'Compreendo, mas o acaso não existe; para tudo há uma razão. Eu o acompanharei até sua casa; nada receie.'

"Saímos juntos; no caminho, falou-me sobre Espiritismo; tinha um livro na mão, o qual me deu de presente: era o *O Evangelho segundo o Espiritismo*. Despediu-se de mim dizendo: 'Está entregue.'

"Mamãe abriu-me a porta, preocupada com minha demora. Contei-lhe o que houve.

"Passei a frequentar a Federação Espírita Brasileira, onde conquistei muitos amigos e amigas que me olhavam com amor e não com asco. Aconselharam-me passes e água fluidificada, o que me fez muito bem. Fui assíduo frequentador da biblioteca, e em pouco tempo adquiri boa cultura espírita. E assim minha solidão foi suavizada.

"Eu não trabalhava; tive vários empregos, sendo despedido de todos. Por isso procurava pesar o menos possível a meus pais, embora meu pai, que ainda mal me tolerava, me suprisse com algum dinheirinho pelas mãos de minha mãe.

"Declarei-me espírita, com o que ninguém em minha casa se importou. Em nosso lar não havia religião, a não ser a convencional: ir à igreja às missas de sétimo dia, ou a casamentos mediante convites.

"Meus irmãos casaram-se. Meus pais desencarnaram. Envelheci. Vivi penosamente de minguado benefício que me sobrou por herança. Fui morar num alpendre, mal e mal transformado em quarto, no fundo do quintal da casa de um de meus irmãos, com ordem expressa de não me mostrar a visitas, fossem quais fossem. Proibiram-me de ter intimidades com meus sobrinhos. Mais tarde, recolheram-me a um asilo, onde desencarnei.

"Quanto tempo eu dormira? Não o sei. Acordei num quarto hospitalar. Mexendo-me na cama, acorreu uma enfermeira gentil que me disse:

"'Tudo bem, minha irmã, não se impressione.'

"'Irmã, murmurei arregalando os olhos. Ela não me respondeu, mas ajeitou-me a coberta, sorrindo.

"Hoje estou plenamente integrada a meus predicados femininos. Regenerei-me. Faço parte do Grupo de Socorro das Servas de Maria Madalena, que se dedica ao reerguimento das infelizes que resvalaram no abismo escuro da prostituição.

"Djanira, uma serva espiritual."

E nosso instrutor, retomando a palavra, concluiu:
— Penso que agora vocês têm elementos para a conclusão da tese, não é verdade?

O Desdobramento do Espírito Durante o Sono

P. 400 – O Espírito encarnado permanece de bom grado no seu envoltório corporal?
R. – É como se perguntasses se ao encarcerado agrada o cárcere. O Espírito encarnado aspira constantemente à sua libertação, e tanto mais deseja ver-se livre do seu envoltório, quanto mais grosseiro é este.
P. 401 – Durante o sono, a alma repousa como o corpo?
R. – Não, o Espírito jamais está inativo. Durante o sono, afrouxam-se os laços que o prendem ao corpo e, não precisando este então da sua presença, ele se lança pelo espaço e entra em relação mais direta com os outros Espíritos.
O *Livro dos Espíritos*, trad. Herculano Pires

É PONTO PACÍFICO que durante o sono o Espírito encarnado libera-se parcialmente do corpo e, gozando dessa liberdade, vive a vida espiritual. Por conseguinte, todas as noites nós nos desdobramos; e aproveitamos esse desdobramento para atender a nossas inclinações, conforme exemplos que lhes dou em outras páginas deste livro.

Todavia há pessoas que se desdobram conscientemente, isto é, lembram-se, embora nem sempre perfeitamente, de fatos que presenciaram, ou de trabalhos de que participaram, enquanto o corpo dormia; é verdade que isso não acontece todas as noites, nem com muita frequência.

O desdobramento é utilizado para atendimento a doentes, para estudos e pesquisas espirituais, para doutrinação de Espíritos sofredores e de obsessores. É sempre realizado nas madrugadas, nunca nas sessões comuns dos Centros, e jamais deve ser provocado, mas sim aguardado naturalmente. É impreterível que se tenha cuidado, muito cuidado, para não confundir desdobramento com reminiscências de filmes, de novelas, de leituras, ou de entusiasmos e vaidades pueris.

A finalidade do desdobramento consciente deve ser sempre nobre, jamais para fins vulgares. Para ilustração, aqui vão alguns exemplos.

Da doutrinação de obsessores, lhes apresento um bom exemplo na segunda parte deste livro.

Eu tinha um amigo em Porto Alegre, chamado Eliseu Pedro Cauduro, que hoje habita no plano espiritual. Quatro anos depois de casado, caí doente de uma horrível trombose na perna esquerda, que me deixou de cama três meses ou mais. Respondendo a uma de suas cartas, Cirene narrou-lhe o meu estado. Oito ou dez dias depois, de madrugada, estando eu acordado, senti o levíssimo perpassar de mãos ao longo de minha perna doente, como que me dando um passe magnético; elevando meu pensamento ao Altíssimo, a sensação tornou-se mais forte; segundos depois cessou. Então, Cauduro escreveu-me: em seu Centro Espírita, faziam preces por mim. Numa das madrugadas, um de seus médiuns desdobrou-se, e veio trazer-me a caridade de um passe; e para que eu não tivesse dúvidas, descreveu-me minuciosamente o meu quarto, inclusive citou-me o nome de um livro que eu tinha à minha cabeceira.

Assistindo, de madrugada, a uma conferência em uma colônia espiritual bem próxima ao plano terrestre, deparei com duas simpáticas mocinhas, com as quais discuti as ideias do conferencista. Meses depois, encontrei-as numa livraria a comprarem livros; fitaram-me com certo espanto, e dirigiram-se a mim:

— Parece-nos que o conhecemos, muito embora não saibamos de onde.

Recordei-me do caso e respondi-lhes:

— Sim, sim, foi numa conferência no plano espiritual, não se lembram?

Não se lembravam.

O filho do dr. Orlando fazia um estágio nos Estados Unidos. E o dr. Orlando pediu-me:

— Será que você poderia levar-me até lá, para visitar o meu M.?

— Qualquer madrugada destas, iremos — prometi-lhe.

E assim foi; aproveitando uma madrugada favorável, fui apanhá-lo em seu apartamento no 9º andar do edifício.

— Vamos — convidei-o dando-lhe a mão.

E saímos pela janela de seu quarto. Mas, ao ver a cidade a seus pés, e apoiando-se apenas em minha mão, levou tremendo susto e voltou. Culpa minha que me esqueci de prepará-lo para a levitação de seu espírito fora do corpo.

O telefone tocou; três e meia da madrugada; e o dr. Orlando me pergunta:

— Que aconteceu, Eliseu?

O dr. Orlando estava gago de susto. E, no dia seguinte, sua esposa me perguntou:

— Que houve com o Orlando que lhe telefonou? Nossa!... Pensei que ele ia ter um treco.

O. F. perguntou-me:

— Você conhece seu protetor? Como se chama?

— Não, não o conheço, ainda que trabalhemos juntos há tanto tempo, nem lhe sei o nome. Nas raras vezes que o vi em meus desdobramentos, não lhe distingui o rosto, envolto numa espécie de vapor branco.

Curiosíssimo como sempre, afirmou-me:

— Pois vou saber quem ele é.

Dias depois, logo de manhã, contou-me pelo telefone:

— Mentalizei-o fortemente e me achei no pátio de um castelo antigo; ao centro, um chafariz; corredores de colunas ogivais o cercavam. "Ele passará por aqui", eu dizia a mim mesmo; vou esperá-lo e o verei. Ficarei aqui escondido. Wandinha, sua irmã, veio ao meu encontro, não como menina, mas como moça, e disse-me: "Não faça isso, O. F. Você não tem esse direito; ele tem razões para se manter incógnito ao meu irmão por enquanto. Se você insistir, arrepender-se-á".

"Não lhe dei ouvidos. Uma porta se abriu e alguém vinha pelo corredor. Quando estiquei a cabeça para vê-lo, um raio de luz embaralhou-me a vista, e fui atirado violentamente de volta para minha cama, com cujo impacto bateu na parede do quarto. E agora não sei como vou trabalhar com a vista assim embaraçada", concluiu O. F.

Ao almoço, já estava com ela normalizada.

Portanto, um aviso de amigo: "Em questão de desdobramento, todo cuidado é pouco; o invisível é perigoso".

Para os interessados no tema, recomendo de modo especial as obras de Yvonne A. Pereira, particularmente os livros: *Devassando o Invisível* e *Recordações da Mediunidade*. Recomendo também a segunda parte de *No Invisível*, de Léon Denis, e *O Livro dos Médiuns*, de Allan Kardec.

Sobre as Diversas Formas de Obsessão

> A obsessão é quase sempre um ato de vingança de algum Espírito, tendo na maioria das vezes origem na relação que o obsidiado teve com ele, em existência anterior. É também o resultado de uma imperfeição moral, que o torna presa de um Espírito afim.
> A *Gênese*, Allan Kardec, apresentação de Herculano Pires

DENTRE OS MALES que afligem a humanidade, o pior deles é a obsessão. Infiltra-se insidiosamente nos lares, e onde quer que o homem exerça suas atividades. Pior que o câncer, porque invisível; e pior ainda porque raros acreditam nele e sabem diagnosticá-lo. E assim tem ação livre no ambiente terreno, não escolhendo entre ricos e pobres, periferias de cidades e campos.

Habitando a superfície da Terra, em diferentes planos de existência vivem duas humanidades: a encarnada e a desencarnada. A humanidade desencarnada pressiona a humanidade encarnada, e vice-versa. E dessa pressão recíproca originam-se sofrimentos inimagináveis: obsessões, doenças mentais, moléstias não diagnosticáveis pela medicina atual, e os mais variados desastres.

A ciência que desbrava valorosamente a selva inextricável da mente humana é a psiquiatria. Entretanto, seus discípulos ainda servem à matéria inerte; ainda se atêm apenas aos estudos acadêmicos e unicamente de cunho material, como, por exemplo: "O cérebro segrega pensamentos como o fígado segrega a bílis" ou "Nunca encontrei o Espírito com meus instrumentos cirúrgicos", os quais apenas atestam a ignorância de quem os admite. E, servindo à matéria inerte, a psiquiatria, por seus sacerdotes-cientistas, não proclama, em alto e bom som, a existência do Espírito. E com isso, devemos ter paciência.

Dos escombros da civilização atual, se erguerá uma nova civilização, na qual a medicina será essencialmente psiquiátrica e voltada aos problemas da mente e do Espírito, isto é, entraremos na era da medicina espiritual, com os mais salutares efeitos sobre o corpo físico. Será então incluído na cadeira de psiquiatria o estudo da mediunidade, das obsessões, como disciplinas auxiliares, isentas de preconceitos religiosos ou supersticiosos de qualquer espécie. É uma tarefa para titãs e, para realizá-la, os titãs virão e em breve estarão encarnados entre nós.

Há atualmente duas correntes de pensamento sobre a realidade da existência: a espírita e a de ciência materialista oficial. A primeira preconiza: "tudo é Espírito", e a segunda proclama: "tudo é matéria".

Uma sentença latina ensina: "*In medio stat virtus*"*. E outro, português, recomenda: "Nem tanto ao mar, nem tanto à terra".

Pois bem, nem tudo é Espírito, nem tudo é matéria. Há obsessões e há doenças mentais, doenças do cérebro material; o essencial é saber distingui-las. E para isso é imprescindível que ambas as partes estudem, queimem as pestanas, analisem os casos que se lhes apresentarem.

Já faz muito tempo que os espíritas estudavam! Estudar o Espiritismo não é somente ler livros mediúnicos e mensagens. A literatura mediúnica é valiosa; contudo é um material subsidiário ao estudo das obras básicas.

A Ciência Espírita requer um estudo prolongado e dedicado, e assimilação perfeita de: Allan Kardec, Léon Denis, Gabriel Delanne, Ernesto Bozzano, Camilo Flamarion, William Crooks, H. Dennis Bradley, Paulo Gibier, Robert Dale Owen, Sir Oliver Lodge, Alexandre N. Aksakoff, Hermínio C. Miranda, Gustavo Geley, coronel Albert de Rochas, comandante da Escola Politécnica de Paris, Charles Richet, Herculano Pires, dr. Adolfo Bezerra de Menezes, dr. Inácio Ferreira, Hernani Guimarães de Andrade, e muitos outros, homens de ciência, de estudos superiores, os quais estudaram e analisaram exaustivamente os fenômenos espíritas, a cuja tarefa consagraram grande parte de suas vidas, e mesmo sacrificaram situações de destaque em sua carreira profissional. Ler, estudar, observar, experimentar.

E por meio do estudo dessa bibliografia inspirada, podemos ter informações detalhadas sobre a obsessão, que existe em seus mais variados aspectos; passemo-los em revista.

I – Obsessão de encarnado por desencarnado: essa obsessão pode ser causada por dois motivos: a) vingança; b) vícios.

Vingança: o Espírito desencarnado reconhece seu algoz, deste ou de outros tempos, encarnado. Não o tendo perdoado, aproveita seu estado de invisibilidade para vingar-se, servindo-se para isso de todos os meios: perturba-o em sua saúde física e psíquica; tenta destruir-lhe o lar; ataca-lhe os familiares; atrapalha-o financeiramente,

---

* "A virtude (ou a verdade) está no meio." Frase retirada da obra *Ética a Nicômaco*, de Aristóteles, traduzida para o latim por volta de 1175, por Geraldo de Cremona, escritor e tradutor italiano. (N. do E.)

em seus negócios, em seu emprego. E, enquanto não houver a reconciliação entre os dois, a obsessão não cessará.

Vícios: o fumante, o alcoólatra, o toxicômano, desencarnando com o vício, procuram um encarnado com o qual se afinem para satisfazerem-se.

O vício é um estado patológico mental, de consequências funestas não só para o corpo físico, como também para o períspirito. O vício está localizado na mente do Espírito, e não no corpo físico. E como sem o corpo físico o Espírito não pode atuar na matéria, procura um encarnado por cujo meio alimenta o vício que cultivou quando vivo.

É comum ao lado do fumante visível haver fumantes invisíveis a se deliciarem com as baforadas expelidas, ainda quentes. Colados ao alcoólatra visível, há outros invisíveis regalando-se com as emanações do álcool que é avidamente consumido ali. E junto aos toxicômanos visíveis, há uma multidão invisível a disputar o seu quinhão das emanações fluídicas sutis que exalam do consumo da droga.

Por conseguinte, o viciado encarnado é sempre um obsidiado a alimentar o vício de seus obsessores.

Se a obsessão por vingança baseia-se numa desforra, a obsessão por vício se firma na moral fraca do obsidiado, por exemplo:

1º – A pessoa sofre um choque emocional, um desgosto. Ante a incapacidade moral de se adaptar à nova situação, recorre ao álcool ou a entorpecentes. Entrega-se, assim, prontamente às mãos dos viciados desencarnados, que dificilmente o largarão.

2º – Pessoas de ânimo fraco, pusilânimes, covardes, incapazes de enfrentar com ânimo viril situações adversas, refugiam-se no álcool ou entorpecentes. Os viciados desencarnados se apoderam delas quase que para sempre.

3º – Os ambientes sociais de vida frívola, onde prevalecem os prazeres, os divertimentos, a ociosidade, a dissipação, a imitação, as más companhias, tudo isso constitui um campo fértil, onde os viciados desencarnados com a maior facilidade caçam seus parceiros encarnados.

Os desencarnados viciados raramente criam suas vítimas; simplesmente aproveitam as oportunidades que os próprios encarnados lhes oferecem com sua fraqueza moral.

Excusado será descrever-lhes o ambiente psíquico do lar de um viciado, o qual passa a ser asilo de Espíritos viciados desencarnados.

II – Obsessão de desencarnado por encarnado: quando a noite desce, convidando os viventes ao repouso, o Espírito sai de sua prisão de carne, e dirige-se à sua pátria verdadeira, a pátria espiritual. No entanto, nem todos se alçam às regiões luminosas. A maioria, aferrada a seus interesses mesquinhos, não atravessa a espessa camada psíquica do ambiente terreno. É então que Espíritos vingativos encarnados planejam vingar-se de seus desafetos desencarnados, e se estes já se não elevaram a faixas vibratórias mais adiantadas através do perdão e das boas ações, facilmente os vingadores os encontram e os atormentam. E o despontar do dia os traz de volta à cela corpórea, e comportam-se muito bem. Disso já lhes dei um exemplo anteriormente.

Outros encarnados, impossibilitados de darem vazão a suas vaidades durante o dia, fazem-no à noite. Eis um ótimo exemplo.

Certa vez, recebi uma carta, papel e envelope finos, de extrema qualidade e filigranados artisticamente, mostrando o bom gosto da remetente, belíssima letra feminina, e dizeres lamurientos da primeira à última linha. Solteira, julgava-se a maior das sofredoras; seus dias decorriam negros, apenas o sono lhe trazia alívio. Na assinatura, apenas o nome: Júlia.

E numa madrugada, estando eu a estudar em minha biblioteca, livre de meu corpo físico, visitaram-me meu superior espiritual, O. F. e D.

— Viemos convidá-lo a ligeira excursão de estudos; quer ir?

Lembrei-me da missiva de Júlia:

— Sim, sim... E se começarmos por uma visita a essa irmã?

Em fração de segundos lá estávamos; casa confortável, em um elegante bairro da cidade. No salão principal, armado a um canto, havia um trono igual a esses que se usam nos concursos de rainha da beleza; sentada na poltrona que o encimava, Julia, desligada do corpo, ostentava-se esplendorosa; ao seu redor, catorze rapazes trajados a rigor faziam-lhe a corte enamorados, adorando-a; ondas de voluptuosidade desprendiam-se deles, enredando-se no corpo dela, com as quais ela se deliciava.

Perplexos, olhávamos interrogativamente para nosso instrutor; ela não nos via.

— Leio perfeitamente em sua aura. Há alguns anos Julia foi eleita rainha da beleza e, como tal, recebeu as honras e os prêmios que lhe cabiam. Passado o seu efêmero reinado, não se resignou a continuar a ser a modesta professorinha que era. E com a mente cristalizada naquele passado, construiu essa ideoplastia autoilusória na qual passa suas noite. Com pensamentos eróticos, atrai esses pobres moços, Espíritos desencarnados na flor da idade, subjuga-os e vampiriza-os. De dia percebe que sua beleza se esvai, e desespera-se; e seus cortejadores, que aqui vivem, acompanham-na em sua mágoa. Providenciarei para que sejam recolhidos a uma colônia espiritual...

— E Júlia? — perguntei-lhe.

— Responda-lhe, recomendando-lhe que procure tornar-se uma mulher reta em seu pensar, que essas vaidades só causam seu estado de ânimo ruim e nada de bom trazem aos outros, nem a ela, que ainda é tempo de mudar e tudo se normalizará.

Acordei. O sol já era visível no horizonte. E, enquanto me barbeava, compunha a resposta a Júlia.

III — Obsessão oculta: há uma obsessão imperceptível, e por isso muito perigosa; é a obsessão oculta a que Allan Kardec dá o nome de fascinação.

> A fascinação tem consequências muito mais graves. Trata-se de uma ilusão criada diretamente pelo Espírito no pensamento do médium, e que paralisa de certa maneira a sua capacidade de julgar as comunicações. O médium fascinado não se considera enganado. O Espírito consegue inspirar-lhe uma confiança cega, impedindo-o de ver a mistificação, e de compreender o absurdo do que escreve, mesmo quando este salta aos olhos de todos. A ilusão pode chegar a levá-lo a considerar sublime a linguagem mais ridícula. Enganam-se os que pensam que esse tipo de obsessão só pode atingir as pessoas simples, ignorantes e desprovidas de senso. Os homens mais atilados, mais instruídos e inteligentes noutro sentido, não estão livres dessa ilusão, o que prova tratar-se de uma aberração produzida por causa estranha, cuja influência os subjuga.
>
> Dissemos que as consequências da fascinação são muito graves. Com efeito, graças a essa ilusão que lhe é consequente, o Espírito dirige sua vítima como se faz a um cego, podendo levá-la a aceitar as doutrinas mais absurdas e as teorias mais falsas, como sendo as únicas expressões da verdade. Além disso, pode arrastá-la a ações ridículas, comprometedoras, e até mesmo bastante perigosas.

E Herculano Pires, em continuação ao texto acima, em nota de rodapé, nos alerta:

> A fascinação é mais comum do que se pensa. No meio espírita ela se manifesta de maneira ardilosa através de uma avalanche de livros comprometedores, tanto psicografados como sugeridos a escritores vaidosos, ou por meio de envolvimento de pregadores e dirigentes de instituições que se consideram devidamente assistidos para criticar a Doutrina e reformular seus princípios.
>
> O *Livro dos Médiuns*, trad. Herculano Pires

Infelizmente não é só no meio espírita que a obsessão oculta se manifesta; se espalha de forma maligna em todos os departamentos das atividades humanas, impulsionada pelo orgulho e pela vaidade.

O indivíduo orgulhoso faz de si próprio um elevado conceito, cultiva um excessivo amor-próprio. Suas opiniões são sempre irreplicáveis, mormente se detém alguma autoridade. Não analisa seus pensamentos, não tem autocrítica, não troca ideias com ninguém. Torna-se então presa fácil de Espíritos soberbos, pseudossábios, dominadores que ainda querem exercer o poder que a morte lhes tirou. E fazem então com que seus pupilos se tornem seus instrumentos passivos.

Já o indivíduo vaidoso não tem orgulho, pode até ser humilde. O que o move é o desejo exagerado de atrair a admiração, as homenagens, com o que se compraz intimamente. Não recusa convites, contanto que se lhe exaltem a personalidade, os méritos, as ações. E, sempre falando em humildade, vai aceitando as honrarias que lhe tributam. E os Espíritos vaidosos, já não podendo fisicamente satisfazer suas vaidades, transformam tais indivíduos em seus agentes.

A obsessão oculta, a fascinação, é de difícil e quase que de impossível cura. O paciente dá-se muito bem com ela, e não admite a intromissão de quem quer abrir-lhe os olhos.

IV – Auto-obsessão: contudo, a obsessão não é causada somente pelos Espíritos. Há pessoas que se obsedam a si mesmas, utilizando-se de seus pensamentos: é a auto--obsessão.

A auto-obsessão caracteriza-se por ideias fixas geradas pela própria pessoa, viciando-se em criações mentais, que tomam forma em seu cérebro, e das quais dificilmente se liberta, e enreda-se numa trama mental intricadíssima. Sente um prazer mórbido em se queixar, em descrevê-las, em ruminá-las.

Dentre as ideias fixas mais comuns, citaremos:

a) as fobias,

b) as cismas.

A fobia é um medo doentio que assume os mais variados aspectos; é o horror que certas pessoas têm por algo que as amedronta, sem saberem explicar o porquê; vai desde o medo de baratas até a coisas absurdas.

As cismas também são as mais diversas: mania de perseguição, ciúmes, desconfianças, avareza, medo de perder tudo o que tem, doenças imaginárias, e outros pensamentos que a pessoa alimenta para tormento de seus familiares e amigos.

É de se notar que a auto-obsessão não interfere no pensamento normal do paciente. Apenas fica acabrunhado em seus próprios pensamentos e melancolias imaginárias. E isso pode ser perigoso se não mudar seu estado de ânimo. Assim, o Espiritismo pode esclarecer as pessoas de suas várias formas de obsessão.

Casos de Obsessão e Psiquiatria: um Depoimento

> P. — Um médico, evocando seus clientes desencarnados, poderia deles obter esclarecimentos sobre a causa de suas mortes, as faltas que poderia ter cometido no seu tratamento, e aumentar assim sua experiência?
> R. — Pode e isso lhe seria muito útil, sobretudo se ele se fizesse assistir por Espíritos esclarecidos que supririam as faltas de conhecimento de alguns doentes. Mas para isso seria necessário fazer esses estudos de maneira séria, assídua, com fim humanitário, e não como meio de adquirir saber e fortuna sem trabalho.
> O Livro dos Médiuns, trad. Herculano Pires.

DÁVAMOS POR TERMINADO nosso estudo sobre obsessões, e nosso instrutor nos pediu:

— Liguem o gravador. Temos aqui dois irmãos que querem dar o seu depoimento, o que muito ilustrará a tese que vocês desenvolveram.

E o primeiro Espírito ditou-nos o seguinte:

"Acompanhei atentamente o estudo que vocês fizeram sobre obsessões. Quero acrescentar a ele a minha própria experiência.

"Fui médico psiquiatra; não há muito deixei minha vestimenta carnal; chamei-me Vladimir Palmares, e tive consultório na Avenida Ipiranga, em São Paulo.

"Por favor, se isto for publicado, citem o meu nome por inteiro, o que me trará um pouco de alívio.

"Meu consultório era superluxuoso, e frequentado não só por milionários, como também por pacientes de modestos recursos. Objetos, quadros, móveis, tapeçarias, tudo da arte mais refinada o enfeitava. Fiz dele minha mina de ouro.

"Médico excessivamente orgulhoso, não admitia a alma, o Espírito; em vão procurei-a no crânio de meus pacientes e, como não a achasse, neguei-a.

"Inumeráveis foram os obsidiados de todos os matizes que me procuraram esperançosos da cura, tanto em meu consultório como no Hospital Psiquiátrico do Juqueri.

"Obsessões eram para mim uma doença cerebral como qualquer outra, curáveis com cargas de remédios alopáticos e descargas de eletrochoques.

"Não que não houvesse quem me abrisse os olhos; houve e muitos. Os familiares dos pacientes quantas vezes não me perguntaram: 'Não será obsessão, doutor?'

"E durante meu sono, semiliberto do corpo, meus superiores espirituais e meus colegas já desencarnados levavam-me a esferas de estudo, a laboratórios, a postos de socorro espirituais, ensinavam-me, mostravam-me a realidade.

"Estudei Allan Kardec e Ernesto Bozzano, mas fiz ouvidos de mercador a tudo, para só pensar em cobrar bem, e imbecilizar meus pacientes com minhas receitas.

"Minhas consultas eram caras; nivelavam-se pela classe de gordas contas bancárias; não havia meio-termo: quem não pudesse, que se arranjasse. E quando eu percebia que os responsáveis pelo paciente estavam cansados, ou já não aguentavam mais pagar, dava-lhes alta e acabou-se.

"Assim ajuntei sacos e mais sacos de dinheiro, que deixei aí, dado que não podia trazê-los para cá; o fim que lhes deram não sei, nem me interessa sabê-lo.

"Há um fato que, quando o relembro, me faz sofrer atrozmente: uma conversa que ouvi na sala de espera de meu consultório. Essa conversa me aflige a consciência como um ferrete em brasa.

"O pai de um meu paciente, moço de seus vinte anos, conversava com uma senhora, e ela lhe perguntou: 'Não será obsessão que seu filho tem?' Ao que o pobre homem lhe respondeu: 'Não, não é. Falei a esse respeito com o dr. Vladimir. Ele conhece Allan Kardec a fundo, e me garantiu que obsessões são ideias de espíritas ignorantes'.

"Ai de mim! Realmente eu lera Allan Kardec e lera Ernesto Bozzano, mas para ter argumentos com que massacrar o Espiritismo, com que tirar da cabeça de meus consulentes essa tal de obsessão, e não perdê-los; para mim obsessão não passava de uma história. E criticava, criticava, criticava destrutivamente. Quanto à mediunidade... poupem-me a dor de dizer-lhes o que eu pensava dela... não só pensava, como o proclamava ao se tocar no assunto.

"Um dia, a morte se lembrou de mim, e gratificou-me com uma passagem para o lado de cá. Tive funerais faustosos, deslumbrantes; meus familiares, que eu criara na inércia, na inutilidade, nas ilusões da riqueza e do dinheiro fácil e farto, o que lhes escancarou as portas dos prazeres e das loucuras terrenas, não pouparam esforços nem despesas para abrilhantá-los.

"E onde vocês pensam que me achei depois disso?

"No paraíso? No purgatório? No inferno? Nas esferas superiores? Nas regiões trevosas? Nada disso! Achei-me em meu consultório, como se nada houvesse acontecido, e onde me aguardava uma horrível surpresa.

"Meus doentes desencarnados, tão logo me descobriram, compareceram, porém, como acusadores. O estado deles era lastimável; estavam com o perispírito deformado, principalmente o cérebro.

"E culpavam-me. Esfregavam-me no nariz as receitas que lhes dera, e pelas quais pagaram alto preço. Um deles atirou-me no rosto um punhado delas, e gritou-me: 'Para pagar essas receitas, meu pai vendeu sua casinha, e olhe o que você fez de mim, para a alegria de meus obsessores, maldito!

"Seu perispírito era uma chaga viva, e sua cabeça estava toda trincada. A causa disso foram os eletrochoques e as drogas, que lhe receitei às dúzias, inconscientemente e de forma exorbitante.

"Qualquer medicamento que administramos a um doente age primeiramente no perispírito para, em seguida, refletir-se no corpo carnal. O eletrochoque e as drogas são abençoados agentes de cura, se administrados conscientemente; mas se receitados abusivamente causam ao perispírito danos de difícil reparação, como me explicaram aqui, e que hoje eu mesmo constato.

"Não curei nenhum deles, enquanto eles e eu éramos, encarnados; e do lado de cá, invisíveis aos olhos humanos, pareceram-me dolorosamente mutilados.

"E as chacotas dos obsessores? Tive de suportá-las sem remissão. Receberam-me com uma salva de palmas e gostosas risadas. Continuavam agarrados a suas vítimas, incentivando-as ferozmente. E diziam-me: 'Bom médico, bom médico, você receitava direitinho como nós queríamos. E suas receitas faziam um bem para nossos pupilos! Você não percebia, bom médico? Pudera! Como ia perceber, se estava de olho no lucro do dia?!'

"E caíam na risada.

"'Você nos deve um favor, bom médico. Seus sacos de dinheiro quem os encheu fomos nós, bom médico, arrastando os obsidiados para o seu consultório, onde eram tratados segundo nossos desejos. Agradeça-nos, bom médico, agradeça-nos!'

"O que lhes narrei acima é uma pequena amostra do que sofro, pois ainda sofro e muito. Um pesado sentimento de culpa tortura-me incessantemente. Minhas mãos queimam como se as estivesse assando num braseiro, reflexo do dinheiro supérfluo que me passou pelas mãos, e das receitas que impensadamente assinei.

"Um médico vive da medicina, e por isso é justo, justíssimo que cobre o seu trabalho; contudo, deve evitar fazer de sua profissão uma simples máquina de imprimir dinheiro.

"Preconceitos ainda fortes cercam a classe médica. Mas o médico psiquiatra não precisa encaminhar o seu cliente obsidiado para o Centro Espírita. O próprio médico pode doutrinar o obsessor, enquanto conversa com o paciente, sem que ninguém o perceba. E quando a terapia é em grupo, preparar cuidadosamente palavras que toquem os encarnados e se reflitam nos obsessores, os quais infalivelmente estão presentes, ainda que invisíveis.

"O médico deve orar por seus pacientes; a oração é um auxiliar valioso do médico. Médicos desencarnados, já possuidores da Ciência do Espírito, estão prontos a cooperar com os médicos encarnados, uma vez que sejam atraídos ao consultório terreno pela prece, pela dedicação aos doentes, pelo coração, enfim.

"Aproxima-se a era do Espírito. Uma plêiade de Espíritos ilustres se prepara a fim de se reencarnar a partir do ano 2000, os quais imprimirão novos rumos à medicina nas décadas que se seguirão.

"O que lhes estou dizendo aprendo aqui com nossos instrutores; um deles é o dr. Orlando, que foi dedicado médico psiquiatra em sua última encarnação, mas que sempre se esquecia de cobrar a consulta. Ele nos ensina que a medicina começou nos templos da Antiguidade, exercida por sacerdotes, e que aos templos ela voltará. É uma maneira poética de ele nos dizer que o médico, acima de tudo, é um sacerdote da saúde.

"Há dias visitou-nos um Espírito brilhante, de uma esfera superior, e deu-nos uma aula magnífica. Fui apresentado a ele pelo dr. Orlando, que já o conhecia. Em conversa, falei-lhe de meus planos de ser um médico renovado em minha reencarnação vindoura. Como que lendo na profundeza de meu ser, respondeu-me:

"'Louvo-lhe a disposição. Em sua caminhada para a Luz, dentro da Eternidade, você terá inúmeras ocasiões de ser um médico renovado. Trabalhe por ser um dos gigantes da psiquiatria futura, a psiquiatria realmente do Espírito.'

"E tomando-me as duas mãos entre as suas, com um sorriso e palavras fraternas, despediu-se.

"O dr. Orlando me fitava sorrindo, movido por uma força irresistível, ajoelhei-me; lágrimas quentes brotaram de meus olhos; e meu coração desfez-se em preces de gratidão ao Altíssimo, pela graça que eu acabava de receber: o fogo invisível que me envolvia as mãos e requeimava-as, extinguira-se.

Vladimir."

Auto-obsessão – Um Depoimento

4. Seria um desdobramento da matéria inerte? Haveria no mundo invisível uma matéria essencial que revestiria a forma dos objetos que vemos? Numa palavra, esses objetos teriam o seu duplo etérico no mundo invisível, como os homens são representados ali pelos Espíritos?

R. – Não, não é assim que isso se dá. O Espírito dispõe, sobre os elementos materiais dispersos por todo o espaço de vossa atmosfera, de um poder que estais longe de suspeitar. Ele pode concentrar esses elementos pela sua vontade, e dar-lhes a forma aparente que convenha a suas intenções.

5. Coloco de novo a questão de maneira categórica, a fim de evitar qualquer equívoco: as roupas dos Espíritos são alguma coisa?

R. – Parece-me que a resposta precedente resolve a questão. Não sabes que o próprio perispírito é alguma coisa?

6. Resulta desta explicação que os Espíritos submetem a matéria etérea às transformações que desejam. Assim, por exemplo, no caso da tabaqueira, o Espírito não a encontrou feita, mas ele mesmo a produziu, quando dela necessitou, por um ato de sua vontade, e da mesma maneira a desfez. É isso que se dá com todos os objetos, como as roupas, as joias etc.?

R. – Mas é evidente.

7. Essa tabaqueira foi vista pela senhora como se fosse real. O Espírito poderia torná-la tangível para ela?

R. – Poderia.

8. Se fosse o caso, a senhora poderia pegá-la, acreditando ter nas mãos uma tabaqueira real?

R. – Sim.

9. Se ela a abrisse, provavelmente encontraria rapé, e, se o tomasse, espirraria?

R. – Sim.

10. Então o Espírito pode dar não somente a forma, mas também as suas propriedades especiais?

R. – Se o quiser. Foi em virtude desse princípio que respondi afirmativamente às perguntas anteriores. Terás provas da ação poderosa que o Espírito exerce sobre a matéria e que estás longe de supor, como já disse.

11. Suponhamos que ele quisesse fazer uma substância venenosa, e que uma pessoa a tomasse. Ficaria envenenada?

R. – O Espírito poderá fazê-la, mas não o faria, porque isso não lhe é permitido.

12. Poderia fazer uma substância salutar, apropriada à cura de uma doença, e isso já aconteceu?
R. – Sim, muitas vezes.

13. Poderia então da mesma maneira fazer uma substância alimentar? Suponhamos que fizesse uma fruta ou uma iguaria qualquer. Alguém poderia comê-la e sentir-se saciado?
R. – Sim, sim. Mas não procures tanto para achar o que é tão fácil de compreender. Basta um raio de sol para tornar perceptíveis aos vossos órgãos grosseiros as partículas que enchem o espaço no meio do qual viveis. Não sabes que o ar contém vapor d'água? Condensa-as e voltarão ao estado normal. Priva-as do calor, e verás que essas moléculas impalpáveis se transformarão num corpo sólido. Assim, muitas outras substâncias de que os químicos tirarão maravilhas espantosas. Mas acontece que o Espírito possui instrumentos mais perfeitos que os vossos: a vontade e a permissão de Deus.
Observação (de Allan Kardec): A questão da saciedade é, neste caso, muito importante. Como uma substância que só tem existência e propriedades temporárias e de certa maneira convencionais pode produzir a saciedade? Essa substância, em contato com o estômago, produz a sensação da saciedade, mas não a saciedade propriamente dita, que resulta da plenitude. Se essa substância pode agir na economia orgânica e modificar um estado mórbido, pode também agir sobre o estômago, e provocar uma sensação de saciedade. Mas pedimos aos senhores farmacêuticos e donos de restaurantes para não se enciumarem nem pensarem que os Espíritos lhes venham fazer concorrência. Esses casos são raros, excepcionais, e não dependem jamais da vontade de alguém, pois do contrário todos se alimentariam e curariam de maneira muito vantajosa.
O Livro dos Médiuns, trad. Herculano Pires.

Para bem se compreender a auto-obsessão ou ideia fixa, que aqui vamos descrever, é que reproduzimos os tópicos acima.

Os interessados neste estudo deverão ler os capítulos VII e VIII, de *O Livro dos Médiuns*, dos quais foram extraídos os trechos acima. O livro *Devassando o Invisível*, de Yvonne A. Pereira, também fornecerá subsídios preciosos, assim como a apresentação do professor Herculano Pires e o capítulo XIV de *A Gênese*, de Allan Kardec.

O segundo Espírito começou assim o seu depoimento:

"Não, não me identificarei como o fez o depoente que me precedeu. Vou lhes relatar o meu caso, simplesmente.

"Fui um implacável propagandista do vegetarianismo; semeava o horror à carne por onde eu passava. Nos clubes, nas escolas, nos Centros Espíritas, em praças públicas, pelas ruas, qualquer lugar me servia para pregar contra ela. E diversas instituições convidavam-me para fazer palestras contra a carne, e sobre o vegetarianismo.

"Demonstrava os males que a carne causa ao organismo, as bactérias, os micróbios, os vírus que ingerimos com a carne, infeccionando-nos. O assassínio que praticamos abatendo animais, e por aí vai.

"E eu pregava: não se alimentem de carne, não a comam, substituam-na por isto e por aquilo, e assim por diante.

"Hoje sei que tudo isso é válido, mas também que, como humanidade, ainda não estamos preparados para abolir a carne de nossas refeições. Isso será aos poucos. Cada um ao seu tempo.

"Chegará o dia em que os homens saberão respeitar seus irmãos menores: os animais. Nesse dia, ainda longínquo, os frigoríficos se transformarão em laticínios magníficos, e a indústria da carne será então coisa do passado. Os engenheiros agropecuários do futuro saberão utilizar os animais sem maltratá-los e sem assassiná-los.

"Atualmente contam-se pelos dedos os que estão preparados para seguir a doutrina que preguei, posto que eu pensasse de outra forma: eu quis reformar o mundo, mudar maneiras de ser, e achei que o tinha feito; pouco, na verdade, mas fizera.

"Mostrei-lhes a face, agora lhes mostrarei o outro lado da moeda.

"Ainda que eu proclamasse, em alto e bom som, o vegetarianismo, jamais perdi a vontade de comer um suculento e delicioso filé. O desejo de ingerir carne torturava-me. Lia com avidez os cardápios dos restaurantes, com a refeição vegetariana ante mim, aspirava o odor dos pratos à base de carne que os garçons serviam. Várias vezes surpreendi-me dentro de churrascarias, nas quais entrara de forma automática.

"Enfim, eu me auto-obsidiava. A carne, comer carne era minha ideia fixa. A auto-obsessão dominou-me.

"E nas madrugadas, quando o sono me descerrava as portas da prisão corporal, o meu subconsciente vinha à tona. E apresentavam-se-me iguarias feitas de carne, minhas criações mentais, que eu comia gulosamente.

"Desencarnei. A carcaça, a armadura de carne, já não me incomodava. Agora eu era um Espírito livre. Sei que me prestaram homenagens. E um orador, no meu funeral, que discursou diante de meu túmulo ainda aberto, brindou-me com o título de 'o apóstolo do vegetarianismo'.

"Depois de algumas horas tive fome. É natural o recém-desencarnado, ainda sob a impressão da matéria, sentir fome. E tudo o que havia de oculto dentro de mim, o que jazia no porão de minha consciência, aflorou à superfície: comer carne, alimentar-me de carne, a carne pela qual eu me tinha auto-obsidiado, a minha ideia fixa.

"Facilitado por meu forte poder de criação mental, tive mesa farta à minha frente. O menu tinha tudo o que se pode fazer com a carne: desde o simples bife ao mais apetitoso assado.

"E eu comia, comia, comia sem parar, sem me fartar.

"E o tempo passava sem que me desse conta dele.

"Um dia, alguém vestido de garçom, dada minha maneira de pensar, aproximou-se de mim e, chamando-me pelo nome, disse-me:

"'Perdoa-me, fulano, interromper tua refeição, mas um prato melhor te espera. Vem comigo.'

"Aquela voz de comando quebrou a cristalização na qual eu jazia.

"Qual não foi a minha surpresa!

"Dois anos haviam transcorrido desde o meu desencarne!

"A mesa farta era a lápide marmórea de meu sepulcro no Cemitério da Consolação, em São Paulo.

"Ao cair em mim vi-me esfarrapado, barbudo, alucinado, em virtude dos dois anos que passei mergulhado numa ideia fixa.

"Dei-lhes o meu depoimento. Agora um conselho de amigo, de irmão:

"Vocês que preferem abster-se de carne, abstenham-se, porém, se o desejo de comê-la os atormentar, comam-na, não se façam de rogados, não transformem o desejo em ideia fixa. Aqui, na verdadeira vida, as ideias fixas, as auto-obsessões, revelam o que somos; elas se ideoplastizam, e nos fazem viver num mundo ilusório, encerram-nos em cárceres tenebrosos, dos quais a custo nos libertamos em prantos e rangendo os dentes.

"G., que lhes agradece a atenção."

Os Fluidos Espirituais

14. Os Espíritos atuam sobre os fluidos espirituais, não manipulando-os como os homens manipulam os gases, mas por meio do pensamento e da vontade. O pensamento e a vontade são para os Espíritos o que a mão é para o homem. Pela força do pensamento imprimem aos fluidos esta ou aquela direção; aglomeram-nos, combinam-nos, ou dispersam-nos; modificam-lhes as propriedades, como o químico modifica a dos gases ou de outros corpos, combinando-os de acordo com certas leis. É a grande oficina ou laboratório da vida espiritual.

16. A ação dos Espíritos sobre os fluidos espirituais tem consequências de uma importância direta e capital para os encarnados.

A *Gênese*, Allan Kardec, trad. Herculano Pires.

Durante nossos encontros no Centro, era a vez de nossa companheira J. M. designar o tema de estudo para o mês, e ela escolheu "Os Fluidos".

Não foi nada fácil; gastamos com ele mais de duas reuniões mensais, e dezenas de folhas de papel cada um. Por fim, nós o demos por concluído; ei-lo:

Antes, acreditava-se que havia um espaço vazio entre os corpos celestes, entre os mundos: era o vácuo.

Mas vieram as viagens interplanetárias, as naves espaciais, cujos astronautas enviavam à Terra imagens televisionadas, fotografias, mensagens faladas, e por sua vez recebiam dos observadores terrenos ordens, avisos e notícias.

Ora, se não houvesse algo preenchendo esse espaço interplanetário, nossas mensagens não chegariam até eles, nem a deles a nós, por faltar-lhes o veículo condutor.

E constatou-se que o Universo está mergulhado numa matéria imponderável, mais imponderável do que a eletricidade, como os peixes estão mergulhados no mar. É a matéria cósmica primitiva, geratriz dos mundos e dos seres, o fluido cósmico universal, tão bem estudada nas obras fundamentais do Espiritismo.

Os aparelhos científicos terrenos ainda não conseguem captar esse tipo de matéria sutil; contudo, como se inventou o microscópio e o telescópio, há de se inventar um aparelho que descerrará essa matéria aos nossos olhos, e aprenderemos a usá-la. A ciência caminha e lá chegará.

Essa matéria, tornando-se compacta ante o poder mental de Altíssimos Espíritos, diretamente ligados a Deus, forma os mundos; por exemplo, a Terra e tudo o que ela contém, e também os mundos espirituais, residência dos Espíritos. Mas como os Espíritos manejam essa matéria?

Sabemos como os Espíritos encarnam. Citemos um exemplo: desejamos construir uma casa, e pensamos como essa casa deve ser; e ela nasce em nosso pensamento. Em seguida, chamamos o arquiteto, que transfere para o papel a planta mental já idealizada em nosso cérebro, primeiramente formada nele. E movimentamos uma equipe de técnicos: engenheiro, mestre de obras, pedreiros, carpinteiros, eletricistas, pintores, encanadores, serventes etc. E compramos a matéria imponderável que em nosso mundo se compactou e originou todo o material de construção. E por fim temos a casa pronta para morar.

Notem que a casa que temos construída em nossa frente nasceu em nossa mente; foi o nosso pensamento que se materializou, e usou o fluido cósmico universal, solidificado em nosso planeta.

E qual foi a força que fez com que a nossa imagem mental de nossa casa se materializasse? A vontade. O nosso pensamento é movido pela vontade.

Nos mundos espirituais, o processo de construção é o mesmo. A matéria imponderável é manipulada pelo pensamento, acionado pela vontade.

Não é qualquer Espírito que conhece as leis da mentalização para atuar na matéria imponderável, dar-lhe forma, consistência e durabilidade. Isso é tarefa para os Engenheiros Siderais, Espíritos construtores que já desenvolveram elevado grau de poder mental, auxiliados por equipes especializadas.

Mas se meu leitor, ou paciente leitora, conseguiu chegar até aqui, lendo este livro, sossegue, tranquilize-se, porque, quando a morte o premiar com uma passagem para o lado de lá, encontrará pronto tudo que necessitar para o seu conforto. De que necessitará ter cuidado, muito cuidado, é de suas próprias criações mentais. Essas, sim, podem causar-lhe embaraços.

Por quê?

Porque você também pensa. Você também tem em si mesmo a energia da vontade. E com seu pensamento, com sua vontade, você movimentará a matéria imponderável, você criará imagens mentais que se cristalizarão ante seus olhos; porém, serão percebidas só por você. Porque muito embora as tenha criado, você ainda não tem o poder de dar-lhes consistência, durabilidade. E tão logo você deixa de pensar nelas, desvanecem-se.

É comum verem-se Espíritos envolvidos em suas criações mentais, conquanto, na realidade, estejam cobertos de andrajos: senhoras em atitudes elegantes, julgando-se vestidas de seda e cobertas de joias; portadores de títulos de crédito, e agora, desencarnados, criam-nos mentalmente e sobraçando-os vão diariamente à Bolsa de

Valores, verificar-lhes a cotação. E assim por diante, em todos os graus e em todos os matizes.

E chegamos às cristalizações do pensamento, às ideoplastias.

O Espírito, não se conformando com o desencarne, nem com a perda da posição que ocupou no mundo, cristaliza-se no passado e ideoplastiza a vida material que deixou, e na qual vive ilusoriamente até por séculos. Essas ideoplastias podem mesmo acompanhá-lo em suas reencarnações posteriores; e podem ser facilmente observáveis nos manicômios e nas clínicas psiquiátricas.

A matéria imponderável presta-se a tudo; tanto a manipulam os bons como os maus. E dessa manipulação origina-se a Magia.

Há duas espécies de magia: a magia branca e a magia negra.

A alma da magia branca é o Amor, o Perdão.

A alma da magia negra é o Ódio, a Vingança.

Aqui, o fluido cósmico universal, ou seja, a matéria imponderável, adquire um novo aspecto: o de fluidos. Toda matéria terrena exala fluidos: de uma flor evolam-se fluidos puros, saudáveis; e da carniça, fluidos impuros, nocivos.

Esses fluidos, tanto os puros como os impuros, você os utiliza de acordo com os seus pensamentos impulsionados por sua vontade. Sempre que você envia pensamentos de Amor, Saúde e Bondade a uma pessoa, você a envolve em fluidos puríssimos; e essa pessoa sente-se bem, encorajada, alegre, fortificada. O mesmo acontece quando você ora a favor de uma pessoa, quer esteja ela encarnada, quer desencarnada; e ainda com a vantagem de você ser auxiliado por Espíritos socorristas, que reforçam os fluidos puros que sua vontade movimentou. Esse é o segredo da magia branca ou divina.

Todas as vezes que você dirigir pensamentos de Ódio, de Inveja, de Ciúmes, de Lascívia, e quaisquer outros de baixo teor, movimentando-os com sua vontade contra uma pessoa, você a impregna de fluidos deletérios. E ela sente-se deprimida, desencorajada, triste, um mal-estar indefinível se apodera dela. Nesse caso, você é auxiliado também por Espíritos maldosos que fortificam os fluidos impuros que você lançou. Esse é o segredo da magia negra ou diabólica.

Noto que você está apreensivo, e perguntando a si próprio como defender-se dos fluidos venenosos que os outros, consciente ou inconscientemente, lhe atiram pelo pensamento.

É muito fácil.

Basta você usar diariamente a magia branca.

Tenha constantemente pensamentos puros, pensamentos de Amor, pensamentos construtivos.

Desculpe incessantemente.

Tenha o seu momento diário de oração. Você não precisa orar por si mesmo. Ore pelos outros, e o que você desejar aos outros, isso mesmo você receberá, pois é da Lei.

Uma vez por semana, reúna sua família em torno do Evangelho, e estude uma de suas páginas sublimes.

E assim você e seu lar estarão imunizados contra os fluidos perniciosos.

Se você já tem a felicidade de possuir uma religião, seja ela qual for, não importa o rótulo, paute sua vida pelos preceitos dela. É um erro moral muito grave conhecer o caminho e não o seguir.

Reserve uma ou duas horas por mês para visitar um enfermo, um orfanato, doe alguma roupa de segunda mão para uma família necessitada. O que um uma pessoa que mora em favela ganha não dá para comprar roupas sem com isso passar por alguma outra necessidade.

E assim a magia negra será impotente contra você.

Outro meio importante pelo qual você pode movimentar a matéria imponderável em forma de fluidos curativos é o passe. Impondo as mãos sobre uma pessoa doente, e elevando uma súplica ao Altíssimo em favor dela, você pode restaurar-lhe as energias injetando-lhe no corpo fluidos benéficos, e retirando-lhe os fluidos doentios nele acumulados. Era desse modo que Jesus e os apóstolos curavam.

Um Exemplo de Poder Mental: um Depoimento

> A ciência ensina-nos que os nossos sentidos apenas nos fazem conhecer ínfima parte da natureza, porém, que além e aquém dos limites impostos às nossas sensações, existem vibrações sutis, em número infinito, que constituem modos de existência de que não podemos formar ideia, por falta de palavras para exprimi-las.
> O *Fenômeno Espírita*, Gabriel Delanne

Escolhíamos o ponto a ser estudado em seguida, e manifestou-se nosso instrutor Laurindo, que nos recomendou:

— Tragam o gravador em boa forma, que no próximo mês virá um irmão dar o seu depoimento para conclusão do estudo que vocês fizeram sobre os fluidos espirituais, a manipulação deles, suas formações ideoplásticas etc.

E nosso irmão ditou-nos assim o seu precioso relato:

"Se concordei em dar este depoimento, foi unicamente porque compreendi que isso faria um grande bem para mim, Espírito sofredor que sou, e serei ainda por séculos vindouros.

"Meu nome é, com ligeiras modificações, frei Joaquim de Jesus.

"Nasci em Tarragona, Espanha.

"Meus pais me educaram na religião dominante, o Catolicismo, compareci assiduamente às missas e tive desde criança grande medo do demônio.

"E como primogênito de boa família da época, fui, segundo a usança, indicado para o sacerdócio.

"E na quinta década do século XIX, com o auxílio de meus pais, e por imposição de outros, tornei-me um servo de Jesus, um jesuíta.

"A princípio, meus afazeres foram dentro do próprio seminário. E davam-me instruções secretas, preparando-me para futuros postos de comando.

"Acontece que eu, frei Joaquim de Jesus, era um Espírito de muita maldade, de grande conhecimento de causa, e de inteligência rara para a época, pois trazia todo esse cabedal de minhas existências anteriores sempre voltado ao mal. E por isso eu estava sendo visado pela confraria negra para ser não um de seus pupilos, mas um representante dela na Terra, como de fato o fui.

"Nesta encarnação, os Poderes Superiores me tinham concedido a oportunidade de, como sacerdote, redimir-me de minhas maldades, como tantos outros de nossa Ordem que, envergando a batina humilde, alçaram-se às Alturas luminosas, alguns deixando nomes saudosos e venerandos na História da América Portuguesa e na da Espanhola, e outros no anonimato sob duros sacrifícios a favor da Humanidade.

"Mas eu, seguindo meu livre-arbítrio, entreguei-me a vontades inferiores nas horas de repouso. Liberto parcialmente do corpo pelo sono, recebia instruções de como proceder para que pudesse mais rapidamente me destacar dentre os demais.

"Posso afirmar-lhes, de voz presente, que o Espírito de T. foi o meu orientador, como de tantos outros de nós.

"Em pouco tempo, para assombro de meus pares, eu ocupava um dos cargos mais altos da Ordem do Sagrado Coração de Jesus.

"Quando isto se deu, uma transformação se operou no meu íntimo: o velho desejo de comando, bem como a antiga maldade, acordaram dentro de mim.

"Fui um dos mais ardentes perseguidores da Nova Causa na Espanha, ou seja, da Doutrina Espírita. Logo que a obra de Allan Kardec se espalhou pelo continente e chegou à Espanha, eu estava entre os principais responsáveis pela queima dos livros.

"Descobri que se formavam pequenos grupos que, às escondidas, na calada da noite, estudavam o Espiritismo e o praticavam. E para evitar que esse Ideal se propagasse, mandei matar, em segredo, aqueles pequeninos que tão boa vontade tinham.

"Certo é, conforme sei hoje, que essas criaturas eram reencarnações de gladiadores romanos que, por ordem de seus superiores, trucidavam os cristãos nas catacumbas.

"(Sabemos que o mal ainda é necessário na Terra, mas ai daquele por quem ele vem! Ai, ai de mim, que fui um veículo do mal!)

"E o tempo passa.

"A mesa farta reinou em meu mosteiro; o desregramento do sexo inclusive; o tilintar das moedas de prata e de ouro era uma alegria para meus ouvidos.

"O desencarne veio repentino.

"Ao afastar-me do corpo, eu não era um Espírito ignorante. Eu lera os livros kardequianos, para melhor atacar o Espiritismo. Reconheci o meu estado e apavorei-me.

"Mas eis que vem a grande surpresa: após as pompas fúnebres rituais, vejo-me diante da porta do mosteiro, onde aos meus pés se desenrola um lindo tapete vermelho. Sentinelas apresentam-me armas. Uma recepção maravilhosa, assim pensava eu.

"Hoje sei que se eu recusasse aquele 'maravilhoso convite', e me retirasse dali, eu teria sido preso por aquelas mesmas sentinelas que me prestavam honras.

"Uma elegante carruagem inteiramente dourada, dessas do final do século XVI, conduziu-me por caminhos tétricos, lamacentos, tortuosos. E deparei com uma imponente e majestosa cidade, na qual a cor vermelha predominava. Fui recebido pelo Espírito de T., o grande governador.

"De imediato encaminharam-me para a Universidade do Poder Mental Negativo. Iniciavam-se os cursos sobre as leis dos fluidos. Eis alguns exemplos das lições:

"Primeira lição: ir até uma plantação de flores e, na sugação fluídica, fazer com que todas feneçam.

"Era um exercício para que no futuro pudéssemos chegar a nossas vítimas, tornando-as assim nossas dependentes.

"Segunda lição: aprendemos como agir com as forças da natureza, como utilizar os ventos, as chuvas, e para isso servíamo-nos dos Espíritos elementares, como, por exemplo, nas procissões de pedir chuva. E fazíamos desabar repentinas tempestades, o que muito nos divertia, posto que contrariássemos as leis da natureza.

"Terceira lição: ensinavam-nos como manipular o fluido telúrico para utilizá-lo na magia mental negra.

"(A nossa magia negra não se origina de cultos africanos; mas sim vem de tempos imemoriais.)

"Tudo aprendi com facilidade; e logo fui promovido a um alto cargo: o de Conselheiro da Mansão Anticristo.

"Daí por diante, acompanhado de bom número de seguidores, tomei parte ativa em todos os fatos importantes que se desenrolaram na superfície da Terra, infiltrando-me e atrapalhando quanto me era possível.

"Mas um dia (para tudo há um dia marcado na Eternidade; e para nosso livre-arbítrio há um limite fixado, além do qual não passaremos), cansado de tanta iniquidade, segui para a Superfície.

"E nas praias de minha província, em minha terra natal, abatido, afloraram-me à mente recordações de minha infância.

"O remorso, espreitador de criminosos, se apossou de mim. Compreendi que era chegada a hora de defrontar-me com meus erros.

"Delirei de desespero.

"Gritei alucinadamente:

"— T., vem em meu socorro!!!

"Qual não foi o meu espantoso desapontamento: ninguém apareceu!

"Seguiram-se crises de choro convulsivo.

"Olhando para o mar, vi, como que saindo dele, quantidade enorme de minhas vítimas.

"Acusaram-me tremendamente.

"Tentei usar o meu poder mental para anulá-las. Mas foi inútil! Quanto mais fixava a mente, mais desenterrava perversidades de minhas existências passadas.

"O tempo passou de forma acelerada. E sob o sol e a chuva permaneci na praia.

"Certa vez, indagando mentalmente por T., as mesmas sentinelas se fizeram presentes com longos chicotes, e chicotearam-me a valer, chamaram-me de covarde, de desertor. E procederam a uma espécie de ritual: arrancaram-me as insígnias dos cargos das falanges sombrias que ocupei, e que me tinham sido conferidas por meus trabalhos nas Trevas. E largaram-me ao meu próprio destino, posto que os vingadores, os patrulheiros, visitassem-me regularmente, brandindo seus açoites.

"Entreguei-me a meditações penosas, a perguntas angustiantes:

"– Que fazer? Qual seria meu futuro? A quem apelar? Para onde ir?

"Não ousava dirigir-me ao Altíssimo e muito menos ao Mestre; só em pensar nisso cobria-me de vergonha, embora soubesse que Ele não viera ao mundo para salvar os puros, mas os pecadores.

"Era noite. A solidão me envolvia. O mar quebrava suas ondas espumosas a poucos metros de meus pés. Meus pensamentos me agoniavam. Lágrimas quentes corriam-me pelas faces.

"Uma luzinha brilhou ao longe, e veio em minha direção. À medida que se aproximava, tornava-se brilhante; era uma estrela de luz opalina que se materializou diante de mim; e reconheci o Fundador de nossa Ordem.

"Abraçou-me carinhosamente, e conduziu-me a uma colônia de repouso e de recuperação.

"Tempos depois, ele veio buscar-me, e levou-me consigo para mostrar-me o que era aquela 'majestosa cidade'. E disse-me:

"– Observa. Agora que estás livre da subjugação mental, podes ver a realidade.

"E vi com asco e horror que era uma aldeia paupérrima, um agregado de casebres imundos, de ruelas pantanosas de onde percebia miasmas se desprendendo. Mentes cristalizadas ideoplastizavam a pompa e o esplendor fictícios, apenas percebidos pelos Espíritos subjugados, e que se comprazaim com aquela vida.

"E bradei:

"– Ó podre bando de Espíritos delinquentes que, ávidos do poder, deixam-se arrastar por fortes comandos mentais, e se tornam magos negros! Porque não é somente nas religiões que há magos negros. Há os magos negros da política, das finanças, do dinheiro, do vício, do crime, do sexo, e assim por diante. Espíritos que ambicionam o poder pelo simples prazer do mando, da autoridade. Espíritos de rara inteligência que, infelizmente, em suas maneiras de pensar, estão ainda no Jardim da Infância da vida! Acordem!!!

"Hoje, depois de muita luta para reequilibrar-me, estou me preparando para a minha próxima encarnação. Vou reencarnar no país mais pobre do continente africano, procurando utilizar-me de meus conhecimentos adquiridos na linha do Tempo e, através das ervas medicinais, fazer algo pela saúde de meus semelhantes, pela felicidade deles, a favor de mim mesmo.

"Lembrem-se de mim quando vocês estiverem desencarnados. Visitem-me. Estarei mergulhado no esquecimento do meu passado tenebroso com uma nova vida de oportunidades espirituais de evolução.

"Frei Joaquim de Jesus."

Sobre o Fenômeno da Voz Direta

> E foi dirigida a ele uma voz que lhe disse: Levanta-te, Pedro, mata e come.
> *Atos, 10:13*

A VOZ DIRETA é um dos mais belos e emocionantes fenômenos da mediunidade: ouvir a voz dos Espíritos, a voz de nossos entes queridos tal qual a ouvíamos quando encarnados junto a nós, o timbre amoroso de nossa mãezinha, a voz máscula e por vezes severa de nosso pai, indicando-nos o caminho do dever. É, contudo, um dos fenômenos menos pesquisados por nossos mestres.

A Bíblia é um repositório pródigo de casos de voz direta, naturalmente revestidos da roupagem que lhes emprestavam as crenças da época. Hoje sabemos que eram Espíritos de alta categoria que ajudavam os profetas e os apóstolos no esclarecimento espiritual da humanidade.

Onde a voz direta atinge o sublime é no episódio da conversão de Paulo no caminho de Damasco, em que Jesus lhe fala diretamente, e Paulo, tremendo e atônito, lhe responde (*Atos, 9:1-8*).

A voz direta é obtida graças à mediunidade de efeitos físicos porque, em qualquer hipótese, os Espíritos de todas as categorias espirituais, desde a mais ínfima até a mais elevada, só se podem manifestar com o auxílio de um médium.

É o médium quem fornece ao Espírito os meios para que ele se manifeste, quer pela incorporação ou psicofonia, pela audiência ou pela vidência, pela psicografia, quer pelos efeitos físicos que produzem aparições, movimento de objetos, pancadas, escrita direta, e finalmente a mais fascinante de todas as manifestações, a voz direta.

No médium, o Espírito haure a força para atuar na matéria densa em que nós, os encarnados, estamos mergulhados. E não é necessário que o médium de efeitos físicos esteja presente no local onde se desenvolve o fenômeno; o Espírito pode servir-se dele mesmo a distância, e até sem que o médium perceba.

O fenômeno da voz direta é raro; não é qualquer médium de efeitos físicos que o obtém; é preciso que o médium tenha uma aptidão especial para ele.

W. Stainton Moses, em seu livro "*Ensinos Espiritualistas*", diz-nos:

"IX — Emanação vocal diretamente do Espírito, em vez da voz produzida pelo médium em transe, raras vezes foi ouvida, e nunca era distinta.

"Quando, excepcionalmente, se obteve essa manifestação, pudemos, prestando grande atenção, distinguir uma ou duas frases truncadas, antes sibiladas em um murmúrio rouco, do que pronunciadas. Esses sons, emitidos com grande dificuldade, pareciam, em geral, lançados no ar sobre nós. Como se nos ofereciam outros meios de comunicação, sobre a voz direta pouco pesquisamos".

Ernesto Bozzano, em seu excelente livro *Xenoglossia – Mediunidade Poliglota*, faz um criterioso estudo da mediunidade de voz direta no capítulo: "Categoria III – Casos de xenoglossia por meio da voz direta", que recomendamos aos estudiosos.

A voz direta produz-se de duas formas: a) mediante a materialização total do Espírito, o qual, nesse caso, conversa conosco naturalmente, como se estivesse encarnado; b) ouvimos apenas a voz do Espírito, e com ele entabulamos conversação.

Para a fonação, o Espírito precisa de se utilizar de um aparelho: o seu aparelho vocal, contido em seu perispírito.

A fim de bem compreendermos o fenômeno, estudemos o "Capítulo VI, – Provas Fenomenais – O Corpo Espiritual", do livro *Bases Científicas do Espiritismo*, de Epes Sargent, do qual extraímos os trechos que bem esclarecem o fenômeno, por analogia:

"A formação da mão espiritual foi observada em condições científicas, apesar de limitada à experiência de poucos.

"Foi uma coisa interessante a gradual formação da mão espiritual. Um delgado cilindro branco, de cerca de oito centímetros de altura e dois de diâmetro, semelhante à cera purificada, mostrou-se pela fenda acima da mesa. Na outra sessão apresentaram-se dois cilindros com as dimensões do primeiro. Na outra três cilindros vieram, com a grossura de uma caneta, no começo perfeitamente rígidos, e parecendo aderentes um ao outro. Depois se tornaram flexíveis, e uma inspeção rigorosa fez-nos ver dedos espirituais com juntas perfeitas e unhas delgadas. Na tarde seguinte apresentou-se uma completa e bem formada mão espiritual, que se desenvolveu diante de nossos olhos pela acomodação dos fios da matéria, que os nossos sentidos tinham antes percebidos. Foi uma demonstração dos conhecimentos e poderes que o Espírito possui em sua existência supraterrestre, de dirigir as forças moleculares do Universo, dar à matéria formas harmoniosas, e dotá-la mesmo de vida intelectual.

"Agostinho Calmet, autor do conhecido *Dicionário da Bíblia*, bem viu que os nossos fenômenos modernos abundantemente confirmam poderem os Espíritos tomar formas objetivas de diferentes graus de materialidade, algumas vezes tão rarefeitas que se tornam invisíveis aos sentidos normais dos mortais; outras vezes, apesar de ainda invisíveis, com o grau de materialidade suficiente para causar uma impressão numa chapa fotográfica."

Do que foi exposto, concluímos que, assim como o Espírito adere à sua mão perispirítica a matéria ectoplasmática que lhe dá consistência material, também pode aderir ao seu aparelho vocal perispirítico a matéria ectoplasmática que lhe permita emitir a voz, sem necessidade de tornar-se visível. O ectoplasma, ou matéria ectoplasmática, o Espírito retira do médium de efeitos físicos.

Os Evangelistas nos dão nos Evangelhos e nos Atos dos Apóstolos muitos exemplos das duas formas de manifestação da voz direta: voz direta com a materialização total do Espírito, e voz direta simplesmente apenas ouvida. Os estudiosos que lerem o Novo Testamento com atenção facilmente reconhecerão ambas.

Se na conversão de Paulo a voz direta toca o sublime, é no "Anúncio do Nascimento de Jesus" que o fenômeno se eleva ao Divino, quando Gabriel, o anjo que assiste diante de Deus, se materializa ante Maria de Nazaré, e de viva voz lhe anuncia a concepção de Jesus. Em nossa opinião, cena nenhuma ultrapassou esta em beleza e espiritualidade até o dia de hoje.

O Espiritismo confirma o fenômeno.

"Conhecem-se as experiências do ilustre físico e químico Sir William Crookes, que durante três anos, obteve em sua casa materializações do Espírito de Katie King, em condições de rigorosa fiscalização. Crookes, falando dessas materializações, declarava: "Não digo que isto é possível, digo que isto é fato" (Léon Denis, *Joana D'Arc, Médium*).

"No dia 12 de março, durante uma sessão em minha casa, e depois que Katie passeou entre nós, e conversou conosco por alguns minutos, retirou-se por detrás da cortina que separava meu laboratório, onde se assentavam os assistentes, de minha biblioteca, que temporariamente servia-me de gabinete. Pouco depois voltou à cortina, e chamou-me dizendo: 'Entra no quarto e ergue a cabeça de minha médium, que escorregou por terra'. Katie estava então de pé diante de mim, vestida com um vestido branco habitual e de turbante. Imediatamente me dirigi à biblioteca para levantar a srta. Cook, e Katie King deu alguns passos de lado para me deixar passar. Com efeito, a srta. Cook escorregara em parte de cima do canapé, e a cabeça pendia-lhe em posição incômoda. Recoloquei-a no canapé..." (Dr. Paul Gibier, *Le Spiritisme – Recherches de Mr. William Crookes*).

Mutatis mutandis, é claro, o fenômeno é o mesmo: o anjo Gabriel corporifica-se diante de Maria de Nazaré, e de viva voz lhe dá um recado. Katie corporifica-se, afasta a cortina, e chama William Crookes para que acuda a médium, avisando-o, de viva voz, da posição incômoda em que caíra.

Para Katie King, a srta. Cook serviu de médium. E quem terá tido a glória inefável de ter servido a Gabriel?

No entanto, a mediunidade de voz direta não é apenas utilizada pelos Espíritos adiantados; os Espíritos ignorantes, maldosos, também a usam sempre que encontram condições favoráveis.

Léon Denis, em seu belo livro *No Invisível,* narra-nos dois casos dessa espécie, que transcrevemos:

"O espectro de Valence-en-Brie (1896), que derrubava os móveis na casa do sr. Lebèje, e cuja voz se fazia ouvir desde a adega até o sótão, injuriando os moradores, expandindo-se em palavras grosseiras e indecorosas, é o tipo dessas manifestações de baixa categoria.

"Uma pobre mulher de Göppingen, de 50 anos de idade, era perseguida pelo Espírito de seu marido que, depois de a haver abandonado, ausentando-se para a América e levando consigo outra mulher, assassinara sua amante e suicidara-se em seguida. Produzia variados e contínuos ruídos em seu quarto, e impedia os locatários vizinhos de dormir. Ela o reconhecia pela voz; e teve de mudar de domicílio, mas inutilmente. O Espírito a toda a parte a acompanhava."

E aqui no Brasil tivemos notícia de um caso destes, bem próximo de nós, e rigorosamente comprovado.

Hermógenes de Faria (pai do Faria, já citado páginas atrás), um dos fundadores do Hospital Dr. Adolfo Bezerra de Menezes, de São José do Rio Preto, e por vários anos seu provedor, nascido em Uberaba, Minas Gerais, abraçara o Espiritismo em 1929, na cidade de Araxá, Minas Gerais.

Naquele tempo, era uma temeridade ser espírita, muito especialmente nas pequenas cidades do interior.

Como não podia deixar de ser, Hermógenes não escapou do fogo da perseguição, sendo mesmo processado por praticar o Espiritismo, processo que contra ele foi movido na cidade de Patrocínio, MG, onde então morava, estabelecido com uma pequena oficina de carpintaria.

Desse processo, Hermógenes saiu glorificado, pois a autoridade que viera de Belo Horizonte para julgá-lo era espírita convicta, estudiosa da Doutrina, e praticante, e, em brilhante sentença favorável ao "réu", demonstrou o absurdo da acusação e da instauração do processo.

Mas voltemos ao caso da voz direta.

No ano de 1934, Hermógenes morava em Catiara, interior de Minas Gerais, em cujas proximidades havia uma fazenda.

Aconteceu que na casa-grande dela começou a se ouvir um assobio, seguido de uma voz que dizia: "Não tenham medo, não farei mal a ninguém; aqui estou para ajudar a todos, serei amigo de vocês".

Realmente assim foi.

O Capetinha, nome que lhe dera o fazendeiro, anunciava sua presença pelo assobio. E trabalhava, embora invisível. Acompanhava-o e ajudava-o em tudo: em apartar o gado, descobrir o paradeiro de rezes perdidas, informava-o sobre os vizinhos, orientava-o habilmente nos negócios: "Não, não venda o arroz para aquele turco, ele quer tapear-te e paga pouco; vende-o para fulano, que paga mais e é de confiança".

E tudo dava certo.

O fazendeiro nadava em satisfação, e já não prescindia do Capetinha, tão precioso auxiliar, e com o qual mantinha longas conversas, ele se exprimindo em viva voz, posto que sempre invisível.

E, um dia, Capetinha desapareceu, o que muito entristeceu o fazendeiro; fazia-lhe falta aquele assobio pelos cantos da casa-grande; aquela voz conselheira tão amiga, aquele trabalhador ativo e gratuito.

Passaram-se meses.

Estava o fazendeiro quase conformado com a perda do amigo, quando o assobio voltou a ouvir-se, anunciando a presença do Capetinha.

O fazendeiro rejubilou-se; cumprimentou alegremente o Espírito, e pediu-lhe que não mais o abandonasse.

Retribuindo-lhe as boas-vindas, advertiu-o:

— Sim, voltei para ficar, mas agora as coisas vão mudar; daqui por diante quem manda na fazenda sou eu; e você vai obedecer-me direitinho, senão...

— Senão o quê? — perguntou-lhe o homem a rir.

Em resposta recebeu violenta bofetada, o que mudou completamente a vida na fazenda. O Capetinha virou dono dela, e como tal dava ordens; e ai do fazendeiro se não lhe obedecesse! O chicote lhe percorria a carne impiedosamente. Mandava-o à cidade buscar tais e tais mantimentos, matar frangos, e preparar-lhe a comida que, uma vez pronta e cozida, desaparecia da panela como por encanto, restando dela apenas as partes não deglutíveis, como os ossos, nervos e outros ingredientes delicados que o compunham.

Abramos aqui um parêntese para explicar o caso:

Trata-se de um fenômeno muito raro de desagregação da matéria, também devido à mediunidade de efeitos físicos.

O fazendeiro, como vemos, era um médium completo de efeitos físicos, ainda que inconsciente.

Gabriel Delanne estuda esse fenômeno no "Capítulo IV – O Espiritismo Transcendental" de seu livro O *Fenômeno Espírita*, ao qual devem recorrer os estudiosos interessados no assunto.

Fechemos o parêntese.

Pelo atraso no cumprimento de suas ordens, por não gostar de como foram elas executadas, por coisas insignificantes que o aborreciam, estalava o rabo-de-tatu nas costas do fazendeiro, tornando-lhe a vida insuportável. E quando o fazendeiro ia a Catiara, recomendava-lhe:

— Você vai a Catiara e proíbo-lhe falar a quem quer que seja o que se passa aqui na fazenda. E cuidado com os espíritas; boca bem fechada, entendeu?

O homem bem que entendia, e não se abria com ninguém, com medo do arreio lhe correr as costas.

Aconteceu que, estando em Catiara a fazer compras, e farto de apanhar, criou coragem e procurou o Hermógenes. Contou-lhe o caso tintim por tintim, depois do que: voltar à fazenda?! De jeito nenhum! Sozinho não voltaria.

Então pernoitou na cidade.

De manhãzinha, acompanhado por Hermógenes e seu companheiro de trabalhos espirituais Antonio Rocha, e mais o delegado, rumaram para a fazenda.

O tal Capetinha não ficou inativo.

Não foi sem custo que chegaram à fazenda: iam num Ford 1929; a estrada íngreme subia a serra, ladeada de um lado pelo precipício, e do outro pelo barranco. No meio da encosta, o carro principiou a enguiçar; o motor falhava, morria, e era uma luta para que pegasse de novo. Súbito deu de descer a ladeira em ré, o breque não segurava, apesar dos esforços de todos; e descia ganhando velocidade.

Viram-se perdidos; saltar seria uma temeridade. Hermógenes compreendeu o que se passava e gritou:

— Oração, gente, oração! — Não foi sem tempo.

Ao chocarem-se com uma pedra, as rodas da frente subiram de repente, levando o veículo em direção ao abismo.

Mas, oh! Providência divina! A traseira do carro se defrontou com a copa de uma árvore que surgia da beira do despenhadeiro, e parou. De um dos ramos pendia volumosa caixa de marimbondos, que se alvoroçaram e formaram uma nuvem em volta deles, mas... ninguém foi picado.

Capetinha recebeu-os com assobios furiosos, ameaças aterradoras, estalar de chicote, e um palavreado grosseiro.

Hermógenes não se atemorizou; formou pequena mesa mediúnica, escudou-se na prece, e convidou o Espírito a diálogo. Pacientemente o esclareceu, e ao cabo de quase três horas de exaustiva doutrinação, Capetinha convenceu-se, prometeu não mais aborrecer o fazendeiro, e deixar imediatamente a fazenda em companhia de um Espírito amigo que o viera buscar.

Em 1936, Hermógenes de Faria, transferiu-se para São José do Rio Preto, com esposa e cinco filhos, estabelecendo-se com a Pensão Mineira, perto da estação. Conheci-o já provedor do hospital, ao mudar-me para lá em 1961, e a ele me liguei por carinhosa amizade.

Termináramos nosso estudo da voz direta, e O. F., estimulado pela curiosidade, exclamou pensativo:

— Como eu gostaria de saber por que o Capetinha foi para a fazenda, e porque primeiro ajudou e depois martirizou o fazendeiro!

— É verdade, porém, Hermógenes desencarnou há anos...

E manifestou-se nosso instrutor Laurindo, que nos disse:

— O irmão Hermógenes está aqui presente e quer esclarecer o caso.

E contou-nos o seguinte:

"Farei um resumo de nossa conversa com o Espírito a que chamavam de Capetinha.

"Há cem anos, a fazenda atual pertencia a dois sócios, que eram irmãos. Capetinha, continuemos a chamá-lo assim, era filho de um deles.

"Um dos irmãos, tio de Capetinha, inspirado pela ambição, matou seu sócio e irmão, pai de Capetinha.

"O fratricídio ficou oculto. Jamais descobriram o criminoso. E sobre o sócio e irmão, autor do crime, não pairou a mais leve suspeita.

"A mãe de Capetinha, cunhada do assassino, desencarnou pouco depois.

"Capetinha, ainda adolescente, desnorteado pela morte dos pais, resvala para o vício do álcool, ingerindo excessivas doses de aguardente. E, vitimado por uma cruel cirrose, desencarna alguns meses mais tarde.

"Finalmente a fazenda era só dele, do fratricida. Mas o remorso se instala em sua consciência, roendo-lhe o coração. E ao iniciar os seus quarenta anos, uma doença o faz desencarnar repentinamente.

"Está agora no plano espiritual, onde nada fica oculto. O remorso se lhe agrava, e o sofrimento também. O Espírito da cunhada se lhe faz presente, apontando-o como o causador de toda a desgraça. E o Espírito do sobrinho lhe aparece continuamente em crises tremendas, dado seu suicídio pelo álcool.

"Passa-se o tempo.

"Em novas reencarnações, todos retornam ao corpo físico, no mesmo local e na mesma família para o reajuste necessário; todos, menos o sobrinho. E o fazendeiro culpado reencarnou-se com uma mediunidade maravilhosa para que, através do seu trabalho dentro do Espiritismo, se redimisse do mal que praticou no passado distante, assim normalizando a situação de todos.

"E o tempo corre.

"Capetinha, Espírito já de havia muito no plano espiritual, com conhecimentos desenvolvidos e auxiliado por terceiros, aparece para vingar-se. Divide sua vingança em duas etapas: a primeira, dando mel ao fazendeiro; a segunda, com o campo bem preparado, persegue-o sem piedade, utilizando-se da excelente mediunidade dele. O resto vocês sabem.

"Vemos aqui uma falha do reencarnado: se nosso irmão, antigo criminoso, tivesse trabalhado no Espiritismo para o que viera, nada disso teria acontecido."

E pela psicografia de nossa irmã A. M., o irmão Hermógenes deixou-me este carinhoso bilhete:

"Boa noite, Eliseu. É o Hermógenes quem aqui está, dizendo-te que vou procurar trabalhar doravante em teu grupo. O Espírito, ao retornar à nova e verdadeira vida, depara com o dobro de trabalho que não pensava encontrar.

"Temos tudo determinado em nosso plano, e sabemos que o objetivo único é o trabalho em favor de nossos semelhantes.

"Muito se trabalha quando encarnado, principalmente como membro da Doutrina Espírita; e por isso mesmo muito mais temos a desenvolver no Espaço.

"Recomendo a todos muita paciência, muita perseverança nos campos doutrinários, porque são sementes lançadas hoje para o florir de amanhã.

"A todos, o meu abraço; a Eliseu, saudades.

"Hermógenes de Faria. Boa noite."

PARTE II

Relatos sobre algumas das minhas Encarnações Anteriores

A Caravana

Começarei a narrar-lhes minhas três últimas reencarnações, que abrangem um período de trezentos e cinquenta anos mais ou menos. Não o faço de vontade própria, mas por ordem superior; para que este relato dê a quem o ler uma imagem bem aproximada de nossas vidas que se sucedem, quer como encarnados, quer como desencarnados, em nossa marcha para o Infinito. É uma experiência que não desejo a ninguém; somente quem passa por ela é que avalia quanto foi misericordioso nosso Criador ao conceder-nos a bênção do esquecimento durante nossas vidas terrenas.

Esquecer, dormir no seio de nossa mãezinha, despertar num bercinho, seja ele rendado de seda ou uma enxergazinha, esquecidos do passado criminoso, que bênção, Senhor! Que bênção!

Foi na primeira década do século XVII.

Meu pai, Amin Aur Kabin, rico proprietário de um oásis no deserto da Argélia e xeique de nossa tribo, decidira que eu deveria estudar em Paris. E na primeira caravana que conduzia para Argel a colheita de tâmaras, eu parti deixando a vida livre do deserto, meus cavalos, minhas correrias pelo areal sem fim em companhia de rapazes como eu. De Argel, alcançaria Marselha, e daí, Paris.

Minha bagagem ocupava dois camelos: um me servia de montaria e outro carregava minhas malas; e mais doze ou quinze transportavam os sacos de tâmaras; e homens de nossa tribo, bem armados, escoltavam-nos.

Iniciamos a viagem; montado em meu camelo protegido do sol por meu albornoz (um sobretudo com capuz de lã), parecia que navegava por um mar de areia de uma vastidão sem fim. No pino do sol, chegaríamos ao primeiro oásis, onde pousaríamos. Longe estávamos de pensar na horrível surpresa que lá nos aguardava.

E no horizonte despontaram as palmeiras, indicando o término de nossa caminhada daquele dia. O chefe da caravana, homem de inteira confiança de meu pai, mandou duas sentinelas na frente examinarem o local, precaução contra os salteadores que enxameavam o deserto; de lá nos fizeram sinal de "tudo em ordem".

Acampamos despreocupadamente; e no terceiro quarto da noite, despertei com os gritos das sentinelas: um grupo de bandidos atacara-nos. De pouco valeu nossa resistência; fomos trucidados. Lembro-me bem: um homem avançou sobre mim, e com um golpe de sua larga cimitarra, atingiu meu pescoço.

Como Aconteceu o meu Desencarne

Raiou o dia; o sol lançava furioso os seus raios.

Sem saber como, achei-me ao lado de meu cadáver. Os ladrões tinham desaparecido, levando tudo. Não compreendia estar eu vivo, e meu corpo morto; tentei reerguê-lo, não o consegui. Os abutres do deserto já sobrevoavam o céu do oásis.

Por três dias fiquei chorando em desespero, sentado numa pedra junto de uma fontezinha. E na tarde do quarto dia, vindo do poente, se aproximou de mim um ulemá (um douto em teologia entre os muçulmanos).

Saudou-me; contei-lhe o acontecido mostrando-lhe meus restos mortais ali se decompondo sob o sol; ouviu-me pacientemente, depois do que explicou-me o meu estado, e terminou convidando-me:

— Venha comigo, esquece isso; vou levar-te a ver teus pais.

Dei-lhe a mão e entrei em meu lar; por mais que me esforçasse, ninguém me via. O ulemá, que não me largou, mostrou-me a inutilidade de meus esforços, e disse-me:

— Vamos, Alá fez para nós lugares bonitos, vamos.

E internou-me numa colônia espiritual muçulmana.

Enloquecido pela Vingança

Um só pensamento me dominava: procurar o meu assassino e me vingar.

Em vão meus instrutores me aconselhavam, descrevendo-me as consequências desastrosas da vingança; e repetiam-me constantemente o versículo 10 da 42ª surata do Alcorão: "E seja qual for a causa de vossa divergência, a decisão só a Alá compete. Tal é Alá, meu Senhor! A Ele me encomendo e a Ele retornarei contrito".

Conquanto assíduo às aulas e com deveres definidos na colônia, obrigações que eu cumpria religiosamente, fiz-me surdo a todos os conselhos. Pensava só na vingança; me vingar daquele que me cortara a vida, que me despojara dos bens, que impedira a realização dos sonhos de quem ainda estava começando na vida, que destruíra o plano de minha reencarnação.

Fugi da colônia; ninguém me deteve. E mentalizando firmemente meu agressor, cujas feições guardei, fui ao seu encontro de imediato. Era um homem mais velho já.

Só então me dei conta do tempo: tinham-se passado vinte e cinco anos! Mas era ele, reconheci-o sem dúvida nenhuma. Abandonara a vida de salteador e estabelecera-se em Bagdá, onde constituíra família. Dediquei-me a persegui-lo sem tréguas, tentando afetar-lhe a saúde, o cérebro, os negócios; durante o sono, levei-o muitas vezes aos oásis para o fazer reviver seu ato assassínio contra minha pessoa; acordava aterrorizado, aos gritos, assuntando minha família; o remorso despertou em seu coração; então injetei-lhe na mente a ideia do suicídio.

Eu já conhecia o sofrimento de um suicida, porque nossa colônia socorrera alguns; eu queria aquela pena para ele; só assim me daria por satisfeito. Mas eu sentia que uma barreira se interpunha entre mim e ele, um obstáculo que anulava meus esforços. E, procurando, descobri: eram as preces de Layla, sua esposa! Com suas orações a Alá, neutralizava meus ataques, e mantinha o marido razoavelmente equilibrado.

A revolta se apoderou de mim; blasfemei; reneguei Alá. Então Ele não sabia o que Mohamed me fizera? E agora tudo para ele, o assassino, e nada para mim, a vítima?

Em antros de obsessores, recrutei auxiliares; redobraria meu assédio. E quando eu tinha tudo disposto para o golpe final, aparece-me pela frente o ulemá, aquele mesmo que me socorrera no deserto:

— Basta, Sidi Abu ibn Amur! Não acrescentes mais este crime à lista dos que cometeste em encarnações passadas, bem distantes, e que ainda clamam por correção. Venha comigo!

Dispersou os Espíritos malfeitores que eu tinha reunido naquele lar, colocou as mãos na cabeça de Mohamed, retirando flocos fuliginosos que eu depositara nela, e levou-me.

Alá tinha atendido às súplicas de Layla.

A Vida na Universidade

Não tardou até que eu reencarnasse novamente; o ulemá apresentou-me o plano: era o mesmo primitivo, alterado apenas nas partes que se faziam necessárias, dados os últimos acontecimentos. O que mais eu devia combater nessa encarnação era o orgulho, meu absoluto materialismo, o negativismo que eu cultivava havia séculos como ervas daninhas, tudo o que me fizera perder preciosas oportunidades de elevação espiritual, além de me levar a crimes e desatinos ainda hoje por corrigir.

Reencarnei-me na França, na metade do século XVIII.

Cursava a Universidade de Nantes, e na abertura das matrículas de um ano letivo, estando no topo da escadaria da magnífica porta principal, vi subindo por ela uma jovem que me fez arregalar os olhos: bonita, cabelos louros puxados para trás terminando em soberbos cachos dourados, olhos grandes e claros, nariz afilado, lábios arqueados, faces rosadas, queixo de leve ponta, simplesmente trajada, porém muito elegante. Dirigiu-se a mim pedindo-me informações, e notando meus olhos arregalados, enrubesceu levemente e sorriu.

Ao sair, cumprimentou-me com ligeiro menear de cabeça, e tomou o tílburi que a esperava ao lado do portão.

Iniciadas as aulas, frequentes eram os nossos encontros. Em épocas de exames, socorria-se de mim. E a atração de um pelo outro acentuava-se dia a dia.

A Família Sangraux

Certa vez, Jacqueline me fez um convite:

— Vem passar o domingo conosco; mamãe e Jacques, meu irmão, querem conhecer-te. Virei buscar-te logo de manhãzinha. Espera-me aqui no portão da escola.

Acompanhada do irmão, apanhou-me numa caleche. Moravam em Saint-Nazaire, pequenina cidade na embocadura do rio Loire, porto do Atlântico que servia Nantes, em elegante e suntuosa residência, a vila Sangraux.

Desdobraram-se em atenções para comigo. *Mère* Balbine recebeu-me em seus braços como um filho, e Jacques como um irmão.

Marie Balbine Saint-Nazaire Sangraux, na intimidade *mère* Balbine, enviuvou logo que Jacques nasceu; Jacqueline era a primogênita. Dedicavam-se ao comércio do pescado, que se estendia por toda a costa da França, Espanha e Portugal. O marido de *mère* Balbine iniciou um pequeno negócio de peixe, que se desenvolveu de forma promissora, mas não gozou da prosperidade, falecendo antes dela. A direção da pequena empresa ficou a cargo de *mère* Balbine, auxiliada mais tarde por Jacques, e tornou-se importantíssima, possuidora de entrepostos de pesca e de uma frota de barcos pesqueiros.

Jacques, cursando a universidade, foi também meu condiscípulo. Com que alegria descíamos os três, de mãos dadas, a escadaria ao término das aulas!

Fui um aluno rebelde, orgulhoso; Jacques tinha um gênio suave e muito crédulo; Jacqueline, mais equilibrada e inteligente que nós dois, tinha muito de minha altivez. Estreita amizade nos uniu, e raro o domingo que eu não passava com eles.

O Professor

Terminado o curso, recebi o diploma de professor de Humanidades, e especializei-me nas línguas clássicas: o grego e o latim. Venci facilmente um concurso da universidade, e fui nomeado catedrático desses idiomas. Daí em diante, meu orgulho não conheceu limites, e meu negativismo também.

Estávamos em pleno século XVIII. Os enciclopedistas, Diderot, Rousseau, Voltaire e outros agitavam a França. Filiei-me a eles, e escrevi livros, folhetos, panfletos; porém, todos de caráter destrutivo, negativistas. Novamente incidia nos mesmos erros Os livros, conquanto não sejam mais reeditados, ainda figuram nas estantes de algumas bibliotecas francesas.

Neguei a Divindade, reduzi tudo à matéria. Para mim, o Universo consistia de matéria incriada, para cujo bloco tudo retornaria após a morte. A capa da hipocrisia religiosa me revestia exteriormente. Confesso que, em meu íntimo, eu me desesperava e enraivecia por não conseguir explicação para essa matéria incriada de minha filosofia.

O Casamento

Como não podia deixar de ser, Jacqueline e eu descobrimos que estávamos apaixonados um pelo outro, o que *mère* Balbine e Jacques viam com bons olhos. Eu já com minha situação financeira regularizada, logo que Jacqueline completou seu curso, tornamo-nos noivos. E num dia de primavera, quando tudo se cobriu de flores, na majestosa catedral de São Pedro, em Nantes, casamo-nos.

Forçando um pouco minha memória espiritual, revejo-a vestida de noiva. Como seu rosto brilhava de felicidade! E ao dar-me o braço, leve tremor a agitava; creio que o mesmo acontecia comigo.

Ó, Senhor! Quão triste é relembrar! Como nos punge o espinho das recordações! Como é penoso reviver um passado que se foi!

Graças, graças te dou, meu Deus e meu Pai, por mergulhares os Espíritos encarnados na bênção do esquecimento! De outro modo, não aguentaríamos a vida.

Começamos nossa lua de mel em Paris; oito dias depois, pusemo-nos a viajar de diligência pelo interior da França, visitando-lhe os monumentos antigos, e chegamos a Marselha; daí, pelos Pirineus, fomos a Bayonne, onde tomamos um barco que nos deixou em Saint-Nazaire.

As Falésias

A família Sangraux possuía uma encantadora casa na praia, nos arredores de Étretat, onde nossas férias decorriam inteirinhas. Mal se encerravam as aulas e estávamos de malas prontas. Raramente íamos de diligência. Um dos barcos pesqueiros, contornando o litoral, levava e trazia-nos de volta, na data marcada.

Estudávamos, líamos, passeávamos, tomávamos banho de mar, e eu escrevia meus estúpidos livros. Porém, nossos passeios prediletos e constantes eram ao longo das praias, sob as falésias.

As falésias são altas muralhas naturais, rochas de uma altura prodigiosa; atingem frequentemente acima de cento e vinte metros de cume.

O mar avança e recua duas vezes cada vinte e quatro horas. E na maré baixa, isto é, quando o mar se retira, entre eles e as falésias fica um espaço muito largo, coberto de pedras, de areia alva, de ervas, de conchinhas. Podem-se então fazer agradáveis passeios entre o mar e a falésia, mas é imprescindível observar o horário das marés, porque o menor descuido custará a vida do imprudente. Rugindo, o mar sobe em horas certas; e, se nesse momento o passeante não fugir dele por algum dos caminhos talhados nas falésias como escadas estreitas, morrerá de forma horrível, pois as falésias são verticais e lisas como muros, e o mar nelas se encaixa aos turbilhões.

Mère Balbine, que conhecia o perigo, ficava com o coração nas mãos, impaciente, preocupada, enquanto não voltávamos; e Jacqueline desde longe anunciava nossa chegada, o que a tranquilizava.

A Escola

Outro passeio que nos encantava era visitar as aldeolas de pescadores, das quais havia inúmeras por aquele litoral. Jacqueline levava sempre um saquinho de guloseimas para distribuir às crianças que corriam ao nosso encontro. Careciam de tudo, viviam distantes dos povoados de algum recurso. Daí lhe veio a ideia, aprovada por todos, de fundar uma escola de primeiras letras, e intimou-me a ser, junto com ela, professor primário.

Nossas férias então passaram a ter uma finalidade nobre. A escolinha, ao contrário das outras, só funcionava nas férias da universidade; instalamo-la num barracãozinho semiabandonado que havia no fundo da casa, entre o pomar, e que Jacqueline transformou numa boa sala de aula. Ensinávamos não só as crianças, como também os adultos, rudes pescadores afeitos à pesada lida do mar, cujas mãos calejadas mal seguravam o lápis.

Deixo a Universidade

Um dia, Jacques e *mère* Balbine convidaram-me a participar da firma, cuja direção ficaria a cargo de Jacques e de mim. Despedi-me da universidade, e *mère* Balbine passou a ter uma vida mais descansada. Jacques acompanhava os trabalhos externos, viajando continuamente pelas costas de França, Espanha e Portugal; e eu cuidava dos internos.

Tempos depois, travei amizade com René. Culto, insinuante, homem prático, afeito aos deveres da alta sociedade, membro da nobreza francesa, conquistou-nos, principalmente a Jacqueline e a mim. Introduziu-nos nos salões elegantes de Paris, para onde fazíamos frequentes viagens, a fim de participar de saraus e mais festas dispendiosas. E que fique claro dizer-lhes que os gastos corriam por nossa conta; nossas despesas tornaram-se excessivas; mas me era fácil escondê-las, pois tudo estava em minhas mãos.

René, explorando meu orgulho e minha vaidade, envolveu-me em negociatas que prometiam lucros de milhões; e para elas desviei grandes somas de nossa firma, além de descuidar de nossos próprios negócios.

Minha Filha

Estávamos no quinto ano de nosso casamento, quando Jacqueline engravidou. Não aceitei sua gravidez; julguei-me enganado, traído. Mas por quem?, perguntava-me intimamente. Por René? Talvez. Porém, ela, depois que tínhamos ingressado na vida parisiense, enovelara-se em compromissos sociais, e passava semanas em Paris, sem mim, em casa dessa ou daquela dama da sociedade...

Não me aventurei a acusar ninguém, nem mesmo Jacqueline; mas a dúvida ensandeceu-me.

Os últimos vestígios de neve derretiam-se ante a luminosidade do Sol. O Inverno ia-se embora. Despontava a Primavera; e ela anunciou sua chegada pelas folhinhas verdes, que brotavam nos galhos nus das árvores. Todos acorriam a vê-las, admirá-las embevecidos: o verde reaparecia depois da branca estação. O canto dos passarinhos era contínuo; a alegria das crianças pelas calçadas enchia o dia. Sangue novo pulsava em todas as veias. Os jardins forravam-se de flores: as gérberas, as gloxínias, o íris, os gladíolos, os jacintos, os lírios, a magnólia, as margaridas, o junquilho, o cíclame, as bolas-de-neve, flores, flores, flores atapetavam os canteiros.

E no início da primavera nasceu Marie Claire.

Marie, por ser dia de Nossa Senhora, e Claire, por ser um dia muito claro, de muito sol, de um céu muito azul.

Não aceitei a criança.

Ai de mim! Hoje sei que ela era realmente minha!

Mère Balbine se encarregou dela; e desse dia em diante proibiu-me de entrar em sua casa.

O Desfecho e o meu Fracasso nesta Vida

Por fim, as negociatas estouraram; nossa firma foi duramente atingida, pois eu a envolvera nelas, e foi velozmente à bancarrota.

René desapareceu.

Jacques quase enlouqueceu, e num acesso de furor esbofeteou-me. Ferido em meu orgulho, desafiei-o para um duelo.

Insensatos, insensatos que fomos! Com um pouco de humildade, principalmente de minha parte, quantas penas teríamos evitado! Mas o orgulho falou mais alto.

Jacques aceitou o duelo prontamente, e compreendi que se não tivesse partido de mim, partiria dele o desafio.

Em vão Pierre, tia Marguerite e Louis aconselharam-nos veementemente a não realizar tal ato; não os ouvimos. No fundo, em meu íntimo, eu tomava esse duelo como que uma vingança contra Jacqueline, dadas minhas suspeitas de me ter sido infiel.

E num campo deserto, oculto no fundo por um grupo de arvoredos, deu-se o duelo à pistola. Como de praxe, as testemunhas tentaram reconciliar-nos, em vão. E Jacques caiu mortalmente ferido no pescoço.

Em seguida aos disparos, mère Balbine chegou correndo em desespero para interpor-se entre nós dois. Tarde, muito tarde!

E, semienlouquecida, aos soluços, achegou-se ao cadáver do filho, com os olhos cheios d'água, e bradou:

— Que fizeste, Maurício, que fizeste!

Abaixou-se, beijou-o nas faces e, quando se ergueu, seus olhos estavam secos, e fitaram-me com um brilho metálico. Compreendi que seu amor por mim se tinha transformado em ódio feroz.

A Prisão

Dali me arrastaram para a prisão.

A voracidade dos credores nada poupou; a família perdeu tudo. O pouco que sobrou, joias que escaparam, mère Balbine empregou em conseguir minha condenação. Empenhou-se, com a ajuda de amigos influentes, para que eu fosse condenado à morte, mas obteve minha prisão perpétua.

Depois... numa caleche gradeada, escoltada por quatro soldados a cavalo, transferiram-me para o calabouço das Tulherias.

Atravessando as ruas de Nantes, fui visto por meus ex-alunos, e sofri deles os mais vis e torpes insultos até a saída da cidade. Ninguém me perdoava, pois a família Sangraux era consideradíssima em toda a França.

Minha cela, como todas as outras, era úmida, fria, sombria e baixa, obrigando-me, quando de pé, a ficar curvado; num canto havia uma enxerga coberta de trapos sujos. As paredes em arcos de grossas pedras, que serviam de alicerces ao magnífico palácio, gotejavam umidade. Eu não tinha nem o conforto de ler, porque só os corredores eram alumiados por mortiças candeias de azeite. Não sei como Jacqueline arranjou licença para levar-me algum alimento três vezes por semana; contudo, eu não a via; era o carcereiro que me entregava através da porta de grossas grades.

Minha Saída da Prisão

Desencarnei na prisão.

Corria o ano de 1805.

Negativista ao extremo que eu era, acreditando no nada além-túmulo, não me foi difícil compreender o fenômeno. Achei-me ao lado de meu cadáver, cópia fiel dele: barba em desalinho, cabelos desgrenhados, roupa esfarrapada e semiapodrecida, unhas crescidas, descalço.

A fome logo se fez sentir. Esperei por Jacqueline, pelo costumeiro pedaço de pão, mas ela não veio. Ao anoitecer, o carcereiro em sua ronda habitual descobriu meu corpo; vieram buscá-lo numa maca imunda.

Receando ser visto pelos guardas, andei pelos corredores, escondendo-me nos recantos das grossas paredes. (É natural o Espírito sentir isso no momento da transição entre um plano e outro.) E, aproveitando a porta aberta, saí da prisão.

A noite caíra pontilhando o céu de estrelas. Noite escura, não havia luar. Sentei-me no primeiro banco que encontrei. E, com a cabeça entre as mãos, com os cotovelos apoiados nos joelhos, pus-me a meditar: "Para onde ir? Que rumo tomar? Onde me acolher?"

Lembrei-me de minha casa; faltou-me coragem de voltar a ela.

Naquela postura, adormeci. Por quanto tempo? Não o sei. Quando acordei, densas trevas me envolviam. Era uma escuridão compacta, como se fosse piche em forma gasefeita. Julguei-me cego. Não, eu não estava cego! Um cego não vê a escuridão, sente-a. Eu não sentia a escuridão, eu a via.

As trevas eram tão compactadas, tão pesadas, que a custo eu o rompia a caminhar. Não adiantava mover-me; pois tinha a impressão de que a total escuridão me acompanhava.

Amedrontado, de quando em quando eu gritava furiosamente:

— Luz, eu quero luz, luz, luz...

Em resposta, eu ouvia vindo de muito longe uma risada em tom de escárnio, seguida da pergunta:

— Queres a luz que negaste?

Meu aspecto era indescritível: cabelo e barba crescidos a cobrir-me pescoço e nuca, mal deixando entrever os olhos, unhas compridas como garras, roupa em molambos.

Hoje sei que permaneci vagando naquela noite horrenda por alguns anos.

A Porta Estreita

E aproximou-se de mim um Espírito luminoso; trajava um manto de uma brancura luminescente presa ao ombro direito por um broche cintilante; porte alto, rosto enérgico, olhos negros translúcidos, cabelos também pretos, curtíssimos, apenas cobrindo-lhe a cabeça. É o Espírito chefe de nossa família espiritual. Proibiu-me citar o seu nome; mas como comparecerá várias vezes nesta narrativa, o chamarei de irmão L.

E, tomando-me pela mão, disse-me:

— Queres luz? Pois vou levar-te a ela.

E conduziu-me a uma porta baixa, estreita, feita de carvalho rijo, chapeada e trancada por uma fechadura fortíssima. E apontando-a, explicou-me:

— Maurício, eis a porta do caminho da luz; por trás dela começa uma estrada esplendorosa que te espera. Só sairás dessa escuridão por aí. Não há outra saída.

Reanimei-me; resolutamente me dirigi a ela. Mas que decepção! A fechadura não tinha chave.

— A chave! Onde está a chave? — perguntei-lhe aflito.

Muito calmamente, escandindo as palavras, respondeu-me:

— Não existe chave para essa fechadura. Quem quiser abri-la tem de fazer a sua própria chave.

Aniquilado, sentei-me na soleira, e desandei a chorar perdidamente. Recordações afloraram-me à mente: Jacques, Jacqueline, *mère* Balbine, a universidade, minha vilania para com aqueles entes queridos, a dor que semeei naqueles corações; meus atos se desenrolaram ante mim, boa parte deles enchendo-me de vergonha.

Quando serenei um pouco, irmão L., usando o mesmo tom de voz, perguntou-me:

— Por que choras, Maurício?

— Como posso fazer a chave aqui neste negrume, onde aquela lanterna pendurada na porta mal a ilumina? Como arranjar material e ferramenta?

— Mas, Maurício, tens material de sobra para a chave. Vejamos: tens orgulho e soberba a valer; egoísmo não te falta; teu coração é duro e de bom tamanho; praticaste maus atos em abundância e crimes inclusive. Põe tudo isso no cadinho do sofrimento, leva-o ao fogo ardente das provas ríspidas, e, quando esse amálgama se fundir, terás a chave. É tão simples, não vejo motivo para desespero!

Compreendi; ajoelhei-me diante dele, e abraçando-lhe os joelhos, murmurei:

— Faze de mim o que quiseres.

Reencarnei como Escravo

Não tomei parte no planejamento de minha nova reencarnação, nem sequer fui consultado; eu não tinha direito a isso. Coube-me unicamente conformar-me com as decisões do irmão L., que a tudo providenciou.

Eu estagiava numa colônia espiritual bem perto da superfície da Terra. Não mais vi minha família. Irmão L. me visitava frequentemente, procurando animar-me:

— Eia! — exclamava sorrindo. — Coragem, teu reencarne se aproxima! Cultiva pensamentos positivos, o desejo de vencer. É preciso que renasças cheio de valor para triunfar nas provas rudes que te aguardam. Tem bom ânimo, velarei por ti.

Numa de suas visitas, roguei-lhe timidamente que me levasse a ver os meus, nem que fosse por um minuto. Meneou negativamente a cabeça, não insisti. Hoje sei o porquê: *mère* Balbine, Jacqueline e Jacques não estavam em condições de receber-me; o ódio era vivíssimo em seus corações; vê-los seria pôr mais lenha na fogueira.

Certa vez, conversando com ele, um sono invencível me assaltou; acomodou-me a cabeça em seu peito e ordenou-me:

— Dorme!

E reencarnei-me na África, na raça africana, no decorrer do ano de 1815.

Não lhes descreverei a floresta na qual vivia o meu povo, nem a choupana de meus pais. Romancistas, exploradores, etnólogos, vastas vezes o fizeram. Lembro-me bem. Eu tinha dezessete anos. Era um negro forte, robusto, musculoso; porém, tristonho. Uma dor indefinível morava em meu peito, uma espécie de saudade dolorida. Agora comparo-a à dor que um milionário deve sentir ao perder de uma só vez toda sua fortuna, e ver-se privado das regalias que ela lhe proporcionava.

Os primeiros albores do dia tingiam o horizonte, as estrelas esmaeciam, e fomos despertados por estampidos, gritos, súplicas, tumulto. A aldeia estava cercada: eram os temíveis caçadores de negros para levá-los à escravidão.

Meu pai saltou fora da nossa choupana com sua lança em punho; não chegou a usá-la: um tiro de bacamarte prostrou-o.

Os incêndios se sucediam de choupana em choupana; todos se refugiaram no meio do terreiro para livrar-se das chamas. Fomos capturados facilmente. Não escapou ninguém; ou melhor, escaparam os mortos e os feridos, que foram abandonados à própria sorte. Dividiram-nos em dois grupos, porque foram dois os bandos que nos caçaram.

E trataram de suas peças; já não éramos seres humanos, éramos peças. O tratamento consistiu em nos acorrentar dois a dois pelo pescoço a uma corrente comprida, formando um comboio; os que tentaram resistir tiveram as mãos atadas nas costas por fortes correias de couro cru. E cada leva era escoltada por comboieiros armados de arcabuzes e de chicotes, com que nos regulavam a marcha. Ai de quem fraquejasse ou se atrasasse!

Deixei levarem-me apaticamente, era como se eu estivesse vivendo um sonho feroz: meu pai estirado na porta da choupana, minha mãe abraçando desesperadamente minhas duas irmãs menores, as nuvens de fumaça, as chamas, os gritos estridentes dos capturados, os tiros, tudo turbilhonando ao meu redor. Um puxão da corrente chamou-me à realidade: partíamos.

E foi assim que iniciei minha reencarnação de escravo, nagô de nação, e de língua iorubá.

O Barracão

Três dias de marcha através da selva com apenas um acidente, e chegamos ao litoral. Ocorreu que um dos cativos faleceu, asfixiado pela gargalheira; e como o comboieiro não quisesse perder tempo em desatar o cadáver, decapitou-o, e a coleira dependurada vazia seguiu balançando.

Trancaram-nos no barracão.

O barracão foi instrumento importante no tráfico de escravos. Situado à beira-mar, guardavam-se nele as peças esperando embarque; fortemente vigiado por sentinelas brutais, não oferecia oportunidades de fuga; dentro dele desacorrentaram-nos.

Estendemo-nos no chão forrado de capim seco; deram-nos água e alimentos em abundância. No dia seguinte, marcaram-nos a ferro, porque havia peças de vários traficantes. Usavam pequeno ferrete de prata com a marca do proprietário, aquecido o suficiente para deixar ligeiro sinal, sem afetar a pele.

Antes da partida, o médico de bordo inspecionou-nos cuidadosamente; transferiu para a enfermaria alguns doentes. Rasparam-nos a cabeça e a barba, a cabeleira das mulheres inclusive; lavaram-nos a boca com vinagre, e deram-nos a ceia da despedida, ou seja, muita comida e muita água.

Ao romper da madrugada, começou o embarque; íamos para o navio, estacionado ao largo, em canoas de dez em dez; ao entrar, obrigavam-nos a tirar o arremedo de roupa que trazíamos. Ficávamos nus, homens e mulheres; pensavam assim preservar-nos a saúde durante a travessia. Os sexos eram rigorosamente separados; as acomodações em tais embarcações já eram construídas para isso.

Não havia maus-tratos. Éramos uma carga preciosa, e negreiro nenhum se arriscava a perder uma só peça sequer. Vivíamos em liberdade, posto que guardados por vigias e por intérpretes que tudo ouviam.

Uma ou duas vezes por semana, estando o mar calmo e os ventos favoráveis, o comandante permitia que os homens subissem à coberta do navio e conversassem com as mulheres. E o intérprete, que conhecia diversas línguas africanas, e particularmente o iorubá, aproveitava para fazer dissertações nos contando as maravilhas da terra de nosso destino, da fartura de comida que teríamos, da felicidade de sermos escravos.

Todavia, há o outro lado da moeda: para os rebeldes, para os que não se conformavam com a situação, os castigos eram bárbaros, além de toda imaginação, inconcebíveis; embora perdidos no tempo, recuso-me descrevê-los.

Cerca de oitenta dias durou a travessia; durante o percurso, oito cadáveres foram lançados ao mar: de três revoltados que morreram sob suplício, de duas crianças que faleceram de diarreia, de duas mulheres e de um rapazinho que amanheceram mortos.

Valongo, o Mercado de Escravos

Tão logo se avistou no horizonte o Rio de Janeiro, refez-se o comboio, e vestiram-nos uma tanga. E da Alfândega rumamos para o Valongo, o entreposto, o mercado de escravos, os armazéns infectos de negros arrancados da África, nos quais permaneciam dias e dias sem luz e sem ar, entrecortando as noites com seus gemidos. Tiraram-nos os grilhões, não havia o perigo de fuga; além da vigilância, havia as grades.

Os negros eram classificados: de primeira, os saudáveis, musculosos, dentes perfeitos; de segunda, os de menor estatura, mas de boa aparência; de terceira, os de maus dentes, magros, fracos e outros defeitos que os desvalorizavam.

A mim não classificaram; fui direto para um lote de escravos já escolhidos, moços altos, de físico robusto, encomenda de um fazendeiro de café.

À tardinha, deram-nos de comer. Formamos grupos de cinco ao redor de uma bacia de feijão misturado com carne-seca e farinha de mandioca. Feitores mantinham a ordem. Comíamos com a mão, fazendo bolinhos de feijão e farinha. Com uma cuia, bebíamos da água de um balde ao lado.

A Senzala

Mal rompeu o dia, partimos para a fazenda, acorrentados e tangidos por peões a cavalo. Éramos trinta negros moços, que meses antes corriam livres caçando leões na selva africana.

Ao meio-dia do dia seguinte, chegamos. A família toda examinou as peças; e como entendida que era, o exame foi minucioso: unhas, pele, couro cabeludo, orelhas, dentes, respiração, músculos, parte genital, coxas, os pés; e concordaram que a compra valera a pena. Para vestir, em lugar da tanguinha com que saíramos do Valongo, deram-nos uma calça curta pelos joelhos, de algodãozinho ordinário, o tronco nu.

Nos levaram para o fundo do quintal da casa-grande; abriram um portão que se fechou a cadeado; uma espécie de armazém comprido com várias portas na frente dava para uma área gramada. Era a senzala dos homens; um alto muro a cercava.

Um escravo idoso, num dialeto confuso, mas de origem africana, deu-nos as primeiras instruções.

Trouxeram-nos de comer. A comida, vinda em dois tachos, foi despejada num comprido cocho em frente à senzala; deles havia três. A cada um de nós deram uma colher de estanho. A comida era um angu grosso no qual nadavam pedaços de mandioca.

Absorto, fiquei mirando a colher sem me mexer. Despertei de meu torpor com um açoite nas costas. Era o feitor que nos vigiava e gritou, muito embora eu não o entendesse:

— O que estás pensando, ô negro? Tu não come? Aqui é somente comer e trabalhar, senão chibata come na sua pele.

Terminada a refeição, o negro idoso mandou que descansássemos na senzala forrada de palha. No dia seguinte, começaríamos nosso trabalho no cafezal.

O Trabalho na Plantação de Café

Um sino compassadamente badalado despertou-me; galos cantavam anunciando a chegada do novo dia.

Os negros puseram-se de pé, e sob o olhar atento dos capatazes, cada qual pegou sua enxada. Ao passar pelo portão, recebíamos uma caneca de lata com café, e um pedaço de mandioca cozida.

No cafezal desenrolava-se uma larga esteira de capinadores; os novatos intercalados aos veteranos, encarregados de ensiná-los. Feitores de chibata em punho, botas altas, chapéu de palha na cabeça, lenços sujos amarrados no pescoço, garrucha no cinturão, camisa de xadrezinho barato, calças grosseiras, percorriam incansáveis as compridas fileiras, chibatando os que se atrasavam. Apesar dos alertas de meu instrutor, não escapei do castigo.

O almoço era por volta das nove horas da manhã, e o jantar pelas duas da tarde.

Ao pôr do sol, largávamos a roça, e recolhiam-nos à senzala. Tomávamos nova caneca de café, com um punhado de farinha de milho ou de mandioca, e estirávamo-nos exaustos na palha.

O que os Escravos Comiam?

Nossa comida consistia em angu de fubá, feijão, mandioca, batata-doce, farinha de mandioca e de milho, carne-seca, peixe seco; carne fresca muito raramente e só nas grandes ocasiões, festejadas pelos senhores; então ganhávamos um pedaço de carne de boi ou de porco assada. Serviam-nos nos cochos feitos de um tronco comprido de árvore; a comida era preparada em tachos e neles despejada; usávamos uma caneca de lata para a água e o café.

Embora houvesse vacas leiteiras na fazenda, raramente víamos leite; faziam com ele queijos, requeijões e doces.

Não passávamos fome, embora a alimentação fosse muito simples. Enchiam os cochos duas vezes, e enquanto tinha comida, podíamos comer à vontade. Na plantação também comíamos em cochos, sendo a comida transportada para lá. Nos cochos da senzala, comíamos nos dias santos.

Como Eram as nossas Roupas

Nossa vestimenta era a mais sumária possível: uma tanga e uma calça curta até os joelhos; pés descalços; torso nu a reluzir ao sol. Para os dias santos, tínhamos uma calça comprida e uma camisa de algodãozinho. De três em três meses recebíamos uma calça curta e uma tanga novas. Então jogávamos fora o molambo que vestíamos. Um escravo barbeiro raspava-nos a barba e o cabelo. Nos meses frios, davam-nos um cobertor singelo, que era recolhido assim que apontava o calor. Por colchão e travesseiro, tínhamos palha e capim secos.

Nossa Relação com a Religião dos Senhores

Já mencionei aqui que havia dias santos. A família era católica fervorosa, mas nós, escravos, trabalhávamos regularmente aos domingos. Só descansávamos nos "dias de guarda", isto é, nos dias santos recomendados pela Igreja. E como em todos os meses havia dias de guarda, quase que compensavam os domingos trabalhados.

Nesse dia estávamos livres da nossa lida diária. O sino badalava às sete horas da manhã. Aprontávamo-nos então para a missa, que um padre vinha celebrar. Tomávamos banho em tinas d'água, e vestíamos a camisa de algodãozinho e a calça comprida. E apertados no amplo e alto porão da casa-grande, assistíamos à missa e comungávamos obrigatoriamente.

Nos dias de aniversário de Sinhô ou de Sinhá, também não trabalhávamos. O padre vinha rezar a missa, e era certo nossa refeição ser reforçada com um pedaço de carne assada, e um doce com uma fatia de queijo.

O resto do dia era livre; tínhamos a liberdade de andar pela propriedade, embora não pudéssemos ultrapassar os limites fixados e guardados por vigias a cavalo.

Organizávamos nossos bailados em frente ao alpendre da casa-grande, de onde os brancos assistiam a eles, refestelados em amplas cadeiras.

Ao cair da tarde, o sino tangia a "Ave Maria". Todos se descobriam; do alto do alpendre, Sinhá rezava em voz alta, e a escravaria, também em voz alta, a acompanhava. Em seguida recolhiam-se: os brancos para o interior da casa-grande e nós, os cativos, cuidadosamente contados e revistados, para as senzalas, cujos portões se trancavam com corrente e cadeado.

Como Eram os nossos Castigos

A disciplina era mantida pelo temor do castigo. O mais comum era a novena de bacalhau.

O bacalhau se compunha de cinco tiras de couro cru encravadas em um cabo de madeira de dois palmos de comprimento; na ponta das correias havia uma argolinha de metal.

A vítima condenada a uma novena de bacalhau deitava-se de bruços num banco, com as mãos e as pernas amarradas por baixo, as costas nuas até as nádegas, e um dos feitores, sempre o mais forte, lhe aplicava as pancadas diárias, que variavam de três a vinte e quatro, raramente mais, até completar a novena, isto é, os nove dias. Depois lhe entornava nas costas sangrentas duas ou três canecas de salmoura, soltava-a e mandava-a trabalhar. E no dia seguinte, à mesma hora, repetia-se a cena. Às vezes, no lugar do banco, prendiam a vítima no pelourinho, e o bacalhau zurzia-lhe as costas. Nem as grávidas escapavam desse castigo; porém, nunca no banco, sempre no pelourinho.

No eito não usavam o bacalhau; serviam-se de um rebenque que era um trançado de couro cru, desde o cabo que era grosso, que se ia afinando até a ponta. Os feitores não nos poupavam; apanhávamos trabalhando; e se acontecia de virem eles um tanto alcoolizados, o que era comum, então...

Uma Vida Nova

Um dia transferiram-me do eito para a casa-grande. Ocorreu que Sinhá queria um negro de confiança para cuidar de muitas coisas caseiras, principalmente levá-la de trole à cidade, distante três léguas da fazenda. Não ganhei muito com a troca; a fazendeira era uma mulher enérgica, violenta para com suas mucamas, de gênio caprichoso, ciumenta do marido. Eis alguns exemplos:

Aconteceu que, no almoço, o marido gabou os dentes da mucama que servia à mesa; a negra sorriu, Sinhá nada disse. Mas na primeira oportunidade em que Sinhô demorou-se um dia na cidade, ela mandou quebrar com uma torquês os dentes da frente da coitada.

Vivia com a palmatória na mão; em certos dias era um tal de manejá-la que era um nunca acabar. Por ter eu olhado penalizado para uma meninota cujas mãos estavam inchadas de tanto apanhar, chamou-me para junto de si, e presenteou-me com cinco bolos em cada face. Fiquei com o rosto redondo de inchado, o que muito a divertiu.

— Varisto! — chamou o fazendeiro. Você tem um negro bom para vir trabalhar para Sinhá?

Evaristo era o capataz dos feitores; conhecia a dedo escravo por escravo; tratava-os como tratava o gado da fazenda; nutria um ódio surdo contra mim. Era que, quando estava perto de mim, eu percebia que ele, apesar de branco, sentia-se intimamente inferiorizado; e eu mais lhe acentuava a inferioridade, olhando-o altivamente de cabeça erguida, e com um sorriso sarcástico nos cantos da boca. Conhecedor do caráter da fazendeira, de um sadismo extremo, e sabedor do que ela aprontava com suas negras, não titubeou: escolheu-me e vingou-se.

Não tive mais sossego nem de dia nem de noite. Ao chegar à casa-grande, uma negralhona deu-me um banho com sabão de cinza numa tina, esfregando-me com uma bucha, sem dó nem piedade.

— Nhá Dalina não gosta de negro sujo. Vai tomar banho e trocar de roupa duas vezes por semana.

Deu-me uma calça comprida, uma camiseta e uma blusa; os pés continuaram descalços. O negro barbeiro atendia-me semanalmente raspando-me a barba e ajeitando-me a carapinha.

Ganhei a confiança da fazendeira. Ordenou-me que a chamasse de Sinhá Dalina. Tendo parentes na cidade, muitas vezes fui sozinho no trole buscá-los. Tive uma certa ascendência sobre o pessoal da casa; contudo, isso não me livrava dos castigos, com que ela mimoseava indiscriminadamente todos, conforme a lua, dizíamos.

Aconteceu que, em um dia de guarda, afastei-me distraidamente além dos limites permitidos à negrada; o vigilante apanhou-me e entregou-me ao Evaristo, que não se atreveu a tocar em mim sem ordem de Sinhá Dalina.

— O negro tava fugindo, Sinhá.

— Não tava fugindo, não, Varisto. Se quisesse fugir, aproveitava uma ida à cidade. Mas assim mesmo vai ser castigado por não respeitar as ordens. Hoje é dia santo e é pecado castigar; amanhã cedo põe-lhe o libambo por três dias.

Ao amanhecer, Evaristo abotoou-me no pescoço o libambo, que era uma coleira de ferro com uma vareta vertical, na ponta da qual havia um chocalho a chocalhar ininterruptamente.

O Sexo e a Escravidão

Enquanto trabalhei na plantação, fácil me foi resistir à tirania do sexo. Largava a enxada ao anoitecer, e dormia cansadíssimo na palha da senzala.

Os sexos eram separados. Havia a senzala dos homens e a das mulheres; não havia mistura. Todavia, nos dias santificados, homens e mulheres podiam andar aos pares, dentro dos limites fixados.

O fazendeiro, o Sinhô, não queria ver negras de barriga murcha; queria-as sempre de barriga cheia, isto é, grávidas. Era preciso aumentar o capital escravo; e por isso negras que não parissem continuamente não valiam nada.

Nos dias santos, os pares se acasalavam livremente, ocultos nos desvãos da área, recantos preparados para isso. E assim, dificilmente se via uma negra de barriga murcha.

Aconteceu estar eu a sós com nhá Rita. Nhá Rita era uma negra forte, grandona, que me dera o primeiro banho; era a despenseira da casa-grande; gorda, de fala mansa, voz meiga e macia, com os cabelos já embranquecendo, mostrava o estigma de longo sofrimento a entristecer-lhe o rosto. Nagô de nação como eu, conversávamos em nossa língua nativa, embora eu já senhoreasse o português que se falava na fazenda, de vocabulário reduzido. Terna amizade nos unia; éramos confidentes um do outro. E nhá Rita me perguntou:

— Você já tem mulher?

— Não, nhá Rita; não tenho e não terei.

— Pois a Joana, você conhece, mucama de Sinhá Dalina, está cobiçando você.

— Já notei, nhá Rita, mas enquanto eu puder resistir, não quero mulher nenhuma.

— Mas por quê, gente? Você não é aleijado!

— Porque, nhá Rita, não quero ser pai de escravos. Porque não quero os meus negrinhos chicoteados, e comendo a comida dos porcos. Resistirei o mais que eu puder.

Correram lágrimas dos olhos de nhá Rita; e reprimindo um soluço, disse-me:

— É muito triste ser mãe de escravos!

E contou-me:

— No tempo do pai de Sinhô, eu era uma moça bonita. Meu par era o Joaquim, e todos os dias santos estávamos juntos. Nasceu-nos o Nico. Logo depois o Joaquim morreu picado de cobra. Aos sete anos, o Nico foi vendido a um negreiro que traficava com crianças. Nunca soube dele.

E olhando-me fixamente nos olhos, concluiu:

— Procura pai Norato; dize-lhe que nhá Rita te mandou.

O Encontro com o Curandeiro

No primeiro dia santo, fui procurar o pai Norato. Não me foi difícil achá-lo. Não morava propriamente na Fazenda Santa Fé, em São José do Rio Turvo, hoje Barra do Piraí, mas na fazenda do coronel S. G., fronteiriça com a Santa Fé. Naquele tempo, separavam-se as fazendas por sulcos mais ou menos largos, de pouca profundidade, cavados por mão de obra escrava, indicando-lhes as divisas. Em um vale verdejante, limitavam-se as duas fazendas. E na fazenda do coronel S. G., bem próximo ao sulco divisório, pai Norato tinha sua tapera, onde pretos e brancos iam consultá-lo. Aqueles lados eram bem vigiados, para evitarem-se fugas.

Na fazenda do coronel S. G. não se admitiam injustiças para com os escravos, onde eram considerados como gente; laços de amizade uniam os cativos aos senhores.

Pai Norato fora escravo do pai do Sinhô, que o libertou antes de morrer; embora com carta de alforria, não se retirou da fazenda; concederam-lhe licença para construir sua choupana naquele lugar, do qual pouco se afastava, e onde ninguém o importunava. A fazenda o sustentava; mensalmente recebia sua quota de mantimentos, e aos sábados, por ordem de Sinhá Dalina, um escravo ia perguntar-lhe se lhe faltava alguma coisa. Merecia esses favores pelo temor que inspirava: era tido como um feiticeiro poderoso, ai de quem o desagradasse, diziam. Prestava pequenos serviços à fazenda; se um animal era atacado de bicheira, chamavam pai Norato, que benzia o local afetado, pincelava a ferida com uma pena de galinha, embebida em um líquido amarelo viscoso, e dois dias depois a bicheira estava seca.

Quando Joaquim, o par de nhá Rita, foi mordido de cobra, chamaram pai Norato, que chegou tarde e nada pôde fazer. Mas, depois de conversar com Sinhô, acompanhado pelo capataz, percorreu a fazenda inteira a cavalo. Escolheu um trecho grande que mandou cercar, retirado. Pronto o cercado, fizeram um aceiro largo ao redor, e pai Norato passou um dia inteiro sentado no chão, orando em frente ao quadrado. Ao descambar do sol, voltou à fazenda; entregou o cavalo, recomendou que ninguém lá entrasse, e que o aceiro estivesse sempre limpo. Daquele dia em diante, afirmava nhá Rita, não se viram mais cobras na fazenda.

Conhecia profundamente as ervas medicinais, com cujos chás curava os doentes. E os que o procuravam com as costas lanhadas pelo bacalhau, untava-lhes as feridas com uma pomada que apressava a cicatrização.

Fora para que nos dias santificados os enfermos pudessem consultá-lo, que se fizera, a seu pedido, um corredor de acesso a seu retiro.

Enfim, pai Norato era curandeiro, o médico das fazendas da redondeza; temiam-no os brancos, amavam-no os pretos. Alto, ligeiramente manco, magro, de uma magreza que quase se lhe viam os ossos sob a pele, impunha medo e respeito. Quantos anos tinha? Mistério, ninguém o sabia. Nhá Rita dizia que sempre o conhecera assim. Frequentemente o viam pelos campos a colher ervas; persignavam-se, e arredavam-se depressa.

Encontrei-o sentado num banquinho de três pernas, junto a um fogão de barro, cozendo ervas num caldeirãozinho de ferro. Apresentando-me em nome de nhá Rita, recebeu-me com satisfação.

Relancei os olhos pela choça: paredes de paus roliços semiapodrecidos, e cobertas de feixinhos de ervas e de raízes; dois ou três lagartos secos pendiam do telhado sem forro; uma mesa tosquíssima, uma pequena cama tosca com um cobertor usadíssimo, dois tamboretes, um banquinho; cabacinhas com mel e gorduras numa prateleira, num dos cantos, cuias com pós e sementes; chão de terra batida.

Sentei-me ao lado dele num tamborete; conversamos em iorubá; expus-lhe o meu desejo.

— Você é o segundo que me pede isso. Você tem coragem? Olhe que o vigor não volta mais.

— É isso mesmo que eu quero; não quero ser pai de escravos. Mas quem foi o primeiro? — perguntei-lhe quase que adivinhando.

— Nhá Rita, logo depois que o Joaquim morreu. Ela era uma negra e tanto!

Afastou o caldeirãozinho do fogo e, remexendo as cuias, tirava, ora de uma, ora de outra, uma colherada de pó e sementes; pulverizou as sementes e misturou tudo muito bem misturado. Daquele pó fez um pacotinho com palhas de milho. Entregando-me o pacote, recomendou-me:

— Não deixe ninguém ver, dá pra nhá Rita; ela sabe como fazer; são três xícaras, você beba uma por dia; nhá Rita explica. Você vai sentir muita dor nos testículos; não tenha medo, passa logo, é o efeito do chá.

Nhá Rita preparou-me a beberagem. Dois dias depois da última xícara, meus testículos incharam e doeram; custou-me ocultar a dor; felizmente ninguém percebeu; ao fim de uma semana, melhorei.

Tornei-me assíduo frequentador do rancho de pai Norato. Nos dias de folga, logo depois da missa e da comunhão obrigatórias, eu partia para lá, donde vinha para a reza da "Ave Maria". E recolhia-me à senzala.

Pai Norato me tratava como um filho. Ensinou-me a virtude das plantas, os nomes das ervas e das sementes; como curar as feridas dos castigos; como tratar dos animais doentes, enfim, nesses dias eu era seu assistente.

Da choupana eu voltava cismarento: algo se transformava dentro de mim que eu não sabia definir; e muitas vezes ao ouvir os gritos suplicantes dos negros ao serem torturados sadicamente, meus olhos se enchiam de lágrimas.

O Castigo

Às vésperas de um dia santo, nhá Rita me avisou:

— Sinhá vai mandá-lo ser o par de Joana neste dia santo. Sinhô se queixou à Sinhá que Joana está custando a parir. E você sabe que Sinhô vende bem os negrinhos. Joana lhe disse que queria você. Não saia do terreiro.

Dito e feito. Terminada a cerimônia religiosa, Sinhá Dalina me chamou e ordenou:

— Seu par hoje é Joana; não se larguem.

Joana tomou-me pelo braço, olhos brilhando de luxúria, e saímos a passear. Levou-me a lugares escondidos e convidativos; valeu-se dos mais lascivos e excitantes carinhos; nada conseguiu.

Percebendo a inutilidade de seus esforços, virou uma cascavel; estapeou-me, cuspiu-me no rosto e gritou:

— Você não é homem!

Chorando de raiva, correu a atirar-se aos joelhos de Sinhá e contou-lhe tudo. Sinhá chamou Evaristo e determinou-lhe que me recolhesse à solitária, e que logo de manhã viesse procurá-la.

Passei a noite acordado; bem sabia o que me esperava, uma vez que eu tinha sido comprado viril, conforme rigoroso exame que me fizeram. E agora, castrado, pouco valia, porque não servia para reprodutor, nem para ser vendido.

Sinhô, Sinhá, mais dois feitores e Evaristo, que me fora buscar, aguardavam-me no alpendre; e Sinhô foi logo dizendo:

— Então, negro atrevido, você recusou a Joana, não é verdade? Pois vamos ver se você é macho ou não.

Tinham um método infalível de verificar a virilidade do escravo; eu já passara por isso no Valongo; não o descreverei, dado sua hediondez. E revelou-se-lhes que eu era um negro emasculado.

— Quem te fez isso, negro à toa? — perguntou Sinhô.

E como eu nada respondia, aplicaram-me os anjinhos. Todos sabiam quem tinha sido, pois eu não saía da biboca de pai Norato; porém, queriam a denúncia de minha própria boca.

Raros resistiam à tortura dos anjinhos, que eram dois anéis que se prendiam aos polegares do supliciado, e se apertavam por meio de parafusos.

Não cedi.

E lavraram-me a sentença: três dias de vinte e cinco açoites de chicote por dia, totalizando setenta e cinco vergalhadas, preso no tronco de pés e mãos, dia e noite ao relento.

Evaristo quis encarregar-se da operação. Estremeci. Era um mestiço de português com índia, um mameluco de braços fortíssimos e impiedosos; adorava estalar as tiras antes de descarregá-las nas costas nuas do condenado. E Sinhô e Sinhá, dando largas a um prazer perverso, contavam sorrindo o estralejar das correias. Uma vez por dia soltavam-me as mãos para que eu comesse um pedaço de mandioca e bebesse uma caneca de água.

Um Estranho Acidente

No último dia, Evaristo caprichou mais no trabalho; o chicote como que cantava em minhas costas retalhadas; depois despejou-lhes um balde de salmoura e libertou-me do tronco.

A custo, com as pernas congestionadas, levantei-me; parecia-me carregar nas costas um saco de brasas vivas; cambaleando tomei o rumo da senzala. Não dera dez passos e caí. Evaristo ameaçou-me empunhando o seu açoite, ergui as mãos em súplica, e tentei aparar o golpe com meus braços impotentes; a chicotada feriu-me o rosto.

Então, de um dos cantos da casa-grande surgiu pai Norato; caminhou lentamente até mim, ajudou a erguer-me, passou um de meus braços ao redor de seu pescoço, e me segurou pela cintura. E calmo, muito calmo e vagarosamente, escorando minhas pernas vacilantes, atravessou o vasto terreiro, abriu a cancela, fechou-a, e carregou-me para o seu casebre.

Todos os que assistiram à cena ficaram imóveis, mudos, petrificados; Sinhô, Sinhá, Evaristo, Joana, os feitores, e outros da casa mal respiravam. Quem se moveu primeiro foi o Evaristo; desamarrou o cavalo da argola do mourão, e montou. E ao passar diante do terraço, abanou o chapéu de palha cumprimentando os fazendeiros.

Nunca se soube explicar como foi: o animal assustou-se, tomou o freio nos dentes, atirou as pernas traseiras para o ar, e Evaristo, apanhado de surpresa, caiu de ponta-cabeça, quebrando o pescoço; no dia seguinte, à tarde, enterraram-no.

Daí por diante, um terror supersticioso me protegeu. Esqueceram-me. Assim que curado, comecei a sair com pai Norato, e nunca me incomodaram.

A Falange dos Rastejadores

Hoje sei que, na sequência das reencarnações, Evaristo reencarnou-se junto de mim, como meu irmão Vasquinho, o suicida, de quem lhes falei na primeira parte deste livro.

No tempo em que era Evaristo, e abusando da autoridade que tinha na fazenda, então a Fazenda Santa Fé, angariou inúmeros inimigos e fez muitas vítimas; umas o perdoaram, outras não. As que não o perdoaram, alimentaram o desejo de vingança até descobri-lo na roupagem carnal de Vasquinho; e vingaram-se induzindo-o ao suicídio.

Mas como o descobriram?

Há no submundo espiritual terreno falanges de Espíritos inferiores que se denominam rastejadores, farejadores ou caçadores; são organizações das trevas especializadas em descobrir criminosos reencarnados. De posse das informações que as vítimas, que não perdoaram e almejam vingar-se, lhes fornecem, põem-se a campo; e cedo ou tarde, acabam descobrindo o autor ou autores do mal cometido. Inicia-se então a obsessão do encarnado; e as vítimas de outrora tornam-se os algozes de hoje. O pagamento do serviço contratado é feito por trocas de favores, geralmente o mesmo serviço que lhes foi solicitado na ocasião.

É por isso que Jesus nos avisa em seu Evangelho: "Nada há encoberto que se não venha a descobrir; nem oculto que se não venha a saber" (Mateus, 10:26).

Transformações

Pai Norato transmitiu-me o segredo de sua arte. Tornei-me um curandeiro, um feiticeiro temível, que julgavam de mau agouro topar pelos caminhos. Colhíamos plantas, folhas, raízes, sementes e caçávamos tatus e cobras, cuja gordura usávamos para a manipulação de pomadas. Os xaropes preparavam-se com mel silvestre abundante na mata. Os recipientes eram cabacinhas.

Eu dormia num monte de capim seco ao pé da cama de pai Norato. Certa madrugada, acordei com seus gemidos. Levantei-me.

— Não é nada, filho. Uma dorzinha qualquer. Reza por mim.

De manhã estava morto, rígido na cama pobre.

Mandei aviso à fazenda. Nhá Rita apareceu trazendo um lençol grosseiro, acompanhada de dois pretos com enxadas.

— Sinhô não quer mandinguento no sagrado; é pra enterrá-lo por aqui mesmo.

Amortalhamos o corpo; nhá Rita acendeu uma vela na cabeceira; e, enquanto os homens cavavam a sepultura, rezou um terço com o rosário que tirou do pescoço; ao terminar, enrolou-o nas mãos de pai Norato, e o sepultamos a cem metros de sua morada.

Continuei recebendo o costumeiro sustento mensal da fazenda, e ocupei o lugar de pai Norato por muitos anos ainda. Meus cabelos embranqueceram, nhá Rita morreu. Travei amizade com a gente do coronel S. G., de cuja escravaria eu também tratava. O seu filho menor, o Braulinho, criança de cinco ou seis anos, vinha sempre visitar-me com sua babá, a nhá Zita, sua mamãe preta, como ele a chamava, e aproveitava para remexer minhas cabaças. Uma das perguntas que Braulinho me fazia repetidamente era:

— Por que você tem o cabelo branco e a cara preta?

Ao que eu respondia rindo, na minha linguagem estropiada:

— É pruquê tinha pôca tinta branca, nhozinho; nem deu pra pintá a cara.

— Ah! — exclamava compenetrado.

Sua tia L., acompanhada de sua prima Mariana F., aprendeu muito comigo. Porém, Mariana, seduzida pela posse do dinheiro, empregou em fins indignos o que lhe ensinei, causando graves problemas à família. Há dias, compondo estas recordações, recebi a visita de nhá Zita, ainda desencarnada e trabalhando em desobsessões; gentilmente ofereceu-me seus préstimos.

A pedido do coronel, Sinhô me passou carta de alforria, e ambos quiseram reformar minha cabana, no que não consenti; respeitaram minha vontade.

Nos dias de santo, dezenas me procuravam, mesmo vindos de longe, de outras terras, e pediam licença para ver-me, licença que nunca lhes foi negada. Não só os negros vinham a mim, mas também os brancos. Um dos antigos feitores, do qual muitas relhadas levei quando trabalhava na lavoura, procurou-me com a netinha nos braços, febril e semidesfalecida e, com lágrimas, implorou-me:

— Cure-a, pelo amor de Deus. — A menina sarou.

Meu íntimo transformou-se. Aprendi a amar os desgraçados; e comumente misturava minhas lágrimas com as deles. E ministrando-lhes as tisanas, pensando-lhes as feridas, eu chorava com eles. Estendi minha compaixão aos fazendeiros, aos senhores de escravos, aos feitores, aos negreiros; compreendi que também eles sofriam.

De Novo a Porta Estreita

Como aconteceu, não sei; foi no ano de 1887; eu estava à beira do fogão preparando uma pomada, tive uma vertigem e caí. Voltei a mim sentindo mãos delicadas erguendo-me. A escuridão era completa. Tateando, procurei a saída. E quem vejo lá fora?

Pai Norato, rejuvenescido, trajando túnica branca de mangas largas, um anel de brilho esmeraldino no dedo anular, largo sorriso a iluminar-lhe o rosto. Abraçamo-nos demoradamente. Quanta saudade! E convidou-me:

— Vem, teu amigo te espera. Vou levar-te a ele.

E divisei, ao longe, a porta de carvalho, com a lanterninha a iluminá-la fracamente. E recordei-me, mas... onde estava chave?

Pai Norato, lendo o meu pensamento, estendeu a mão direita, e com o indicador tocando-me o peito, respondeu:

— Está aqui dentro de teu coração: é a Humildade, chave que forjamos esquecendo-nos de nós mesmos e dedicando-nos aos pequeninos, aos sofredores. Avante para a luz!

E desapareceu.

Avancei timidamente; e a dois passos dela, abriu-se por si mesma; atravessei-a e joguei-me nos braços do irmão L.

Passada a emoção do reencontro, apontou-me uma estrada luminosa, que no horizonte mergulhava num foco de luz. E disse-me:

— Eis, Maurício, a estrada da luz; agora podes trilhá-la.

Vacilante, ensaiei os primeiros passos, porém, recuei, e de joelhos bradei:

— Não, sozinho, não! Onde estão Jacques, Jacqueline, *mère* Balbine e outros queridos? Quero-os todos comigo, sem faltar um só! Todos!

E uma voz, carinhosa como uma brisa primaveril ao beijar as rosas, respondeu-me do Infinito:

— Trabalha e espera.

Uma Dívida de Gratidão

Raça africana! Quanto te devo!

Tu me ensinaste a quebrar o férreo pedestal do orgulho e da vaidade sobre o qual eu me pavoneava egoística e criminosamente.

Tu me ensinaste a amar os meus semelhantes, a sentir-lhes as dores, a compartilhar de seus sofrimentos.

Tu me abriste as portas do Grande Templo da Fraternidade Universal, onde todas as raças, em uníssono, entoam louvores ao Pai Altíssimo, o Pai comum.

Tu me livraste dos caminhos da sombra e da morte.

Tu me deste um coração humano, em lugar do coração de pedra que eu trazia outrora.

Tenho uma aspiração, um desejo veemente no íntimo de meu ser; hei de realizá-lo quando eu estiver desencarnado: visitar a África, procurar o local de nossa aldeia primitiva, de nossa choupana, da qual fomos violentamente arrancados para a escravidão. Encontrar os Espíritos daquele casal africano do qual renasci; e minhas irmãzinhas; abraçá-los, beijá-los, relembrar com eles aquele passado distante.

Desde que me dediquei ao Espiritismo, trabalho em desobsessão. A obsessão é uma chaga atroz que tortura a humanidade. É pior que o câncer, que a lepra, que a sífilis, que a tuberculose, porque é invisível.

Vocês talvez me perguntem:

— Por que Deus a permite?

Porque ela é um mal necessário, um elemento burilador. Enquanto a Humanidade não extirpar da face da Terra o Egoísmo, substituindo-o pelo Altruísmo; cada um por si procurar pensar nos outros antes de pensar em si; servir antes de ser servido; sacrificar-se antes de sacrificar quem quer que seja; ser prejudicado antes de prejudicar; aniquilar-se para que os outros apareçam; morrer antes de assassinar; ser roubado antes de roubar; e perdoar, perdoar a tudo em todos os minutos, em todas as horas, em todos os meses, em todos os anos, a Obsessão reinará implacável, guiando a humanidade para os caminhos do Sofrimento, da Dor e da Loucura.

Meus principais auxiliares são os Espíritos que já tiveram várias vidas em corpos de africanos, os pretos velhos ou, como eles mesmos se identificam, "os nêgo véio", a "negaiada". É a minha corrente espiritual africana que realiza milagres, não só a favor do encarnado obsidiado, como para o pobre Espírito obsessor.

Tenho também uma corrente espiritual de índios, dos indígenas de nossas matas primitivas, que me auxiliam, junto com os africanos, nos difíceis trabalhos de desobsessão.

Comecei a estudar a língua iorubá, da qual há alguns estudos em português; e o tupi-guarani, nos excelentes trabalhos de Plínio Ayrosa, para melhor me entender com eles. Mas Índio Velho do Rio, chefe da falange dos índios, me advertiu:

— Não faças isso, irmão branco. Eles é que precisam estudar a tua língua para progredirem, e não tu a deles.

Índio Velho do Rio, no tempo das conquistas do solo brasileiro, tem o seu nome ligado à História do Brasil, não como índio, mas como conquistador branco.

Acima dessas duas correntes, paira uma corrente espiritual superior, que preside a meus trabalhos e os organiza, e utiliza-se desses auxiliares, meus negros e meus índios, como o engenheiro usa seus trabalhadores braçais para erguer suas estupendas obras de engenharia.

Recebi críticas, apodos, e mesmo vaias de espíritas, quiçá mais esclarecidos do que eu. Jamais desci a justificar-me. Tenho para mim que a morte é uma agente turística incansável, e na hora certa gratificará cada um deles com uma viagem para o outro mundo. Então verão a realidade com seus próprios olhos, apalpando-a com suas próprias mãos.

Novos Rumos

Irmão L. internou-me numa Clínica Espiritual de Recuperação e Repouso, explicando-me:

— É necessário refazer as forças, cuidar do perispírito, equilibrar a mente. As tuas duas últimas reencarnações marcaram-te muito. Tens agora a chave que te abrirá as portas das esferas superiores; mas ela está em bruto ainda; é preciso limá-la, aprimorá-la, aprender a usá-la e, sobretudo, corrigir o passado.

Trinta dias depois eu era outro. E com a saúde espiritual recuperada, arquitetei um plano: me dedicaria à abolição da escravidão. Na primeira visita que Irmão L. me fez, expus-lhe meu pensamento.

— Louvo e aprovo tua intenção, Maurício. Entretanto, vais perder tempo. Os Poderes Superiores já decretaram a extinção da escravatura, o que se dará muito em breve. Por que não te dedicares à libertação do Espírito humano, que jaz acorrentado à escravidão da ignorância, da qual se originam os males que infelicitam a Terra? Durante tua vida de escravo, um Espírito luminoso codificou uma doutrina que revive a simplicidade do Cristianismo, uma doutrina de liberdade espiritual. Tu que por tantos séculos desfraldaste a bandeira do negativismo, por que não empunhas o archote da luz? Ignorância é escravidão, e luz é liberdade.

Matriculei-me numa escola de Espiritismo, onde éramos centenas de estudantes, de ambos os sexos, ardentes de entusiasmo pela Grande Causa. Nas esferas espirituais dependentes da Terra, instalaram-se tais cursos, tão logo Allan Kardec terminou seu apostolado. Professores eméritos davam-nos as aulas; e nossos livros estudantis eram as obras do Codificador Amado.

O Desastre

Certa vez pedi ao irmão L. que me contasse o que acontecera com minha família, depois que o calabouço me isolou do mundo. Eu queria sabê-lo antes de mergulhar novamente nos fluidos densos da carne.

Irmão L. aquiesceu e narrou-me resumidamente o seguinte:

Depois da morte de Jacques e da minha condenação, a família Sangraux perdeu tudo, passando a empresa para outras mãos. As duas ricas vivendas, a de Saint-Nazaire e a de Étretat, e mais algumas propriedades em Nantes foram a leilão judicial, nada sobrando para a família, que passou a viver na pobreza. A ruína foi total, porque, além do mais, René falsificou minha assinatura em vários compromissos vultosos. *Mère* Balbine enlouqueceu, vindo terminar sua vida num manicômio de um subúrbio de Paris.

Jacqueline, não se conformando com a pobreza, entregou-se à prostituição. O Espírito de Jacques, sedento de vingança, surdo aos apelos de amigos esclarecidos, não subiu à esfera espiritual, montando guarda a meu cárcere, e me atormentando continuamente, quase que, embora invisível, vivendo comigo em minha cela.

Qual não foi meu espanto quando irmão L. me demonstrou que Jacqueline era a reencarnação de Layla; e René, a de Mohamed. Minha surpresa não teve limites. Éramos todos membros da mesma família espiritual, cujos membros vinham evoluindo havia milênios, através de vitórias e derrotas, de lutas e de sacrifícios, de ódios e amores, revezando-se os seus membros nas reencarnações terrenas, pondo-se em prova frente uns aos outros.

Os Poderes Superiores, aproveitando as situações criadas pelos próprios Espíritos, submetem-nos a testes de aproveitamento, as tão faladas provas.

Foi o que fizeram com Jacqueline, comigo e com René.

Layla aproveitou a vida farta que a riqueza de Mohamed lhe ofereceu, fartura essa baseada no crime e na pilhagem, como ela bem sabia. E se, reencarnada como Jacqueline, tivesse aceitado a pobreza com dignidade, ela se redimiria da encarnação faustosa que o assassínio e o roubo lhe proporcionaram.

A Mohamed, reencarnado como René, na alta aristocracia francesa, foram concedidas amplas facilidades para desenvolver obras de valor a favor da pobreza francesa, redimindo-se assim de um passado culposo.

Se eu não tivesse semeado trevas, mas me cingisse apenas a ministrar minhas aulas de latim e de grego, e tivesse tido a coragem de arcar com a responsabilidade de meus atos reprováveis, e não sucumbisse à tentação de matar, mesmo que isso me custasse a vida, eu me teria redimido de muita semeadura perniciosa, e de homicídios praticados em minhas encarnações anteriores.

— Nenhum de vocês passou no teste — concluiu irmão L.

Retorno à Superfície da Terra em mais uma Encarnação

Assim que terminei meus estudos, irmão L. apresentou-me o plano de minha nova reencarnação, com a liberdade de modificá-lo no que eu quisesse. Estudei-o por seis meses, e aprovei-o sem a menor alteração. Perguntei-lhe apenas por que eu não voltava a reencarnar na França. Respondeu-me:

— Não se prega remendo novo em pano velho; para ideias novas, países jovens.

Em tarefa sacrificial precedendo-me, reencarnariam dois Espíritos de esfera superior à minha. Envergariam a veste carnal de trabalhadores braçais, constituindo um lar modesto, onde, pelo exemplo de trabalho, de honradez, de amor, e sobretudo de humildade, aparariam as arestas do caráter de doze filhos, dos quais sou o primogênito.

No desempenho de minhas provas redentoras, eu administraria fortuna e bens alheios, sem jamais ter algo de meu; deveria contentar-me com uma pobreza digna, e barreiras intransponíveis não me deixariam sair dela. Oportunamente eu me uniria àquela que seria minha companheira, minha mulher, minha esposa, a mãe de meus três filhos, Sérgio Paulo, Arnaldo e Ana Maria. Existia entre mim e esse Espírito, também de nossa família espiritual, laços de gratidão recíproca desde tempos recuados. Estagiava numa colônia espiritual ligada à Inglaterra, preparando-se para o futuro. Ao elaborar o plano, irmão L. consultou-a e, jubilosa, aceitou participar dele.

A gratidão que devíamos um para com o outro transformou-se em suave e terno amor, e ela soube fazer de nosso lar pobre um recanto de paz, de harmonia, de amor, de compreensão, onde hauríamos força e coragem para a luta árdua de cada dia, não só na parte material, como, e principalmente, no tocante à minha apagada tarefa espiritual.

(Abro aqui um parêntese para declarar ao leitor que no decorrer destas linhas, jamais mencionei fatos passados em reencarnações precedentes com pessoas agora reencarnadas; limitei-me a referências estritamente lacônicas quando absolutamente necessárias. Não tenho o direito de despertar a crisálida que dorme, nem me permitiria.)

E no ano de 1913, vinte e cinco anos após a Abolição da Escravatura, reencarnei-me, agora não mais como um africano escravizado, mas como cidadão brasileiro.

Meu Primeiro Encontro com o Espiritismo

Eu tinha cinco anos. Morávamos no Itambé, pequeno e gracioso povoado cercado de matas virgens, hoje Ibitu, distrito ligado á cidade de Barretos.

A gripe espanhola assolava o mundo de forma intensa, e atingiu nossa vila. Apanhei-a e, durante quarenta e cinco dias estive entre a vida e a morte. Por duas vezes, mamãe contava, puseram-me a vela na mão. Os recursos do arraial se esgotaram, a farmácia fechou, e médico não havia. Mantinha-se um contato precário com Barretos através do Centro Telefônico. O automóvel ainda não era comum no sertão, e não havia estradas para ele.

Dona Rosina, da qual lhes falei na primeira parte deste livro, e seu marido, o sr. Pasqualino eram nossos vizinhos. Em Barretos tinham um parente, o sr. Domingos Tedesco, espírita, médium curador, fundador do Centro Espírita "25 de Dezembro". O casal apelou para ele.

Encontrando-se casualmente com meu tio João, disse-lhe:

— Vou hoje para Itambé. O Pasqualino e a Rosina estão passando mal. Chamaram médicos de Olímpia e daqui, mas não conseguiram que lá fossem, atarefadíssimos como estão e muitos deles atacados pela epidemia.

— Meu sobrinho, filho do Vasco, também está entre a vida e a morte. Não sei o que responder a meu irmão, que me telefona por socorro. São vizinhos de Dona Rosina.

— Irei vê-lo. Avise o Vasco.

E mamãe contava:

— Veio assim que recebeu a notícia; parou à porta de nossa casa e entrou; sentou-se numa cadeira ao pé de minha cama, concentrou-se profundamente, e deu-me um passe da cabeça aos pés. Pediu uma vasilha com um litro d'água fervida; fluidificou a água, fez-me tomar umas colherinhas dela, e mandou que mamãe amornasse aquela água para ministrar-me um enema imediatamente. Aquela água que entrava límpida em meu intestino, dele saía escura e levemente viscosa; parou quando a água voltou clarinha. Obedecendo-lhe, mamãe ferveu outro litro d'água, deixou-o esfriar e fluidificou-o demoradamente.

— Dona Angelina, ele vai beber só dessa água enquanto houver dela. Se pedir água, se pedir comida, dê-lhe dessa água às colherinhas. Quando ela acabar, antes de me ir embora, darei novas instruções.

Passei por leve sono, e ao acordar pedi água; e assim foi até pela hora do almoço do dia seguinte: ora pedia água, ora queria comida.

O sr. Domingos Tedesco tornou a ver-me; deu-me novo passe e a dieta: água só bem fervida; de manhã e no lanche das duas horas da tarde, chá de erva-doce com duas torradas; no almoço e no jantar, canja de galinha, a princípio sem carne, depois com alguns pedacinhos desfiados.

Só pôde regressar a Barretos quinze dias depois. Correu voz que um curador espírita estava na vila, em casa do sr. Pasqualino.

Pacientemente atendeu a todos; despediu-se quando entraram em franca recuperação.

Muitos anos depois, tive a ventura de tê-lo ao meu lado em nossa mesa de trabalhos no "Mensageiros da Paz". Usando a palavra, deu-nos como lição suas experiências de espírita da primeira hora. De passagem por São Paulo, viera até nossa casa visitar Dona Rosina, que então morava conosco.

Quero consignar aqui um episódio que bem caracteriza o pai que nós, doze irmãos, ou seja, sete irmãos e cinco irmãs, tivemos.

Minha convalescença foi longa; não me mantinha em pé, de fraqueza. Papai carregava-me no colo. Um dia, apeteceu-me comer cocadas; papai sentou-me na poltrona, e disse-me que esperasse que ia comprá-las. Virou o lugarejo de pernas para o ar, e não as achou, nem cocos para fazê-las.

— Hoje não consegui nenhuma, mas amanhã você terá um pacote delas; tenha paciência.

Levantou-se de madrugada, afivelou as perneiras e foi a Barretos a pé. Voltou à noitinha com um picuá de cocadas brancas, pretas e amarelas, de todos os jeitos, que meu tio Olivério, confeiteiro exímio, fizera para mim. Entre ida e volta, caminhou quarenta e oito quilômetros a pé, só para me dar cocadas.

Assim era meu pai.

Meu Segundo Contato com o Espiritismo

Morávamos em Guaraci, uma outra cidade, distante apenas 33 km de Olímpia. Papai tinha um amigo da sua época de juventude chamado Fabiano, o qual veio visitá-lo trazendo-lhe um presente muito especial: um pacote contendo *O Livro dos Espíritos, O Livro dos Médiuns, O Evangelho segundo o Espiritismo, Céu e Inferno, A Gênese*, todos de Allan Kardec.

Papai era um grande leitor, apaixonado por Guerra Junqueiro, o grande poeta português; e sempre me fazia ler em voz alta as suas poesias, em nossos serões, à luz de um lampião de querosene. E passamos a ler Allan Kardec. Papai trabalhava, era sapateiro, mamãe costurava, cuidando da roupa, eu lia em voz alta. E assim, aos catorze anos, quando vim para São Paulo estudar, eu conhecia toda a obra de Kardec, de cor e salteada.

Em Guaraci, havia o Centro Espírita de dona Candinha, que funcionava num cômodo de sua casa. Papai começou a frequentá-lo, levando-me consigo. Encarregaram-me de ler a lição evangélica da noite, do livro *O Evangelho segundo o Espiritismo*. Ali assisti a um fenômeno de efeitos físicos muito interessante:

Formada a mesa mediúnica, enquanto eu lia o *Evangelho*, como que desprendendo-se do forro da sala, tivemos a impressão de cair um saco de café arrebentando-se com estrondo no assoalho, e esparramando os grãos pela sala, cobrindo-nos os pés até os tornozelos. Parei de ler, e dona Candinha ordenou:

— Continue a leitura, menino! Isso não é nada.

Durante toda a sessão, tivemos os pés mergulhados no café esparramado. Terminados os trabalhos, e ao avivar-se a luz do lampião, a sensação desapareceu.

E um dos assistentes, um sitiante da redondeza, exclamou:

— Gente! Eu catei um punhado de café, segurei ele na mão até agora, e estou com as mãos vazias?! O que aconteceu dona Candinha? — Mas nada foi respondido, apenas um sorriso foi nos dado e a sessão terminou.

O Círculo Esotérico
da Comunhão do Pensamento

No ano de 1927, papai filiou-se ao Círculo Esotérico da Comunhão do Pensamento; e tornou-se um esoterista. Uma onda de Espiritualidade Superior felicitou nosso lar. Papai formou sua biblioteca esotérica ao lado dos volumes de Allan Kardec. E lá naqueles confins onde morávamos (naquela época um sertão), mensalmente nos chegavam pacotes de livros espiritualistas, que papai encomendava à Livraria Pensamento. Manteve-se fiel ao Espiritismo e ao Esoterismo, para os quais guiou seus filhos, até seu desencarne, e ainda hoje, quando comparece em nossos trabalhos espirituais, anuncia-se com uma saudação esotérica.

O Espiritismo no Brasil tem uma dívida de gratidão muito grande para com o Esoterismo. No começo do século XX, o obscurantismo espiritual era muito grande no Brasil. O Espiritismo, apesar de já existir em nosso país desde o início do século XIX, ensaiava timidamente seus primeiros passos rumo a uma divulgação pública maior no Rio de Janeiro, na época, capital do país. Uma excomunhão implacável estigmatizava quem se aventurasse mesmo a pronunciar a palavra espiritismo. Se assim acontecia no Rio de Janeiro, calculem o que se passava no interior do país...

Foi então que Antônio Olívio Rodrigues, um astrólogo e estudioso do esoterismo e do magnetismo espiritual, fundou em 1907 o Círculo Esotérico da Comunhão do Pensamento, e ergueu bem alta a bandeira da Espiritualidade Superior, dando início ao primeiro Colégio Iniciático no Brasil. Em seu trabalho como editor, providenciou a tradução para nosso idioma das obras básicas do Esoterismo, e publicou-as pela então nascente Editora Pensamento, da qual foi o grande arauto por quase quarenta anos. Entretanto, se interpôs uma barreira entre essas obras e o seu público: as livrarias que existiam na época recusaram-se em vendê-las; pois temiam as reações do conservadorismo que então imperava no país. E Antônio Olívio Rodrigues valeu-se do correio. E pacotes de livros cobriram o território brasileiro desde os rincões mais esquecidos do Acre aos lugarejos, pequenas vilas e cidadelas escondidas no meio dos pampas do Rio Grande do Sul.

Por meio da grande divulgação do Esoterismo, foi se tornando mais fácil a aceitação do Espiritismo em todo o território nacional.

Dentre os semeadores que vieram desfazer as trevas espirituais que obscureciam nossa pátria, Antônio Olívio Rodrigues merece um lugar de carinhoso destaque nessa história, como um grande arauto da espiritualidade moderna.

O Início da minha Vida Ativa no Espiritismo

Passaram-se os anos.

E os anos foram passando, entre estudos, ilusões típicas da juventude, preocupações materiais, dificuldades, enfim a repetição comum da monotonia cotidiana, fizeram-me esquecer o Espiritismo, até que decidi consagrar-me a ele definitivamente, conforme disse em capítulos anteriores.

Dona Corina, médium dedicada, e José Cavalcante de Oliveira, zeloso diretor espiritual do Centro Espírita "Mensageiros da Paz", iniciaram o meu desenvolvimento mediúnico de incorporação. Pouco trabalhei como médium de incorporação; as circunstâncias levaram-me logo a ocupar o cargo de doutrinador. E como doutrinador, ao lado de dona Corina, consagrei-me às tarefas de desobsessão das quais jamais me afastei.

Eu conhecia apenas a obra de Allan Kardec; era-me necessário, muito necessário, conhecer tudo o mais que se escrevera sobre o Espiritismo. Corri à Livraria Allan Kardec, que ocupava uma saleta na rua Riachuelo, dirigida pelo professor Eloy Lacerda. Nessa época, a bibliografia espírita era pobre, pobríssima; pouco havia além das obras basilares. Comprei tudo o que tinha: Léon Denis, Gabriel Delanne, Camilo Flamarion, Ernesto Bozzano, e outros; gastei ao todo duzentos mil-réis*. Voltei para casa com dois pacotões de livros e pus-me a estudá-los e estudo-os até hoje.

Para as crianças, instalamos o Catecismo Espírita "Emmanuel", funcionando aos domingos pela manhã. Para os médiuns, instituímos aulas de mediunidade e de estudo acurado do Evangelho, além dos exercícios mediúnicos de desenvolvimento. (Para mim, o estudo e os exercícios devem caminhar lado a lado.) Periodicamente convidávamos oradores competentes para nossas sessões públicas de propaganda. Enfim, dinamizamos ao máximo nossos trabalhos espirituais.

---

* Valor equivalente a 2 mil reais nos dias de hoje.

Como me Tornei um Autor de Livros Espíritas*

Com o tempo, passei a escrever meus próprios livros. Eles eram simples, didáticos, de divulgação, foram escritos por necessidade de haver obras introdutórias para que as pessoas pudessem ter acesso mais fácil á Doutrina, sem a aridez das obras de autores clássicos como Kardec e outros. Naquele tempo, afora as obras básicas, de pouco ou nada se dispunha.

As crianças reclamaram e pediram por um livrinho, uma espécie de cartilha de primeiros passos, como um "catecismo espírita". Consultei o professor Eloy Lacerda, que me respondeu:

— Um livrinho como você quer, não há. É preciso escrevê-lo.

E assim nasceu *52 Lições de Catecismo Espírita*. As tais lições foram, a princípio, ditadas em aulas, depois compiladas em formato de livro.

Sei que no meio espírita há prevenção contra essa palavra; não vejo motivo para tal; religião nenhuma é proprietária dela, nem ela tem, jamais teve, a acepção que os puristas espíritas lhe pretendem dar. A palavra grega *katekhismos* significa livro elementar de instrução religiosa composto por perguntas e respostas ou doutrinação elementar sobre qualquer ciência ou arte. E o próprio Léon Denis usou-a em um de seus livros: *O Catecismo Espírita*. Assim, achei que seria um ótimo título para um livro de estudos básicos voltados para quem é leigo na Doutrina.

Nessa época, estudava-se muito *O Livro dos Médiuns* nas sessões de desenvolvimento de médiuns, pois não havia muita literatura sobre o assunto. Notei que a maioria dos alunos tinha dificuldade em entendê-lo. Eu precisava deixar o discurso das aulas bem simples, reduzido ao básico para fazer fluir o estudo. E de meus apontamentos nas aulas surgiu o livro *A Mediunidade sem Lágrimas*.

A partir desses estudos, formou-se um grupo reduzido de jovens em nosso núcleo espírita. E os rapazes e moças pediram algo que os guiasse moral, espiritual e materialmente dentro da Doutrina, como espíritas que eram; e assim surgiu a obra *Os Meus Deveres*, que versava sobre lições de moral baseadas na visão espírita do Evangelho.

---

* As obras do autor citadas neste capítulo estão com os nomes de suas primeiras edições, que hoje foram compiladas (com seu texto integral) em novos volumes. (N. do E.)

Com todos esses estudos indo bem, muitos queriam começar a se preparar para pregar o Espiritismo. Não sabiam a que livro recorrer. E assim surgiu mais um dos meus livrinhos, O *Orador Espírita*.

Uma vez, um determinado orador, discursando em uma de nossas sessões públicas de propaganda, repetiu muitas e muitas vezes que o Evangelho de Jesus era um livro difícil de compreender, a ponto de desanimar os ouvintes. Aquilo me contrariou. E pensando, pensando, cheguei à conclusão de que o Espiritismo explica e soluciona as dificuldades do Evangelho. Então escrevi O *Evangelho dos Humildes*.

E fizeram-me a seguinte pergunta:

— Sr. Eliseu, estudamos tanto o Espiritismo, mas como aplicá-lo?

Esse problema me tomou a mente e logo me veio a resposta na forma de mais um livrinho. E não tardou e estava pronto O *Espiritismo Aplicado*.

Após ter escrito esses livros, recebi uma carta do interior de Mato Grosso, pedindo-me orientação sobre organização de classes e aulas de catecismo espírita. E como resposta a esse pedido, surgiu mais um livrinho, o *Manual Prático do Professor de Catecismo Espírita*. E me lembrei de muitas coisas de minha infância no Itambé, em que Lina, estudante que passava ali as férias em casa de sua tia Leonor, nos serões, nos contava a história de Jesus. E por meio dessas lembranças, escrevi uma obra de divulgação do Evangelho para os pequenos, intitulada *Uma História de Jesus para os Pequeninos*, anos depois reeditado como O *Evangelho da Meninada*.

Certa vez, estava na Livraria Francesa, comprei um livro sobre o apóstolo Paulo. Não gostei dele. O autor, muito erudito, fazia referências ao apóstolo que me desagradaram. Acabei por escrever uma réplica àquilo que li e chamei a obra de O *Evangelho da Mediunidade*.

Posto que eu seja um médium psicógrafo, não escrevo os meus livros psicograficamente; prefiro escrevê-los através da observação e da pesquisa; recuso-me sistematicamente a inserir neles lições psicografadas, quaisquer que sejam, mesmo mínimas. Essa minha deliberação muito satisfez o plano espiritual. Meus livros são o fruto do estudo, da pesquisa e da observação e, naturalmente, da inspiração comum a todo escritor. Desde o princípio, constituiu-se uma comissão composta de nove membros, masculinos e femininos, que se reúne mensalmente para estudos e pesquisas sobre o Espiritismo, e também se encarrega da revisão das lições de meus livros, submetendo-as a uma análise minuciosa, que frequentemente me obriga a refazer inúmeras delas; só quando os nove membros estão unanimemente satisfeitos e de acordo, é que as aprovam.

Meus Editores

Assim que o original do livro *52 Lições de Catecismo Espírita*, ficou pronto, tratei de editá-lo; não encontrei editor que se interessasse em publicar a obra.

Meu irmão Walter tinha uma pequena tipografia; percebendo minha desolação, disse-me:

— Sossegue; eu o imprimirei.

E assim foi. Impressas as páginas, papai, auxiliado por meu irmão Arlindo, entrou em ação: encadernou os mil exemplares da primeira edição. O mesmo aconteceu depois, com as obras *A Mediunidade sem Lágrimas*, e *O Orador Espírita*.

Orgulhosamente de posse dos exemplares do primeiro livrinho, fui tentar colocá-lo nas livrarias: nenhuma o aceitou, nem em consignação. O gerente de uma delas declarou-me categoricamente:

— Se eu puser isso na prateleira, perderei mais de dois terços da minha freguesia, pois sou fornecedor de colégios, cujos diretores não me pouparão.

Com pacotes de livros, percorri os Centros Espíritas à noite, não me deram a menor atenção.

Resolvi fundar um jornal para as crianças espíritas. E assim surgiu *A Infância Espírita*, que em pouco tempo contava com quatro mil assinantes, e circulou mensalmente por dezesseis anos. E as edições de meus livros esgotavam-se pelo reembolso postal.

Aconteceu que a Livraria Allan Kardec passou para as mãos de João Baptista Lino, e um dia ele me disse:

— Teus livros já têm público, mas é preciso melhorá-los; são graficamente feios. Vou ser teu editor.

Concordei.

Lino transformou a Livraria Allan Kardec em Editora Allan Kardec Limitada. Daí por diante, publicou todos os meus livros, popularizando-os no meio espírita; nunca deixou que faltassem no mercado.

Sem experiência no ramo, Lino precisou de uma nova diretoria especializada para a editora. As edições de meus livros passaram a ser impressas de forma muito espaçada; o público acabava por esquecê-los; e o esforço de Lino perdia-se. Contudo, meditando sobre essa situação, lembrei-me de Diaulas Riedel, sucessor de Antônio Olívio Rodrigues e entusiasta continuador de sua obra na Editora Pensamento, matriz brasileira de todo o conhecimento esotérico.

Então o procurei. Uma amizade carinhosa já nos unia havia muito tempo.

Em seus escritórios, no antigo Largo São Paulo, no bairro da Liberdade, em São Paulo, Diaulas me recebeu de braços abertos. E lhe expus o motivo de minha visita, sobre o que ele me respondeu:

— Quero fazer da Editora Pensamento uma grande editora de obras espiritualistas; e naturalmente os livros espíritas têm lugar nela. Contudo, a Editora Pensamento é muitíssimo responsável. Ela possui um Conselho Superior. Ainda que você me mereça confiança, seus livros passarão por ele; se forem aprovados, bem; senão...

E foram aprovados. Assim, com uma nova casa editorial e uma distribuição em nível nacional, minha obra passou a ter livre circulação em diversos tipos de pontos de venda, chegando até onde, por necessidade e destino, deveriam chegar.

Meu Encontro com Jacqueline

LEMBRO-ME BEM. Foi no ano de 1941. Os trabalhos em benefício dos sofredores iam adiantados. E, abruptamente, um Espírito em prantos se apossou de um de nossos médiuns, e tomado de intensa emoção, dirigiu-se a mim aos gritos:

— É você mesmo, onde vim encontrá-lo?! O que faz você aqui?

E um choro convulsivo embargou-lhe a voz. Faltam-me palavras para explicar-lhes o que se passou comigo: senti um estremecimento, e como que uma revolução interior; afigurou-se-me que me desgarrava do corpo carnal; independentemente de minha vontade, meu cérebro funcionava querendo recordar... recordar...

Não pude continuar a doutrinação; dona Corina tomou-me o lugar; consolou o Espírito o mais que pôde. Acalmando-se, repetia aflitivamente:

— É ele, meu Deus! É ele! Onde o encontro! O que é isto? O que ele faz aqui? Como viemos parar aqui?

O Espírito, ligeiramente esclarecido, foi retirado do médium pela nossa corrente espiritual, que o abrigaria num Posto de Socorro do Mundo Espiritual. E deixou o nome: Jacqueline Sangraux.

Na sessão seguinte de sofredores, compareceu mais equilibrada, e disse-nos:

— Aqui estou esperando por vossas orações. Depois de ter chorado livremente, venho ouvir vossas preces, a fim de fortificar o meu Espírito sofredor.

Quinze dias depois, já equilibrada, falou-nos:

— Amados irmãos, muito obrigada por tudo o que estão fazendo por mim, pobre sofredora que sou. Só agora me é dado dizer quanto me equivoquei em minha caminhada, por todos esses transtornos de meu Espírito. Agora estou no meio de pessoas que parecem demonstrar grande interesse por mim. Quem são? Não sei. Não as conhecia antes; agora conheço-as todas, e com alegria percebo que aos poucos vou conseguindo ter as forças necessárias para encarar o meu futuro com mais segurança, e mais um pouco de paciência. Tenho fé e mais ainda a terei. Sim, é a irmã Jacqueline, que agora sabe dizer em nome de Deus Todo-Poderoso.

"Graças a vossas preces, o meu orgulho se está dissipando, e com a ajuda de nossos queridos irmãos, José Cavalcante de Oliveira e Francisco de Paula Antunes, e outros mais que aqui estão ao meu lado, ganharei aquilo que me falta, e que perdi por não querer ser mais sincera perante o Pai.

"Fiquei admirada de te encontrar aqui, também procurando corrigir um passado de orgulho e soberba. Agora, Eliseu, não posso dizer-te mais sobre esse passado, que foi belo aos nossos olhos de pecadores, mas horrível aos olhos de Deus. Graças a Jesus, começaremos a apagar as faltas. Dentro em breve seremos melhores. Obtive permissão para ser um soldado do *Mensageiros da Paz*, e trabalharei ao teu lado."

Embora cada vez mais espaçadas, seguiram-se ligeiras manifestações de Jacqueline dando-me notícias; depois cessaram.

Fiel ao meu princípio de não evocar Espíritos, nem de provocar-lhes a manifestação, esperando que se apresentem espontaneamente, nada mais obtive dela, embora soubesse com certeza íntima que ela integrava nossa equipe espiritual; era quanto me bastava; o trabalho era tudo.

Dobraram-se os anos.

Em 1979, participando da costumeira sessão mensal do "Mensageiros da Paz", um Espírito tomou um médium, e pronunciou comovente preleção sobre "O Óbulo da Viúva"; e no final dirigiu-se carinhosamente a mim: era Jacqueline.

Desde então mantemos afetuosa correspondência, servindo-nos de secretário o médium e meu amigo íntimo O. F.

E conversando com O. F., perguntei-lhe:

— Em nossos desdobramentos da madrugada, temos estado com Jacqueline; mas não consigo lembrar-me de como ela é, de sua fisionomia, de sua aparência geral; fica-me apenas a lembrança de nossos encontros. Você se lembra?

— Sim, Eliseu, recordo-me perfeitamente; porém, proibiu-me terminantemente falar disso a você; ela é bonita, é loira; mas um quê de tristeza ensombra-lhe o semblante, não sorri.

O Encontro com Jacques e os Preparativos para Socorrê-lo

Os fatos que se seguem passaram-se no início de 1980.

Era uma noite de março. Deitei-me na hora habitual. Com o corpo físico refeito pelo descanso, e repousando tranquilamente, desdobrei-me. O. F. esperava-me; tínhamos tarefas definidas para a madrugada.

Eis então que sou atacado brutalmente por socos e pontapés de um Espírito eviscerado de ódio. Atracamo-nos em uma luta corporal de forma que nos misturávamos em termos energéticos. Percebi que Jacqueline tentava apartar-nos e gritei:

— O. F., tire Jacqueline daqui; não quero que ela me veja neste estado!

E a luta prosseguiu. Despertei banhado em suor, e com a impressão nítida de ter vindo de um ringue de luta livre.

Na hora do almoço, O. F. me telefonou:

— Você se lembra do que lhe aconteceu nesta madrugada?

Sim, lembrava-me e contei-lhe o fato.

— Trata-se de um antigo inimigo do seu passado, um familiar de outras eras a quem muito prejudicaste, e que não te perdoou ainda. Cuidado com ele!

Tais palavras chocaram-me: inimigo do passado?! Ainda o tinha?

E tomei uma resolução: reconciliar-me com ele. Mandei um bilhete a O. F., assim redigido:

"Caro O. F.,

"Caso seja possível, na primeira oportunidade em que você conversar com Jacqueline informe-se sobre aquele inimigo com o qual lutei. Não o encontrei mais e tenho orado por ele, rogando-lhe que me perdoe, que nos reconciliemos. Afinal, creio que já não somos crianças espirituais. Gostaria que nos tornássemos amigos ainda nesta minha atual reencarnação. Se eu precisar fazer algo para isso, farei."

A resposta não se fez esperar; ei-la:

"Querido Eliseu,

"Que os bons tempos que passamos outrora juntos jamais se distanciem de nós; e com eles temos também os maus momentos. Nosso Jacques tudo faz a fim de te encontrar para novo ataque. Tudo temos feito para que isso não aconteça, e tens grande auxílio. Mas ontem, lá em nossa pequena aldeia, eu e tu destruímos esse irmão, utilizando-nos do duelo. E hoje peço a Deus que nos ajude a socorrê-lo. E não só ele, como também mamãe, que te odeia. Tu precisas auxiliá-los, e vamos fazê-lo. Irmão Bráulio, por meio de O. F., te dará as instruções. Boa noite, querido esposo de ontem.

"Jacqueline Sangraux."

Lágrimas de muita dor e grande amargura escorreram-me pelas faces. E vi-me em toda minha miséria moral: "Sou um assassino, embora cometesse o crime animando outro corpo já pulverizado no passado, mas o Espírito era o mesmo de hoje. O corpo é um instrumento, o Espírito é tudo. O criminoso é o Espírito, e não o corpo".

O desespero tomava conta de mim; Jacqueline animava-me e mesmo chegou a ser enérgica comigo.

E aconteceu num de meus momentos de oração, chegar-me ao ouvido, como um doce murmúrio, uma voz que vinha de muito longe, ordenando-me:

— Trabalha.

Os preparativos para o socorro a Jacques foram simples: tratava-se de doutriná-lo, de destruir aquela cristalização, libertá-lo daquela ideoplastia do passado distante em que se via como no dia da tragédia. Vivia a vida ilusória de outrora, alimentando-a com o ódio que nutria por mim.

Irmão Bráulio, protetor de O. F., cuidadosamente preparou tudo. A doutrinação se fazia de madrugada, a princípio por O. F.; irmão Bráulio se conservava invisível; proibiram-me acompanhá-los; sempre que se tocava em perdão, bradava com ódio: "Não perdoarei, não e não!"

Logo Jacques desconfiou que O. F. era meu amigo, e não quis mais recebê-lo. Tocou a vez de F. B., que o visitava, em desdobramento pela madrugada, disfarçado de pescador, pois Jacques e sua mãe ideoplastizaram a sua vivenda antiga, numa aldeia de pescadores, a qual mencionei anteriormente.

Jacqueline por vezes tremia, dizendo-me:

— Se com Jacques é assim, o que não será com mamãe, Espírito de gênio forte e dominador!

Coube-me a vez de tranquilizá-la, infundindo-lhe confiança. E através de preces, dirigi apelos mentais a todos os nossos amigos daquele tempo, que estivessem em condições de ajudar-nos.

O Encontro com *Mère* Balbine

Era uma terça-feira, dia de sessão pública do Grupo Espírita "Peregrinos da Paz".

Como de costume, fui o primeiro a chegar. E, ao abrir a porta, vejo um Espírito feminino, aparentando uns sessenta anos, muito bem trajada à moda das matronas do século XVIII, vestido azul-claro chamalotado, touca rendilhada na cabeça, o rendilhado engomado, uma capinha da mesma cor, também rendilhada, cobria-lhe as costas, os ombros até os braços nos cotovelos, sentada na última cadeira, da última fileira, ao lado da janela. Tinha olhos inquisitivos, faces levemente rosadas; e para sua faixa etária era uma bela mulher.

Não sou vidente; raríssimas vezes entrevejo algo; mas eu a via nitidamente. Tive um ligeiro sobressalto, e Jacqueline instruiu-me imediatamente:

— Sim, Eliseu, é ela e não percebeu que você a vê; não deixe que o perceba. Parece-me que algo de bom acontecerá.

Tomei o meu lugar habitual na ponta da mesa, e comecei atender aos consulentes, porque era dia de orientações mediúnicas. E desfilou a fila de necessitados, cujas dores eu anotava pacientemente. Alguém postou-se ao meu lado, e por cima de meu ombro lia as anotações: era *Mère* Balbine.

Na escala mensal, tocava-me o dia de comentar a lição evangélica. *Mère*" Balbine voltou ao seu lugar para ouvir-me, e confesso que me senti acanhado ao falar diante dela.

Passou-se à aplicação dos passes à meia-luz. Como de costume, fiquei de papel e lápis à mão. Súbito meu braço é fortemente tomado, e se põe a escrever:

"Que transformação, que transformação, meu Deus! Que transformação me foi dada ver hoje, meu Deus! Que devo fazer, meu Deus! Vejo amigos de outros tempos que me sorriem, que me abraçam, que me beijam! Estou confusa, confusa! Muito confusa! Não compreendo a língua em que estou escrevendo, e ele me compreende e escreve! Sim, sim, ele sabia muito bem minha língua, era professor. Depois... Oh!, depois..."

E Jacqueline completou:

"Caro Eliseu, ela não me viu. Foi apenas uma experiência, por ordem do Irmão Bráulio. Ela está agora nos braços de amigos nossos que a amaram. A experiência de hoje foi bem-sucedida. Aguardemos confiantes. Jacqueline Sangraux, feliz, feliz, feliz."

E na reunião seguinte, deu-me nova comunicação, em puro francês, que aqui transcrevo traduzida:

"Vi tudo e agora compreendo a situação. Bendigo esta hora, e peço-te que me ajudes a levar socorro a nosso Jacques. Meus amigos de outrora estão aqui e me dizem que nos ajudarão. Espero que muito breve nosso Jacques esteja aqui conosco para que todos tenhamos felicidade. Eu te perdoo e te peço por nós. Desejo trabalhar contigo tão logo puder. Viste Jacqueline? Tenho uma tão grande vontade de vê-la, e dizer-lhe de meus novos pensamentos para contigo. Sim, agora sei esperar, e farei o possível para te ajudar aqui, breve, brevemente.

"Tua Balbine."

Como de costume, no quarto domingo de cada mês estava em São José do Rio Preto, e pela manhã participava da reunião de passes e lição evangélica na Associação Espírita "Allan Kardec". E no primeiro que se seguiu aos acontecimentos que lhes relatei, ao levantar-me para comentar a lição, quem vejo de pé, no fundo do salão, ao lado de meu amigo Rubens? *Mère* Balbine, toda ouvidos.

Ao tomar o meu lugar de médium passista na câmara de passes, *Mère* Balbine, que me seguira, perguntou-me ao ouvido:

— Posso te ajudar?

Estendendo meus braços, respondi-lhe:

— Trabalhemos.

Colocou firmemente os dois braços sobre os meus, e amorosamente prestou auxílio espiritual aos pacientes encaminhados à nossa cadeira. Desde então é minha companheira constante em meus trabalhos de socorro espiritual. Correspondemo-nos regularmente em francês, e seu amor por mim floriu novamente depois de quase dois séculos. E por meio de O. F., deu-me o seu nome completo: Marie Balbine Saint--Nazaire Sangraux.

A Reconciliação

Chegou o dia decisivo.

Irmão Bráulio escalou os seguintes médiuns em condições positivas de trabalho: O. F., I. B. B., M. A., C. A. G., e eu, que seria o doutrinador. A sessão se realizaria no "Mensageiros da Paz", às 20 horas, proibidos para quaisquer assistentes.

À minha chegada, às 19h30, O. F. me informou:

— Jacques já está aqui, trazido por nossa equipe espiritual; recolheram-no no ambulatório, e está revoltadíssimo.

Irmão Bráulio recomendou-me:

— Faça uma doutrinação amorosa; não tenha pressa; não se exalte; não discuta. O problema da linguagem não existe; use o português que ele conhece perfeitamente. Vamos trazê-lo.

E Jacques manifestou-se pelo médium O. F. bradando:

— Não perdoo, não perdoo, não perdoo!

— Perdoa-me, Jacques.

— Perdoar, eu? Jamais, nunca! Nunca, ouviste? Abri-te as portas de minha casa, recebendo-te como um irmão...

— Perdoa-me, Jacques.

— ... e tu não eras um irmão... eras uma víbora peçonhenta!

— Perdoa-me, Jacques.

— Confiei-te nossos negócios e tu nos roubaste, dilapidaste nosso patrimônio, conduziste-nos à falência, a mais completa ruína...

E a doutrinação continuou: Jacques atirando-me no rosto os meus atos vergonhosos, que me zurziam as faces como um chicote, afirmando e reafirmando que jamais me perdoaria, e eu a suplicar-lhe perdão.

Que poderia eu fazer senão isso? Eu era o devedor sem recursos, e ele o credor cheio de razões! Os outros médiuns, em profunda concentração, sustentavam fluidicamente O. F.

— Não penses que eu não te persegui. Persegui-te e muito. Fui sempre uma barreira a barrar-te em todas as tuas aspirações. Perdi-te de vista por muito tempo; não sabia por onde andavas. Enfim te descobri reencarnado no presente. E desde o ventre de tua mãe experimentei novamente a perseguição. Pergunta-lhe quanto sofreu quando se engravidou de ti; pergunta-lhe, ela está aqui.

— Perdoa-me, Jacques!

— Nunca, nunca, compreendes? Quando a firma em que trabalhavas quebrou, largando-te na rua da amargura, como me senti feliz! Ri-te na cara, e gritei: é pouco, muito pouco! Ainda é muito pouco!

— Perdoa-me, Jacques!

— Não esperes por isso! O acidente vascular cerebral que sofreste, quem o provocou foi eu, e para isso fui buscar um médico das trevas. Queria ver-te estendido na rua, como eu fiquei. A mão que te salvou foi a mão infantil de teu neto; sem ele ali ao teu lado, não me terias escapado.

— Perdoa-me, Jacques. Eu era um ignorante, não conhecia os meus deveres para com o próximo...

— Não conhecias teus deveres! E o que estudavas então em teus livros, em tua vasta biblioteca?

Sentia-me fraquejar. A esperança de uma reconciliação esvaia-se. O. F. dava evidentes sinais de cansaço. Eu não tinha argumentos para contradizê-lo, não tinha com que desculpar-me a seus olhos. E Jacques continuou:

— Pobre de mamãe, pobrezinha, quanto sofreu! Que sofrimento! E Jacqueline, coitadinha! Estavas na prisão e ela prostituiu-se para ajudar-te... para levar-te comida no cárcere...

Ante tal revelação, Jacqueline prostituída, a suprema desventura de uma mulher, uma luva de ferro entrou-me pelo peito; e tomando-me o coração por inteiro, espremeu-o até reduzi-lo a um bagaço. E vi então que a vida para mim, quer neste, quer no outro plano, não teria mais valor sem o perdão de Jacques.

Recuei a cadeira, levantei-me, e caí de joelhos a seus pés, abracei-os, beijei-os, e em lágrimas supliquei-lhe:

— Perdoa-me, Jacques. Se não puderes perdoar-me, esmaga-me!

Emudeceu. Uma luta dolorosa travou-se em seu íntimo. Ao cabo de instantes, recuou a cadeira, levantou-se, abaixou-se, desvencilhou-me de seus pés, tomou-me pelos braços, abraçou-me, beijou-me e disse-me:

— Eu te perdoo, Maurício.

Um apertado abraço tornou a unir nossos corações; nossas lágrimas misturaram-se. Estreitando-o mais fortemente em meu peito, respondi-lhe:

— Jacques, como é sincero o teu perdão, pois me chamaste pelo meu nome antigo, como quando convivíamos em nossa velha Nantes!

A ideoplastia em que Jacques se encerrava desfez-se. E livre começou a ver o presente.

— Quanta gente, quantos amigos!... O Pierre, o Antoine, a tia Marguerite e... mamãe!! A senhora está aí abraçada a ele?! A senhora também o perdoou?

E *Mère* Balbine, tomando a médium I. B. B., respondeu-lhe:

— Também, meu filho. Para sermos felizes, assim tem de ser.

— E Jaqueline, onde está? Há tanto tempo que não a vejo!

E Jacqueline, incorporando-se pelo médium F. B., respondeu-lhe:

— Aqui estou, Jacques.

— Você também o perdoou?

— Sim, Jacques, também. Não há efeito sem causa, e para que sofrêssemos tudo o que sofremos, houve uma causa que logo você compreenderá.

O reencontro motivou uma conversa amorosa entre mãe e filhos, que desde muito não se viam, saudosos uns dos outros.

Então Jacques exclamou:

— Irmão L., você... protetor dele também, de nós dois!! E acompanha-nos há séculos? Vai levar-me consigo? Irei... irei...

A recuperação de Jacques foi rápida. Espírito ativo e trabalhador, integra as equipes espirituais de serviço do "Mensageiros da Paz" e do "Peregrinos da Paz". Dedica-se, como eu, às tarefas de desobsessão. Correspondemo-nos em francês a meu pedido, posto que ele saiba o português, para que eu o sinta mais junto de mim. E começa sua mensagem invariavelmente assim: "Oui, Maurice, ici Jacques..." E a termina assim: "Au revoir, mon frère, je vous serre la main comme autrefois..." (Sim, Maurício, aqui Jacques... Até logo, meu irmão, eu te aperto a mão como outrora...)

Na última comemoração que houve no "Mensageiros da Paz", do nascimento de Allan Kardec, *Mère* Balbine usou da palavra por um médium, fez comovente prece de agradecimento ao Grande Codificador, terminando-a comovidamente assim:

— Abençoado sejas pela Doutrina Sublime que nos trouxeste. Se a tivéssemos conhecido em tempo, quanto sofrimento eu e os meus teríamos evitado. E hoje, graças a ela, tenho os meus queridos reunidos ao meu coração.

Certa vez, perguntei a Jacques sobre Jacqueline. Respondeu-me:

— Estou proibido de falar-te dela... mas ela é bonita, Maurício, ela é luminosa. Trabalha com teu pai.

E O. F. informou-me:

— A nuvem de tristeza que ensombrava o rosto de Jacqueline desapareceu; ela voltou a sorrir.

Parte III

Como um Livro Redimiu uma Ex-Baronesa de sua Vida de Soberba

> O que vês, escreve-o num livro...
> *Apocalipse I:11*

Estamos em meio do século XIX. Um dos elegantes palacetes do bairro dos Campos Elísios apresenta-se festivo. Dos tílburis, das caleches, de carruagens elegantes descia a nobreza paulistana: eles, ostentando com suas roupas oficiais de gala o tórax coberto de medalhas e condecorações; elas, trajando os últimos figurinos de Paris o colo, os dedos, os pulsos, a cabeça, faiscantes de joias.

A festividade era em honra à baronesinha, filha do barão de..., que estava completando vinte e um anos, e seus pais fazem disso um acontecimento social da mais alta importância. Toda a aristocracia havia sido convidada.

No salão, caprichosamente iluminado e florido, havia uma enorme concentração de nobres. De todo o ambiente exalava um forte odor de perfumes caros. Escravos, em traje de gala, transitavam servindo licores finos em cálices de cristal e bandejas de prata, enquanto os convidados aguardavam o jantar.

A baronesinha era alvo de homenagens; trajava um luxuoso vestido branco, largamente rodado, recamado de minúsculas pedrinhas brancas semipreciosas; um espartilho deixa à mostra seu busto de pele clara e rósea, chama a atenção de todos a sua volta, e no colo de seus seios, repousa um lindo colar de pérolas. Com seus braços nus, apenas uma das mãos ostenta a cintilação de um anel de brilhante; segurando-lhe os cabelos, que lhe caem em cachos sobre os ombros, um aro de ouro no qual se engasta uma coroazinha heráldica que ostenta na cabeça e deixa todos os presentes encantados com sua beleza.

Ouve-se uma reclamação no salão. Um dos escravos deixou cair um cálice de licor, respingando ligeiramente a barra do vestido de uma dama. A baronesinha lança-lhe um olhar feroz. Retira-se delicadamente da vista dos demais e manda chamar o escravo. E, apanhando um açoite, corta-lhe raivosamente o rosto a chicotadas. E após seu descabido acesso de cólera, volta sorrindo ao salão.

Enquanto não servem o jantar, ouçamos os mexericos. Aproximemo-nos dos grupos.

— Então, sr. barão, o senhor acha mesmo que caminhamos para a extinção da escravatura?

— Sim, o clamor contra ela é mundial. Temos de nos preparar para isso.

— E a herança que recebemos da Revolução Francesa: Liberdade, Igualdade, Fraternidade. Onde iremos parar?

— Os núcleos abolicionistas se espalham por toda parte...

— E os republicanos também...

— A Abolição trará a República...

— Deus nos livre...

Em meio a tudo isso, um grupo de senhoras cochicham e comentam sobre a baronesinha.

— É uma herdeira riquíssima e mimadíssima. O barão tem chácaras e fazendas enormes de café. Em suas chácaras há cultivo de chá.

— A baronesinha está maravilhosa...

— Dizem que passa temporadas no Rio de Janeiro, na Corte, onde recebe tratamento de princesa. — Ela estuda no Rio?

— Estuda em Paris! Agora a moda é esta!

— Ela promove reuniões beneficentes...

— Sim, para ser homenageada! As homenagens são todas para ela!

Por meio de uma análise detalhada, discutem sobre os últimos figurinos franceses. Um pouco mais adiante, se ouvem murmúrios que vêm da cozinha, que é dirigida por uma tia pobre da baronesinha. Dona Veridiana pede aos criados ali presentes que o jantar deve sair impecável e diz:

— Senão a baronesinha... nem é bom pensar no que pode fazer!

De volta ao salão, eis que entra a aniversariante; quer certificar-se de que tudo corre bem. No meio da criadagem avista o negro há pouco chicoteado; enfurece-se e grita:

— Quem te permitiu sua entrada aqui, cão? Quem te fez o curativo?

— Fui eu, baronesa (não admite que a chamem por menos), seu chicote quase lhe vaza um olho...

— E quem mandou que o tratasses? Raça repugnante, raça imunda, não a suporto, não a suporto. Tranquem-no na cafua, já!

A cafua era o terror dos míseros cativos. Uma pequena cela de cujas paredes pendem grossas correntes para prender ali seus infelizes. E ele fica lá por dias e dias, somente a pão e água, até que se lembrem de soltá-lo. Alguns saem de lá quase moribundos.

— Mas, baronesa!...

— Cala-te! Estás a tomar-lhe as dores? És porventura uma abolicionista?

Ante o tom de voz que insinua uma ameaça, tia Veridiana se cala e, reprimindo seus sentimentos, continua o trabalho. Porém, ela pensa alto demais; acerquemo-nos dela:

"Tirana! Quem dirá que aquele vestido branco veste uma víbora, um carrasco? Alimenta um fortíssimo preconceito racial. Trata melhor, muito melhor os animais do que os negros, dos quais tem nojo. Suas mucamas vivem com as costas lanhadas de tanto apanhar. Quando vai às fazendas, às chácaras, é o pavor da escravaria. Quantas pobres mães choram por seus filhos desequilibrados e perdidos? Quantas famílias desfeitas, separadas, seus membros vendidos a negreiros diversos! Que coração duro! De nada valem as súplicas, as lamentações, o choro dos pobres escravos brutalmente separados de seus familiares! E os filhos pequeninos desgarrados a relho da saia de suas mãezinhas... Aconselhei-a muito, fiz-lhe ver que estava errada, que eles também são filhos de Deus, como nós. Ela tinha poderes para minorar-lhes o sofrimento, para torná-los felizes se tivesse um pouco de piedade deles. Responde-me sempre: 'Se papai e mamãe não me dizem nada, é você que quer intrometer-se?' Cada dia que passa, torna-se mais intratável, mais orgulhosa."

O jantar foi digno dos antigos palacetes de tempos idos de Luís XIV, da França pré-revolucionária. Realmente, tia Veridiana caprichou mesmo!

Durante a sobremesa, fizeram-se os brindes. Falaram vários oradores que não lhe pouparam louvores, os quais ela sentia cair-lhe sobre os ombros como chuva de rosas. Um deles lhe fez um elogio arrebatador, dizendo que a baronesinha era "um astro fulgurante nos céus da nobreza brasileira".

A recepção terminou. No vestíbulo, os anfitriões recebem a despedida dos convidados. E como as rodas do carro que nos conduzia, o tempo também avançou, e em sua sequência trouxe transformações profundas à família do barão. Foi então que, a baronesinha, já idosa, desencarnou.

Como era de se esperar, por conta de seus atos de maldade, orgulho, vaidade e soberba, seu desencarne não foi tranquilo. Ao sentir-se fora do corpo de carne, nem houve tempo para sentir o que estava acontecendo, foi apanhada por uma rede negra e viscosa, tal como uma teia de aranha. Seus ex-escravos que haviam desencarnado, aqueles que não a perdoaram, carregaram-na para uma gruta escura nas regiões inferiores do Plano Espiritual.

No chão, no meio da larga caverna sinistramente iluminada por fracas tochas, emaranhada nas malhas viscosas, jaz a ex-baronesinha. Seus ex-cativos, riem satanicamente num coro monótono, sapateiam ao redor dela; entoando uma cantilena melancólica e soturna, e cada vez que repetem o refrão em voz mais alta, uma chuva de lágrimas incandescente cai sobre ela, e um relho manejado por mãos invisíveis estala sobre ela, como se fosse o retorno kármico do pranto das mães que choraram por seus filhos; dos pobres casais vendidos separados; das famílias desfeitas e dos açoites nas costas nuas de suas mucamas.

A ex-baronesinha não é mais aquela moça de pele alva, rosada, cetinosa: sua pele agora é negra. O seu rígido e fortíssimo preconceito racial, sua repugnância por pessoas de origem africana, fizeram com que o seu períspirito se tornasse escuro. Uma tristeza e um desespero infindos refletem-se em seu semblante amargurado. Ela luta dolorosamente para se libertar daquela prisão pegajosa. Seus carrascos zombam dela em gargalhadas de escárnio e redobram as acusações. Mas seus tormentos e seu retorno kármico apenas teve início.

O tempo passa e estamos agora no início do século XX.

Agora a ex-baronesinha torna-se filha de negros e reencarna como Carolina Maria de Jesus. Nascida no estado de Minas Gerais em 14 de março de 1914. Um grande desespero segue-a sempre; tem asco da cor de sua própria pele; vive num barraco de paredes de lata e tábuas podres; tem ânsias de morar num casarão de bairro elegante. Não sabe quem é seu pai. Tem medo de dormir, porque frequentemente seu sono é povoado de visões de sua grandeza passada, e acorda aflita, agoniada. Reside na favela do Canindé, no bairro homônimo da cidade de São Paulo. Sua tapera fica no número 9 da Rua A, como todos os outros cubículos, é feito de restos de madeira-semi apodrecida, de pedaços de zinco, de latas enferrujadas. Tem dois cômodos: um deles serve de quarto, de sala e de cozinha; o outro é pequenino, mal cabe nele uma pessoa. Sua "mobília" constitui-se de mesinha, duas ou três cadeiras, um banquinho, uma prateleirinha com latas e alguns pratos velhos com suas beiradas lascadas e algumas canecas de alumínio; tudo apanhado no lixo. À noite, desperta com as ratazanas a correr-lhe pelo rosto, vindas das lixeiras próximas e de terrenos baldios que circundam a favela.

Como quase todas as pessoas que vivem em favelas, passa por grande desespero por conta da pobreza extrema e da falta de saneamento básico. Trabalha como catadora de papel e pedaços de ferro noite adentro. Recolhe-se de madrugada, esfomeada, e em sua prateleira... raramente tem o que comer. De manhã, sai com os sacos nas costas: vai vender nos depósitos de papel usado e ferro-velho o que recolhe à noite.

Com o dinheirinho do pagamento faz a compra para o almoço, e fica feliz se sobrar um pouquinho para o jantar também.

A ex-baronesinha é mãe de três filhos: uma menina e dois meninos. Agora, sente na própria carne o sofrimento a que submetia as mães, suas escravas de outrora. Em suas andanças como catadora de resíduos para reciclagem, há uma rua que a atrai particularmente no bairro dos Campos Elíseos. Ela sente uma impressão muito forte de já ter vivido por ali, tendo uma sensação muito familiar de estar de alguma forma ligada ao nome daquela rua, e se entristece.

Um dia, no meio da papelada velha que estava recolhendo, Carolina encontra alguns cadernos já semiusados e resolve escrever um livro. Ela sabe ler e escrever! Na cidade de Sacramento, onde nasceu, em Minas Gerais, cursou dois anos de estudo, realizados na primeira escola espírita do Brasil, o Colégio Allan Kardec, fundado por Eurípedes Barsanulfo. Então Carolina escreve um diário sobre as suas vivências: a miséria, a fome, a degradação de viver uma situação de extrema pobreza na favela, sobre a rotina dentro e fora dos barracos; enfim, como vivem as vinte e quatro horas do dia os moradores de uma favela.

Certa vez, um jornalista foi incumbido de fazer uma reportagem sobre um fato ocorrido na favela do Canindé e descobriu por acaso os trinta e cinco cadernos sujos escritos por Carolina de Jesus. A partir desse contato, nasceu um livro que estourou como uma bomba nas livrarias nos anos 1960. Foi um *best-seller* de verdade. Multiplicaram-se as edições. Um cronista, em um artigo publicado em jornal de nossa capital, disse: "É um livro comovente, interessante, pelo que nele há de experiência autêntica, de realismo dramático, de vivência humana, quase apaixonante; porém, fora dos limites da literatura. É um documentário, não uma obra de arte".*

A ex-baronesinha ganha uma pequena fortuna em direitos autorais; muda-se para uma casa de alvenaria. Contudo, incapaz de gerir seus ganhos, é enganada por espertalhões e tudo o que a editora lhe pagou desaparece como uma bolha de sabão. Da grandeza efêmera só lhe fica a roupa do corpo. Tem asco de voltar a viver na favela de onde saiu. Veio a falecer aos 62 anos, em São Paulo, no dia 13 de fevereiro de 1977, vítima de insuficiência respiratória.

---

* Visão jornalística da época da primeira edição do livro. Hoje sabemos que a obra *Quarto de Despejo* se insere no contexto das narrativas femininas que tiveram início na década de 1970, dentro da "literatura das vozes subalternas". (N. do E.)

Não sabe o que lhe acontece: vê-se de pé, leve, livre da dor que a atormentou durante a semana; seu corpo está estirado no colchão coberto com uma colcha de sacos de estopa. Subitamente, uma escada se desdobra a seus pés, vindo das alturas, das nuvens opalinas, e por ela desce uma mulher coberta por uma nuvem de luz.

— Céus! É tia Veridiana — brada a ex-baronesinha, recordando-se.

Abraçam-se em lágrimas.

E de braços dados com tia Veridiana, a ex-favelada sobe a escadaria e penetra num edifício resplandecente; no meio de vasto salão há uma mesinha, e sobre ela um livro aberto ao meio irradia luz, muita luz: é o seu livro.

E uma voz meiga, como meiga é a voz da mãezinha a acalentar o filho de encontro ao coração, se faz ouvir:

— Irmã, este livro que escreveste redimiu-te de um passado culposo carregado de soberba, orgulho e maus-tratos com as pessoas à sua volta. Bem-vinda sejas às Regiões da Luz.

O livro? Chamava-se *Quarto de Despejo*, e tal como mencionei anteriormente, foi um sucesso editorial da década de 1960. A autora pôde se redimir dos desmandos de sua encarnação passada por meio de seu relato sobre uma humilde mulher negra que viveu em estado de penúria por quase toda a vida.

Como um Trabalho de Caridade Curou uma Doença Kármica

> Se alguém vir seu irmão cometer pecado que não leva à morte, ore, e Deus dará vida ao que pecou. Refiro-me àqueles cujo pecado não leva à morte. Há pecado que leva à morte; não estou dizendo que se deva orar por este.
>
> *João, 5:16*

CERTA VEZ, me deparei com o estranho caso de uma moça que sofria de uma enfermidade estranha. Nada a curava. Era na boca. Depois que completara doze anos, arrebentavam-lhe feridas desde a faringe, a língua, a boca, e por vezes até dentro do nariz. Seu sofrimento era horrível. No rosto, nada, nenhuma chaga; pelo contrário, sua pele era cetinosa, rosada. E nos intervalos em que as feridas lhe davam tréguas, era bem bonita. Mas quando as chagas reapareciam, seu rosto ficava muito diferente: as bochechas inchavam como se abrigassem duas bolas de pingue-pongue, os lábios afinavam-se de tal forma, como se fossem uma linha a ligar dois polos, o nariz... dele nem vou descrever. Quem a visse pela primeira vez nesse estado, a custo segurava a gargalhada.

De tempos em tempos, havia uma de trégua. Entretanto, cada ataque da doença durava por volta de três semanas e cessava como por encanto, para reaparecer semanas mais tarde.

Seu pai, um comerciante de classe média, não poupava tempo, dinheiro, nenhum recurso para curá-la. Já havia se consultado com inúmeros médicos especialistas. Em vão. Aconselharam-na a procurar uma famosa clínica nos Estados Unidos, onde ficou dois meses; dali rumou para a Alemanha; em seguida, para a Suíça, mas sem resultados.

Laura era estudante de Odontologia; e logo terminaria o curso, o que a enchia de ansiedade. Como exercer a profissão com aquela doença que a acometia havia tantos anos? Durante o curso universitário, foi um sacrifício, um tormento incalculável; quase sem poder falar, alimentando-se mal, sem poder engolir direito, servindo de troça aos colegas que não a deixavam em paz. Sonhava formar o seu lar, ter seu marido, seus filhos, mas como, daquele jeito? Donde lhe viera aquela doença? De quem a herdara?

Os parentes, tanto do lado paterno como do materno, eram sadios, fortes. Tais pensamentos angustiavam-na. Uma noite, cansada da semana maldormida, com a boca cheia de feridas, ajoelhou-se apoiada na cama e orou. Orou com todas as forças de sua fé: rogou ao Pai Celeste que lhe aliviasse o martírio; que a livrasse daquela tortura; sentia que sua resistência chegava ao fim.

Adormeceu pesadamente e sonhou. Sonhou que habitava uma casa ensolarada em elegante bairro do Rio de Janeiro. Era atendida por uma jovem escrava, meninota ainda. Fora um presente de seu avô, fazendeiro, senhor de escravos, no dia de seu aniversário.

Certa vez, a pequena criada viu que ela furtivamente trocara um beijo com o namorado. E contou o caso aos serviçais da casa, que o levaram aos ouvidos de seus pais. Laura foi duramente repreendida e jurou vingar-se.

Dias depois, aproveitando uma ocasião favorável, esquentou um ovo numa panelinha de água fervendo e chamou a menina para perto de si, no fogão. Ordenou-lhe que abrisse a boca e fechasse os olhos. E, rápida, com uma colher enfiou o ovo quentíssimo na boca da coitadinha, e apertou-lhe o queixo, para mantê-la fechada. A pequena urrava, e o ovo arrebentou saindo-lhe pelos cantos da boca, pelo nariz, e escorrendo-lhe pela garganta abaixo.

Laura despertou. Ainda estava um pouco tonta de sono, meio grogue e sentiu que sua boca sangrava.

Durante o café, contou o sonho à sua mãe, com mostras de intensa preocupação.

— Não se preocupe assim, minha filha! É sonho. Sonham-se tantas bobagens, tantos absurdos! Imagina se deixassem que os sonhos guiassem nossas vidas! Esqueça-se dele.

Porém, por três noites seguidas, Laura sonhou com a negrinha a mostrar-lhe a boca aberta e coberta de feridas, tal como a sua.

Laura conseguiu formar-se; seu pai montou-lhe um modesto consultório num bairro pobre.

— É para você começar, minha filha. Mais tarde você terá coisa melhor.

Quinze dias depois, apareceu-lhe o primeiro cliente. Era um menino morador de uma favela próxima, e sua mãe foi logo explicando:

— Faz uma semana que ele está assim com a boca inchada, nem dorme de dor. Vim pedir-lhe a caridade de um remedinho para ele, porque não posso pagar.

Laura tratou dos dentes do garoto, e de outro, e de muitos outros. Sua doença foi embora e nunca mais voltou.

Passado um período de tempo após esses eventos, ela tinha boa clientela, se recuperara totalmente de tudo aquilo que passara por conta da sinistra doença e estava noiva. Modernizou seu consultório e rejeitou boas ofertas para clinicar em bairros ricos. Ela não queria deixar seus queridos clientes mais humildes. E sentia que fora do trabalho com os moradores da favela próxima que se redimira do mal que infligira à pequena escrava.

Uma Fraude Espírita

> Guardai-vos dos falsos profetas, que vêm a vós disfarçados em ovelhas, mas interiormente são lobos devoradores. Pelos seus frutos os conhecereis. Colhem-se, porventura, uvas dos espinheiros, ou figos dos abrolhos?
> *Mateus, 7:15-16*

HÁ UM DITADO ITALIANO QUE AVISA: "Fata la legge, pensata la malizia, que significa "Uma vez promulgada uma lei, pensa-se logo em fraudá-la".

O Espiritismo não escapou à regra. Tão logo começou a espalhar-se pelo mundo, surgiram espertalhões tirando proveito dos ignorantes e usando-o como instrumento.

Tenho um amigo que sabe o idioma russo. Insistiu para que eu o estudasse. Recusei-me. Já tenho vários idiomas na cabeça, e que já me servem bem; não quis atulhá-la com mais um.

Esse amigo descobriu um alfarrábio russo não sei onde: puído nos cantos, folhas manchadas, encadernação descosturada e páginas riscadas.

— Você não quis aprender o russo, pois aqui há uma história de Espiritismo que muito o interessaria.

— O que não impede que você a traduza — repliquei-lhe.

O caso é narrado pelo general A. de Kochko, antigo chefe da polícia judiciária de Moscou no tempo do Império Russo, e passou-se há quase noventa anos, isto é, no alvorecer do Espiritismo.

"— O senhor já viu tais coisas, doutor delegado? Em plena Capital, no centro da civilização, quebram-lhe a cabeça, roubam-lhe o dinheiro e ainda se riem da gente?!

"— O que me diz?! Quem lhe quebrou a cabeça, roubou-lhe o dinheiro e riu-se de você? — perguntei-lhe bem-humorado.

"— Digamos que foi um grande personagem, o sereníssimo príncipe Souvorov...

"Que aborrecimento, pensei, esse deve ser um louco, e falei com doçura ao meu visitante:

"— Acalme-se, meu caro, e diga-me do que se trata.

"Na verdade, o meu interlocutor não parecia um louco. Eu tinha diante de mim um homem de seus quarenta anos, de terno marrom e gravata vistosa. Sua figura rubra, levemente arroxeada, era pouco expressiva; uma risca dividia seus cabelos empastados de brilhantina; pesada corrente de ouro atravessava-lhe o colete; o dedo mínimo da mão direita ostentava uma unha desmesuradamente longa. Deduzi que seria um caixeiro ou um comerciante. Tirou do bolso um grande lenço, assoou-se discretamente, afagou com lentidão o bigode ruivo, conservando esticado o dedinho, guardou o lenço e contou:

"— Há vinte anos sou empregado do sr. Prokhron no mercado Okhotni. Comecei, segundo o costume, como aprendiz, e há mais de nove anos sou o primeiro caixeiro da loja. Chamo-me Ivan Ivanovitch Sinukine. Sempre fui conscencioso em meu trabalho. Em minhas folgas leio bons livros e gosto da companhia de gente instruída. Não me casei e, para não ficar sozinho em casa, frequento o restaurante Mauritânia, que não é longe de nosso estabelecimento. Jogo, de quando em quando, uma partida de bilhar, ou tomo chá e, nos feriados, janto lá.

"'Há mais de um mês, conheci um tal de Fedor Ivanovitch; não lhe sei de outro nome; para todos ele é Fedor Ivanovitch e nada mais. É funcionário aposentado, muito instruído e habilidoso; ótimo jogador de bilhar, ganha sempre; já me fez perder até dez rublos; gosto de conversar com ele; diante de uma caneca de chope, falamos de coisas elevadas... de Deus, das estrelas, de fantasmas.

"'Assim é que, na última vez que me ganhou um rublo, sentamo-nos na mesinha para tomar chá, e ele me disse:

"'— Creio, Ivan Ivanovitch, que você não está muito alegre hoje.

"'— De fato, não estou. Tive discussões com meu patrão; quero deixá-lo e estabelecer-me por conta própria. Tenho agora pensamentos que me atormentam — respondi-lhe.

"'— Não vale a pena você cozinhar a cuca, porque de nada adiantará. Tudo já está regulado de antemão.

"'— Como?! Em que sentido?

"'— No sentido de que estamos rodeados de almas de defuntos, as quais não podemos ver, mas que fazem de nós tudo o que querem. Por exemplo: eu quero fazer uma bela carambola; estudo a posição das bolas, preparo o taco e zás! Se um desses defuntos se intrometer para me dar azar, posso errar a tacada ou rasgar o forro da mesa de bilhar.

"'— É muito esquisito o que você me conta, Fedor Ivanovitch. Não o compreendo.

"'Fedor Ivanovitch recostou-se na cadeira e, piscando um olho, perguntou-me:

"'— Você já ouviu falar de Espiritismo?

"'— Não, nunca.

"'— Porém, talvez já lhe disseram que há pessoas que fazem girar as mesas e têm o poder de fazer aparecer Espíritos?

"'— Sim, escutei o patrão falar alguma coisa desse gênero.

"'— Pois então, meu caro Ivan Ivanovitch, você tem à sua frente um homem capaz de tudo isso. Uma força enorme reside em mim. Sou presidente de uma sociedade espírita e frequentemente organizo sessões em minha casa. Afirmo-lhe: sessões. Ocorre que, às vezes, estou só em casa, tomando chá ou outra coisa qualquer e a solidão me aborrece... logo, pá, pá, pá, é uma mesinha que se move, um pires, um violão! Eis tudo; em poucos instantes a sala se enche de Espíritos. Você sabe que sou louco por mulheres; por isso, chamo de preferência Espíritos de defuntas. Há algumas que têm mais de dois mil anos. E conversamos disto e daquilo por horas a fio. E acabo por oferecer-lhes um cálice de um finíssimo licor.

"'— Você não está exagerando, Fedor Ivanovitch? Os Espíritos não têm corpo, e, por conseguinte, nem entranhas. Como podem beber?

"'Fedor Ivanovitch pensou um pouco e, todavia, não se atrapalhou:

"'— É a mesma coisa: com ou sem entranhas, nenhuma jamais recusou o seu copo.

"'— É-me difícil conversar com você, Fedor Ivanovitch, pois é um homem instruído. Francamente, não acredito em tudo o que você me disse; só vendo.

"'— Pois é a coisa mais fácil. Domingo agora você se convencerá. Temos uma sessão. Será um prazer o seu comparecimento. E você poderá até se inscrever como sócio.

"'— Aceito agradecido o seu convite. Não faltarei.

"'— Entendido. Você sabe onde moro; espero-o às nove horas.

"'Separamo-nos. Durante a semana fiquei obcecado pela ideia; aguardei com impaciência a sessão. Tendo-o encontrado no Mauritânia, Fedor Ivanovitch recordou o convite.

"'E, neste último domingo, às nove horas em ponto, bati à sua porta."'

"— Pense só, doutor delegado, dentro em pouco eu conversaria com meu falecido pai, ou mesmo com Ciro, rei dos persas.

"'O próprio dono da casa me recebeu.

"'— Estou contente em vê-lo; contávamos com você. Podemos começar. Preste atenção: recomendo-lhe que se não espante com nada; faça tudo como lhe direi; muito cuidado para não quebrar a corrente; em hipótese alguma tire as mãos de sobre a mesa; apoie seus dedos mínimos nos de seus vizinhos; senão poderá acontecer-lhe algo desagradável.

"'Atravessamos uma saleta semiescura e entramos numa sala também obscurecida. Havia quatro pessoas desconhecidas para mim. Fedor Ivanovitch anunciou-me:

"'— Eis, amigos, um novo candidato à nossa sociedade.

"'No meio da sala, via-se uma mesinha redonda, com seis cadeiras ao redor. Sentamo-nos. Fedor Ivanovitch apagou a luz. A escuridão nos envolveu.

"'– Vamos, amigos, coloquem as mãos na mesa.

"'Obedecemos.

"'– Suavemente, muito suavemente, não se apoiem na mesa – comandava Fedor Ivanovitch.

"'O medo me invadiu. Mentalmente eu rezava. O silêncio era absoluto.

"'De súbito, para grande espanto meu, senti a mesa mover-se sob meus dedos, por duas vezes, como a escapar; depois começou a se erguer, a pular; ouvi darem murros nela. Eu mal respirava. E Fedor Ivanovitch perguntou com voz sepulcral: "Sereníssimo príncipe, sois vós?" Um estridente canto de galo respondeu-lhe, parecendo-me vir de uma das pernas da mesa.

"'Apavorado, murmurei: "Fedor Ivanovitch, pelo amor de Deus, deixe-me ir embora. Não aguento mais..." Ao que respondeu uma voz terrível: "Silêncio! Conserve-se tranquilo! Sobretudo, não quebre a corrente para que não lhe suceda um desastre! Este Espírito não brinca!!!"

"'Nesse momento senti uma mão invisível aplicar-me um bofetão em pleno rosto, seguido de muitos outros, que me fizeram ver estrelas. Esqueci-me da proibição e quebrei a corrente; cobri o rosto com as mãos e levantei-me da mesa. Vi-me perdido. Acreditei não sair vivo dali. Uma força incomum agarrou-me pelo pescoço, ergueu-me, jogou-me no chão e socou-me ferozmente. Quanto durou isso, não sei. Enfim, Fedor Ivanovitch pronunciou estas palavras: "Desapareçam, Espíritos infernais, vou acender a luz".

"'Imediatamente os Espíritos me deixaram; fez-se a luz, e vi todos os outros em seus lugares ao redor da mesa, fitando-me espantados. Levantei-me furioso, pois estava estendido no assoalho; virei-lhes as costas e, sem dizer palavra, retirei-me.

"'Perturbado, como num sonho ruim, entrei em meu quarto e lentamente tirei o paletó; de repente, percebi que o bolso interior estava vazio; minha carteira, com mais de cem rublos, tinha desaparecido.

"'Não preguei os olhos durante a noite. Primeiro, não me conformava com a perda do dinheiro; segundo, quebrava a cabeça procurando compreender o que me tinha acontecido. De um lado, o fato se me apresentava como uma simples ladroeira; de outro, havia a mesa que girava, o cantar do galo, e nada na conduta de Fedor Ivanovitch me permitia supor que ele fosse capaz de qualquer sujeira. Tudo para mim era incompreensível... minhas ideias se embaralhavam...

"'No dia seguinte não compareci ao serviço. À tarde fui ao Mauritânia, onde dei de cara com Fedor Ivanovitch.

"'— Bela coisa! Você me convidou para uma sessão científica e lá me moem de pancadas, além de me roubarem a carteira com cem rublos!

"'— Cale-se, homem ignorante! Não se brinca com os Espíritos! Eu o preveni que não partisse a corrente. Você agiu como quis e ganhou o que mereceu. De mais a mais, você não tem do que se queixar, pois saiu-lhe barato. Você reparou naquele senhor gordo ao meu lado? Aconteceu-lhe, e também na primeira sessão, cortar a corrente por inexperiência; os Espíritos o ergueram, e o transportaram para o apartamento dele, onde o deixaram são e salvo; porém sem o relógio de ouro, que desapareceu no trajeto.'"

"'— Confesso, doutor delegado, que neste momento um mau pensamento atravessou-me o cérebro:

"'— Será que essas coisas acontecem a todos os que assistem às sessões pela primeira vez? — perguntei-lhe.

"'— Certamente; é o prêmio dos que desmancham a corrente.

"'— Ouça-me com atenção — disse-lhe. — Quero pedir-lhe um favor. Tenho um patrão que é ruim como um cão raivoso. Quando eu era aprendiz em sua loja, ele me batia, deixava-me quase a morrer de fome. Mais tarde tornei-me seu caixeiro, mas até hoje nunca me dirigiu uma palavra amiga, ladrão miserável que ele é! Vou deixá-lo e estabelecer-me por conta própria, eis por que pouco me importo. No entanto, antes de sair, gostaria de pregar-lhe uma peça, para me vingar de tudo o que ele me fez sofrer. Seus Espíritos não poderiam amassar-lhe a cara e quebrar-lhe os ossos?

"'— E por que não?! Será facílimo, se ele desligar a corrente. E se ele não o fizer, você o fará por ele, eis tudo! Traga-o na sessão de quinta-feira.

"'— Combinado. Eu o levarei comigo. Porém, dessa vez, meu relógio e minha carteira ficarão em casa.

"'No dia seguinte fui trabalhar, ainda com o rosto inchado, o que me envergonhou ante meus colegas. Fizeram-me dezenas de perguntas; respondi-lhes e ao meu patrão que, por culpa minha, eu tinha sofrido pela ciência, tendo tomado parte numa sessão de Espiritismo, na qual apareciam Espíritos e as mesas giravam.

"'Meu patrão se interessou vivamente, chamou-me à sua sala e pediu-me que lhe contasse minuciosamente o que me acontecera.

"'A princípio, não lhe narrei toda a verdade; apenas lhe contei a chegada de Souvorov, o seríssimo príncipe, o grito penetrante do galo e outros detalhes interessantes. E concluí: Se lhe interessar, sr. Dimitri Dimitrievitch, venha comigo na sessão de quinta-feira; será muito instrutiva".

"'Balançou afirmativamente a cabeça e disse: "Vejo que será; ninguém duvidará disso vendo teu rosto tão bem arranjado. Ah!, meu pobre Ivan, quantas vezes te repeti que és um simples idiota!"

"'Em seguida, trovejou: "Confessa, grandessíssimo animal, quanto dinheiro te surrupiaram? Vamos, conta!!!"'

"'Então, doutor delegado, segundo meu velho hábito, tive medo; intimidei-me diante dele e lhe contei toda a verdade, isto é, que me furtaram cem rublos, a surra, e o mais acontecido. Daí, passou-me um formidável sabão, e mandou que eu procurasse a polícia imediatamente..."

Quando o caixeiro acabou o depoimento, chamei o inspetor Silantiev, e ordenei-lhe:

— Silantiev, este senhor lhe dirá o caso, e quinta-feira é preciso que você acabe com essa quadrilha de escroques.

Silantiev fê-lo com pleno êxito.

Não sei dizer como as coisas se passaram. Creio que um dos investigadores entrou pelos fundos, bateu na porta da cozinha e distraiu a criada. Enquanto isso, Silantiev, que fazia o papel de comerciante trazido por seu caixeiro, se instalou com ele ao redor da mesa, e tomaram parte na pretensa sessão espírita. Três outros investigadores abriram, sem ruído, com uma gazua, a porta de entrada e se introduziram na sala ao lado.

Silantiev deixou que lhe batessem a carteira e logo deu o sinal que lhe permitiu mostrar aos safados um fenômeno de "materialização em massa", sob as figuras de seus investigadores. O grupinho tremia de susto.

Os "Espíritos" foram presos e identificados: todos meliantes bem conhecidos da polícia. Fedor Ivanovitch era um vigarista de profissão, operava nos clubes; e os outros, ladrões pertinazes, portadores de identidades falsas.

O caixeiro rejubilava: "Quebrei minha corrente, agora quero vê-los romper a da polícia!"

— Gostou? — perguntou-me o meu amigo ao acabar de ler a tradução.

— Claro... bem vejo que eu devia ter aprendido o russo...

E vi então que o Espiritismo, o Consolador prometido por Jesus, desde seu início foi usado por refinados espertalhões para explorar os ingênuos. E essa exploração continua até hoje.

O nome do Espiritismo é usado para arranjos de vida, consertar situações, prejudicar desafetos, e muitas coisas mais que a maldade humana, o egoísmo, o orgulho, a ignorância, inventam para vinganças, para usufruir os bens materiais, para extorsões, para a satisfação de apetites grosseiros e inconfessáveis.

Médiuns interesseiros, ávidos de ganho, aliciando pobres Espíritos da mais baixa categoria, prometem milagres, sugando até o último centavo dos clientes, sim, dos clientes, chamemo-los assim, que os procuram, enganando-os, roubando-os, acenando--lhes com miragens impossíveis.

Isso não é Espiritismo. Isso é apenas uma mera falsificação da sublime Doutrina Espírita e uma charlatanice perpetrada sobre o dom da mediunidade.

A mediunidade é uma coisa sagrada, que não pode ser desviada do fim providencial para o qual se manifestou entre nós, por graça da misericórdia divina. Ai de quem se servir dela para fins menos dignos: mais dia, menos dia, receberá o choque de retorno, emaranhando-se num cipoal de trevas, do qual não é fácil desembaraçar-se.

O Último Ceitil

Em verdade te digo, que não sairás de lá até não pagares o último ceitil.
Mateus, 5:26

E um Espírito contou-me a sua história:

"É voz corrente que faleci de lepra. Contudo, não foi a morfeia que provocou o meu desencarne, mas sim o câncer.

"À frente de meus guerreiros e das hordas selvagens que engrossavam o meu exército, devastei o Oriente. Vilas e cidades foram reduzidas a ruínas. Incêndios, massacres, estupros, saques, escravidão — eu os semeava por onde passava. Meu nome era pronunciado e ouvido com horror. À minha voz potente, meus homens se entregavam freneticamente à destruição.

"E acampei diante de Roma. Durante dias preparei o ataque. E, na véspera dele, abriu-se uma porta dos muros da Cidade Eterna, dando passagem a um padre. Andando calmamente, ele atravessou as linhas de soldados e postou-se mudo diante de mim; pobríssimo burel o vestia, apoiava-se num cajado grosseiro.

"— Fala, padre! — ordenei.

"—... vim pedir-te um favor. Roma não resistirá; não tem condições. Por isso vim rogar-te: poupa os velhos, as mulheres, as crianças; respeita-os, não lhes faças mal.

"Esperando a resposta, fitava-me com os olhos translúcidos e confiantes.

"Pensei um pouco e, evitando encará-lo, respondi-lhe:

"— Prometo; será como pedes.

"Roma caiu ao primeiro assalto; seus defensores foram trucidados; o saque durou muitos dias; porém, os, velhos, as mulheres e as crianças nada sofreram."

* * *

"Qual folha seca que um redemoinho revolve no ar, vi-me envolvido por vórtice medonho. Uma ventania ululante me jogava de encontro a paredes invisíveis; despencava-me no fundo de abismos e, ziguezagueando, elevava-me pelos ares, donde eu caía de alturas inconcebíveis.

"Que forças incontroláveis se tinham apossado de mim? Onde estavam meus exércitos, meu palácio, minhas cidades? Tudo desaparecera para dar lugar àquela borrasca, que me arrastava para uma escuridão de breu.

"Eu desencarnara, e não o sabia.

"Gritos odientos, animalescos, animavam o negror que me cercava, e eu ouvia: 'Quiseste sangue? Pois aí o tens'! E rugindo, o turbilhão me arrojava a um rio remoinhoso de sangue, e eu girava, girava, girava, e sangue quente e fétido gorgoleja-me arganta abaixo, enquanto retumbantes gargalhadas acompanhavam o meu tormento. Furacões de fogo tomavam-me em seu bojo, e eu me via ardendo nas cidades que eu incendiara. Atiravam-me sobre o produto de meus saques, que se desfazia em pó logo que eu o tocava: um pó fino que me cegava, que me entrava pelos ouvidos, que me entupia as narinas, que me sufocava, que me cimentava os pulmões, e transformava-se em nuvens que me arrebatavam em torvelinhos.

"Por vezes, o tufão se acalmava, e eu pensava que teria um pouco de repouso, a esmola de uma gota d'água para mitigar a sede que me abrasava; mas não! O suplício se me tornava mais atroz: lamentos pungentes se faziam ouvir, de mulheres, de virgens, de crianças. E quadros horripilantes se projetavam diante de mim: de donzelas barbaramente estupradas, de mulheres selvagemente violadas, das crianças... e eu me revia naqueles painéis comandando, comandando... E o rodopiar recomeçava. Quanto tempo permaneci nesse estado? Um ano, dez anos, um século, dez séculos? Não o sei.

"E o vento começou a amainar; já não lhe ouvia o uivo; súbito cessou, deixando-me estendido num charco pestilento; sentia-me fraco, sem forças.

"O pântano alongava-se até o horizonte. Uma luz baça, de um amarelo mortiço, alumiava a paisagem; densas nuvens negras tornavam o céu sombrio.

"A poucos metros de mim, divisei uma estrada de terra firme. Tentei alcançá-la. Mas, oh!, horror! Cada movimento que eu fazia, afundava-me no pântano. Já não bastavam os sofrimentos passados? Faltava-me ainda aquele? O lamaçal era um grosso lago de sangue coagulado, de vísceras, de braços, de pernas, de seios, de cabeças decepadas; lembrava-me os trucidamentos a que submetia os habitantes das cidades vencidas. Um pesado silêncio envolvia tudo.

"Depois, depois de quanto tempo? Não o sei. No extremo de minha dor e de minhas forças, estirado inerte naquele pântano, uma lágrima rolou de meus olhos e murmurei num lamento fraco: 'Por piedade, Senhor, deixa-me chegar à margem...'

"E vi! Não sei como, porque eu jazia semiatolado naquela podridão, mas eu o vi. Vi que se dirigia a mim, como a mim se dirigiu outrora diante das muralhas de Roma: o mesmo padre, o mesmo burel grosseiro, apoiava-se no mesmo cajado tosco; seus olhos transluziam; aproximou-se de mim, abaixou-se, ergueu-me nos braços como se eu fosse uma tenra criancinha, aconchegou-me ao peito, e paternalmente ordenou-me: 'Durma, repouse'.

"A bênção divina do sono cerrou-me os olhos; adormeci."

* * *

"Quando o portão do leprosário fechou-se atrás de mim, dei-me por enterrado vivo. Ao rangerem os seixos que calçavam a alameda que me levava ao pavilhão, parecia-me ouvir, sob os meus pés, o ruído de uma pá de cal jogada sobre o meu caixão, no túmulo. E a folhagem do jardim farfalhando brandamente à suave brisa que soprava, como que me sussurrava: 'Requiescat in pace!'

"Paz?! Haverá paz para um morfético?!

"Eu reencarnara leproso.

"Quem sabe o que era um leproso antes de 1950? Nem o quero relembrar! Não nego, revoltei-me. Um furor surdo me torturava incessantemente. Eu não aceitava o meu destino. Meu sofrimento era inenarrável. E as noites?! Oh!, as noites! Uma insônia cruel me martirizava. Não há quem possa ter uma ideia de quanto é triste uma noite que um infeliz vê transcorrer toda, inteira, sem fechar os olhos, o pensamento fixo numa situação execrável, insuportável, num futuro sem esperança. Não, ninguém pode imaginar!

"Uma ocasião, transpassaram-me o coração com um estilete afiado, que me doeu fundo. Foi o caso que, dentre as pessoas que no domingo me visitaram, veio uma que havia muito eu não via, a qual, ao se aproximar de mim, levou instintivamente a mão ao nariz...

"Os dias transcorriam monótonos. A fúria rugia impetuosa em meu peito, embora eu demonstrasse no rosto a impassibilidade do mármore. Resolvi me destruir, o que me consolou; abrandou-me a revolta, passei a fruir a morte; doentiamente, arquitetava projetos de autodestruição. Enfim, o desejo de me suicidar apoderou-se de mim, e nele fixaram-se todos os meus pensamentos. Faltava-me somente escolher o meio e marcar o dia.

"Estranhamente, não tive pressa; gozava voluptuosamente a dor a que fora condenado, embalado pela ideia de que eu me libertaria dela quando quisesse."

* * *

"Raro era o domingo em que grupos religiosos não visitavam o hospital. Passavam a tarde com os pacientes, conversando com eles, pregando-lhes a religião de que eram adeptos, enchendo-os de gravuras, de folhetos, de mensagens, e coisas que, quando me caíam nas mãos, eram amassadas e jogadas no lixo, sem que eu as lesse.

"Eu era avesso a religiões; não aceitava o deus que anunciavam, o deus que adoravam. Um deus que a uns deitava em leitos de plumas, e a outros, em catres miseráveis com um reles cobertor de campanha por cima; a uns punha uma mesa farta a ponto de causar-lhes indigestão, e a outros atirava um pedaço de pão duro a matá-los de fome; a uns concedia um corpo apolíneo, e a outros presenteava com uma carcaça lazarenta. Não e não! Não era possível! Esse deus, não!!!

"Uma tarde, minhas visitas já se tinham ido, postei-me num recanto do jardim a observar os vários grupos religiosos, com um leve sorriso sarcástico nos cantos da boca e, divagando, divagando, aflorou-me à mente o plano do suicídio.

"É verdade, disse de mim para comigo; estou demorando muito...

"E de um dos grupos parados sob uma copa da árvore, a cinquenta passos de mim, destacou-se uma moça bonita, cabelos louros puxados para trás, testa alta, olhos claros, nariz afilado, lábios arqueados, faces rosadas, queixo com leve covinha no meio; simplesmente trajada, posto que com suma elegância; segurava um livro. Parou a dois passos de mim, cumprimentou-me com um sorriso encantador e ofereceu-me o livro. Aceitei-o. Ela então acrescentou:

"— Em troca, quero que você me prometa que o lerá inteirinho, mesmo que não goste dele. Promete?

"— Prometo, fique certa disso.

"— Olhe lá! Promessa é dívida, sabe?

"E fez um movimento para tomar-me o braço.

"— Imprudente! Louca! — gritei-lhe, recuando vivamente.

"— Oh! Não tenha medo, não lhe vou fazer mal. Quero apenas dar-lhe o braço para passearmos por este jardim perfumado e florido, como dois enamorados falou-me rindo.

"Efetivamente, pegou-me o braço sem mais resistência de minha parte, e percorremos vagarosamente o imenso parque do sanatório.

"Apresentou-se: era estudante de Medicina já no quinto ano.

"— Estudo muito essa doença, sabe? Ela não é contagiosa como sempre se pensou. Experiências cuidadosas e muito bem-controladas o comprovam; brevemente será uma moléstia facilmente tratável em casa, sem necessidade de internamentos; bem entendido, uma vez diagnosticada a tempo. Logo ela deixará de ser um espectro aterrador.

E agora vou entrevistá-lo. Está na presença de uma entrevistadora, que lhe solicita uma entrevista especial. Concede?

"Uma indizível felicidade me inebriava: havia quanto tempo eu não sentia o contato amigo, a convivência íntima e prazerosa com uma criatura humana. Os sãos que se aproximavam de mim guardavam, receosos, uma distância nunca inferior a três metros; e agora aquele ente adorável apoiava-se ao meu ombro, enlaçava seu braço ao meu! Colheu uma flor junto ao canteiro, prendeu-a na lapela de meu paletó e, sorrindo, disse-me: "Assim você fica mais bonito. E então? Vamos à entrevista? Diga-me tudo o que lhe vier à cabeça. Suas observações serão muito valiosas para mim".

"E lhe relatei a minha vida sombria, os dias infindáveis, as noites insones, o asco que eu inspirava aos sãos, os sonhos da minha juventude sendo desfeitos, o meu viver sem esperança, as torturas que a doença me infligia, a sede que eu tinha de afetos. Ocultei-lhe cuidadosamente o meu intento infeliz.

"Ouviu-me atenta. Um sino badalou anunciando que o horário das visitas terminara. Chamaram-na; o grupo partia; despediu-se afetuosa de mim, seus olhos retinham lágrimas.

"Deitei-me no chão como que embriagado de felicidade. Um raio de sol quebrara a escuridão de minha alma. E pela primeira vez em minha vida de leproso dormi a noite inteira.

"De manhã, após o café, apanhei o livro; cumpriria imediatamente a promessa feita. Era *O Livro dos Espíritos*.

"O dia amanhecera fresco e luminoso. Os passarinhos cantavam pelo arvoredo. Sentei-me em um banco à sombra de um caramanchão perfumado pelas flores de uma trepadeira, e pus-me a ler. E li, li, li empolgadamente; no dia seguinte, terminei a leitura do livro.

"E quando li a última linha da última página, ergui-me num arroubo e bradei: 'Não sou um corpo apodrecido; sou um Espírito imortal, eterno, brilharei como uma estrela fulgurante! Lepra bendita, agora te compreendo!'

"E ajoelhado, orei, orei em voz alta, da profundeza de meu coração. As palavras brotavam infindáveis de meus lábios, até que me calei extático:

"Eu encontrara Deus, meu Pai Altíssimo."

* * *

"Não é necessário lhe dizer, meu amigo, que minha vida mudou. Reli o livro. Estudei-o. Anotei-o. Fiz dele o meu pão espiritual de cada dia. Mandei recado para meus familiares: tragam-me livros espíritas, todos os que puderem encontrar, urgente.

"E vorazmente entreguei-me ao estudo do Espiritismo. E não só o estudava, como o ensinava. Meu quarto virou sala de aula. Salas de aula eram também as árvores e os caramanchões do parque. Os dias se tornaram curtos para mim. A insônia finalmente cessou.

"Fundei um Centro Espírita dentro do sanatório; as dificuldades foram muitas, mas com paciência venci-as. Constituiu-se uma diretoria; no hospital havia muitos espíritas, alguns médiuns; elegeram-me presidente. E os trabalhos espirituais se iniciaram, ocupando-me os dias: sessões de desenvolvimento de médiuns, de passes, de desobsessões, de estudos evangélicos, de aulas de Espiritismo, de orientações espirituais, de leituras. Confrades da cidade vinham tomar parte em nossos trabalhos nas tardes de domingo; oradores ilustres ocupavam a tribuna. Nossa biblioteca crescia e crescia, satisfazendo a fome de saber de todos."

* * *

"Certa noite dedicada ao Evangelho, eu comentava os versículos 25 e 26 do capítulo V de Mateus; o versículo 26 chamou-me particularmente a atenção: Em verdade vos digo que não sairás de lá até não pagares o último ceitil.

"Estirei-me na cama. Custou-me conciliar o sono. Era como se um martelo me golpeasse o cérebro: pague-o, pague-o, pague-o... Durante o dia o versículo verrumou-me sem cessar: não sairás enquanto não pagares o último ceitil... enquanto não pagares o último ceitil... o último ceitil...

"Sim, meditava: no tempo de Jesus havia a prisão por dívidas, cujas portas se abriam ao devedor só quando ele pagasse ao credor até o último centavo da dívida. A Terra, posto que seja uma Universidade na qual o Espírito se prepara para os mais altos destinos, é também um cárcere para o Espírito culpado, enquanto não expiar até o último resquício de sua culpa.

"E perguntava a mim mesmo: 'E se eu pagar o último ceitil? Se o Altíssimo me conceder permissão para isso já nesta encarnação?'

"Acalentando esse desejo, incluí em minhas orações diárias mais esta: 'Senhor, meu Deus e Pai Altíssimo, permite-me pagar agora o meu último ceitil; permite-me, Senhor!'

"Passaram-se os dias, os meses, os anos. A lepra progredia implacável, impiedosamente. Com mais e mais amor eu pregava o Evangelho. E por costume, ao terminar a pregação, despedia-me dos irmãos com a frase: 'Que a paz seja convosco, meus irmãos! Boa noite'."

* * *

"Sobreveio-me uma coceirinha na garganta; era como um pigarrinho, que ali se me apegara, e não saía por mais esforços que eu fizesse para expeli-la. Consultei um médico, que me examinou e concluiu: 'Não é nada; é uma ligeira inflamação por você ter tomado bebidas muito geladas'.

"Conquanto me tivesse receitado um medicamento, não melhorei; notei que aumentava; imperceptivelmente, mas aumentava. Debitei-a à conta do meu mal e, embora me incomodasse, não pensei mais nela.

"Tempos depois eu engolia com dificuldade e falava baixo e rouco. Doía-me a garganta como se alfinetes me ferissem. Fui piorando, piorando até que senti dentro do meu peito como que um abutre lacerando-me a bicadas o aparelho respiratório, a fossa nasal, a faringe, a laringe, a traqueia, tudo.

"As dores se me tornaram insuportáveis; o médico contemporizava; e, na derradeira consulta, ao ouvir-lhe algumas frases reticenciosas, deduzi que me ocultava algo penoso.

"Logo numa manhãzinha, por entre minhas orações, recebi nítida, precisa, a seguinte intuição: 'Não pediste de graça de pagar o último ceitil? Pois paga-o!'

"Num relance, inteirei-me da situação: câncer. Eu estava com essa doença e ela era o meu último ceitil.

"Enfim, não pude mais pronunciar minha costumeira saudação: 'Que a paz seja convosco, irmãos! Boa noite. Emudeci por completo. O abutre redobrou sua fúria por dentro, e a lepra não me poupou por fora.

"A voz que retumbava nos antigos campos de batalha se extinguira."

* * *

"Onde estaria eu? Achava-me deitado num gramado macio, aveludado, à sombra de uma acácia em flor. Uma aragem refrescante trazia-me às narinas um ar deliciosamente perfumado, que eu aspirava gulosamente. As dores tinham cessado. Percebia a pele limpa da lepra. É sonho, murmurei de olhos cerrados. Ouvi passos que se aproximavam. Abri os olhos.

"– Oh! Pai Altíssimo! – bradei.

"Era o padre; o mesmo burel, o mesmo cajado; só que agora coberto de luz; era uma estrela radiosa que eu tinha diante de mim. Abriu-me os braços. De um salto abracei-me ao seu pescoço, beijando-o demoradamente. E estreitando-me com carinho ao peito, subimos, subimos, subimos e mergulhamos nas Regiões da Luz.

"E foi assim, meu amigo, que eu, o guerreiro maldito do século V, em pleno século XX paguei o meu último ceitil."

A Brasa da Maldição

Porque qual for a medida que usardes para os outros, tal será a que se use para vós. [...] Porque com a mesma medida com que medirdes serás medido também.
Lucas, 6:38

Num dos serões de antigamente em que nos reuníamos em torno de minha avó, ouvi meu tio Olivério contar um caso de assombração. O caso ocorreu numa fazenda do Oeste paulista, na qual meus avós foram engajados nos trabalhos da lavoura, depois de liberados da quarentena na ilha das Flores, no longínquo ano de 1888.

A meu tio, mal saído da adolescência, deram-lhe o cargo de guarda-noturno. Com uma carabina a tiracolo, acompanhado de dois belíssimos cães pastores pretos, chamados Grif e Joli, fazia a ronda da fazenda.

O trajeto sob vigilância incluía a casa-grande, o curral, os paióis, o armazém, a colônia, os mangueirões, a casa do administrador, a casa do leite, na qual fabricavam manteiga, queijo e requeijões; a cocheira, terminando na porteira do pasto, onde se recolhiam os animais de tração. Era essa a sua ronda noturna, como dizia bem-humorado, num ir e vir com os dois fiéis companheiros, até que o céu se tingisse de ouro, anunciando o nascer do dia, e o sino da fazenda badalasse chamando os colonos para a limpeza de uma plantação.

Perguntaram-lhe:

— Olivério, de noite você nunca viu algo por aí? Há uma alma penada que assombra o lado da paineira grande.

— Não, não vi nada. Talvez pelo fato de a paineira grande estar afastada do meu caminho. Verificarei.

Meu tio tinha muita coragem; falou e cumpriu; incluiu a paineira em seu passeio noturno.

Na primeira semana, tudo em paz; nem sinal do fantasma. Mas na sexta-feira seguinte de uma noite sem lua, nas árvores nenhuma folha bulia, nem os grilos cricrilavam; os cachorros estacaram, pelos eriçados, e rosnaram. Atrás da paineira surgiu um vulto que se destacava nitidamente da escuridão da noite. Vinha na direção de meu tio, com a mão direita estendida, e nela, a luzir, uma brasa viva. Meu tio gelou ante a visão, e foi incapaz de um gesto sequer; Joli e Grif uivavam lamentosamente; a um metro mais ou menos deles, sumiu.

Tomando o café da manhã, contou o caso à minha avó, que o advertiu:

— Cuidado, filho, talvez seja algum ladrão disfarçado.

— Não, não é, não, mamãe. Se fosse, o Grif e o Joli dariam cabo dele. Era assombração mesmo, e creio que um velho. Na próxima vez, tirarei a brasa da mão dele.

Dito e feito. Semanas depois, a cem metros mais ou menos da paineira, os cães começaram a uivar, e se acostaram arrepiados nas pernas de meu tio.

— É hoje — murmurou ele.

A cena repetiu-se. Meu tio, já prevenido, foi ao encontro da aparição, e disse em voz alta:

— Meu velhinho, deixe-me tirar a brasa de tuas mãos.

Um brilho de alegria e reconhecimento escapou dos olhos do espírito errante; meu tio soprou-lhe a brasa da mão, que lhe pareceu cair longe.

A paineira grande desassombrou-se.

Recentemente, fui passar uns dias de férias em casa de meu primo, que mora perto da antiga fazenda.

— Eliseu, sei que você é um estudioso apaixonado das coisas da escravidão. Vou levá-lo à fazenda... que tem um museu dedicado a ela. Iremos amanhã; leve seu caderno de anotações; passaremos a tarde lá.

Transpus o portão da fazenda emocionadíssimo. Nela meus avós iniciaram a vida no Brasil, cuidando do cafezal, criando os filhos, e curtindo a nostalgia da pátria que ficara do outro lado do Atlântico.

Visitamos a antiga sede, a casa-grande, belíssima construção colonial caprichosamente conservada, construída de taipa de pilão, barro amassado com óleo de baleia, paredes revestidas de esplêndidos mosaicos portugueses.

A sala-museu guardava, além das peças cuidadosamente catalogadas e conservadas, um acervo de papéis sobre a escravatura, documentos cujo estudo faria a delícia do mais exigente pesquisador.

A documentação referente à escravidão é escassa, uma vez que Rui Barbosa, então ministro da Fazenda, por aviso de 1890, "manda queimar todos os papéis, livros de matrícula e documentos relativos à escravidão, existentes no Ministério da Fazenda. Segue-se o decreto escrito no estilo elogioso, grandiloquente e hiperbólico ao gosto da época. A meu ver, além dessa providência, nenhuma outra foi tomada a favor dos libertos.

Examinei os instrumentos de totura dos cativos rebeldes: o tronco de madeira fechado, o tronco aberto, ambos para prenderem pés e mãos, o tronco de ferro dobrável e fechado a cadeado, o vira-mundo, o cepo, as correntes, as algemas, o libambo, a gargalheira, as gonilhas, os machos, as peias, as pesadas placas de ferro, que se dependuravam no pescoço do escravo ladrão ou fujão, e mais utensílios que a maldade humana inventou.

A certa altura, nosso guia nos disse:

— Tudo isso nada é, em comparação com a uma relíquia que temos aqui: a nhá Rita, com mais de oitenta anos. Querem visitá-la?

— Sim, sim, queremos.

Morava numa casinha de tijolos, de quarto, sala e cozinha; jardinzinho na frente, três ou quatro árvores frutíferas nos fundos; galinhas ciscavam; um cãozinho branco malhado era-lhe companheiro constante. Tudo carinhosamente cuidado pela administração da fazenda. Gorducha, forte ainda, muito lúcida e falante, olhos vivos, cabelos crespos totalmente brancos seguros por um lenço ramado de vermelho, mascando um pedaço de fumo, entreteu-nos durante horas, narrando-nos casos de tempos antigos.

Lembrei-me da história de meu tio Olivério.

— Eu sei disso, "zifio"! Minha mãe contava. Foi com o feitor Duzindo. Não foi com nenhum dos sinhôs; eles eram bons; foi com Duzindo, bicho brabo!

O capataz Duzindo tinha uma escrava chamada Tiana. Ela tinha um filho, o Tiãozinho, menino de seus sete ou oito anos. Duzindo também tinha um filho, o Tonico, da mesma idade do Tiãozinho, ambos companheiros de brincadeiras.

Um dia, o Tonico entrou em casa chorando.

— O que aconteceu? — perguntou-lhe a mãe.

— O Tiãozinho me deu um tapa na cara. — E chorou mais forte ainda.

O pai, que descansava na rede, levantou-se de um pulo e bradou:

— Na cara de meu filho ninguém bate, quanto mais um escravo!

E colérico chamou Tiãozinho, o qual veio tremendo de pavor e implorou:

— Não me bata, sinhô, eu não fiz por querer, estávamos brincando...

— Foi por querer, sim — confirmou o outro.

— Não me bata, sinhô...

— Não, não te vou bater, não — respondeu Duzindo com ar maligno.

Chamou dois vaqueiros que trabalhavam no curral, mandou que agarrassem o menino e o levassem para a cozinha, e que lhe segurassem a mão direita bem aberta. Com uma colher tirou do fogão uma brasa, e depositou-a naquela mãozinha, avivando-a até que se consumisse em cinzas.

A mãe, Tiana, impotente, segura por outro peão, gritava: "Perdoa, sinhô, perdoa...", enquanto assistia ao suplício.

O menino curou-se da queimadura; contudo sua mão não mais se fechava direito; e logo Duzindo vendeu-o ao primeiro negreiro que passou pela fazenda.

Tiana continuou seus afazeres, embora uma dor aguda lhe corroesse o coração; um desespero mudo estampava-se em seu rosto. À noite, na senzala, em seu colchão de palha, acordava em sobressalto, chorava e repetia baixinho:

— Por onde andará meu filhinho?! Coitadinha daquela mãozinha! Ai!, aquela mãozinha, coitadinho!

Anos depois, Duzindo morreu. E na sala do velório, o caixão cercado de velas, Tiana entrou; seu rosto estava parecido com o de um espectro. E alçando a mão esquerda, em voz alta e pausada, pronunciou esta maldição:

— Maldito!!! Três vezes maldito! Há de ser uma alma penada, e andar com uma brasa na mão, implorando que te livrem dela!

Quando o enterro chegou à porteira, lá estava Tiana: fisionomia ainda espectral, e do mesmo modo repetiu a maldição por mais três vezes.

Rezada a missa do sétimo dia pelo defunto, por muitos anos, às sextas-feiras, era visto um vulto vagando pelos caminhos da fazenda, de mão estendida levando uma brasa, até que o primeiro canto dos galos anunciasse o romper da madrugada.

NOTA: Compreendamos a maldição.

A maldição é uma forma de ódio, e a bênção, uma forma de amor. Os ocultistas as chamam de mantras.

A maldição é um mantra negativo; a bênção é um mantra positivo. Ambas são impulsionadas pelas forças elementais da Espiritualidade: o mantra negativo pelas Forças Inferiores; o positivo, pelas Forças Superiores.

Foi o que aconteceu com Duzindo: seu Espírito culpado recebeu o mantra negativo, isto é, a maldição impulsionada pela força do ódio de Tiana; e sua mente cristalizou a brasa em sua mão. A intervenção amorosa de meu tio rompeu aquela cristalização, libertando-o.

O Diamante Roubado

*Quem derramar o sangue do homem, pelo homem o seu sangue será derramado;
porque Deus fez o homem conforme a sua imagem.*
Gênesis, 9:6

*Então Jesus disse-lhe: Embainha a tua espada;
porque todos os que lançarem mão da espada, à espada morrerão.*
Mateus, 26:52

Um amigo chamado Santos entrara na casa dos cinquenta, forte, sacudido, situação financeira boa, filhos bem encaminhados; dona Narcisa, sua mulher, ainda disposta.

Morava num palacete pelos lados de Santana, que mandara construir por capricho, onde frequentemente reunia familiares e amigos. Enfim, sentia-se plenamente realizado.

Refestelado na rede do alpendre, gozando o frescor da tarde de verão, cismava:

— Está na hora de realizar o sonho de minha juventude: viajar, conhecer a Europa, conviver com outros povos, outros costumes, e mesmo fazer um cruzeiro de volta ao mundo.

Desse devaneio tirou-o dona Narcisa, trazendo-lhe uma xícara de perfumado café.

— Narcisa, estava pensando em viajarmos um pouco... Portugal, Espanha, Itália, Londres, Paris... o que você acha?

— Apesar de me parecer uma grande canseira, concordo. Vamos.

Santos levantou-se da rede, dirigiu-se ao interior da casa, e voltou trazendo uma caixa de folhetos de viagens, desses que as empresas turísticas distribuem; uma de suas manias era colecioná-los. E lendo-os, admirando-lhes as fotografias, viajava nas asas da imaginação.

"Acertaram que partiriam no início da próxima primavera europeia. Dona Narcisa queria percorrer a Europa na primavera; não deixava por menos, e dizia:

— Até lá você terá tempo de botar as coisas em ordem, deixando Paulo a cuidar dos negócios, sem embaraços.

Nem bem acabou de falar, um automóvel parou no portão, e dele desceu Paulo, filho mais velho do casal. Vendo os folhetos espalhados pela mesinha, exclamou rindo:

— Sempre percorrendo o mundo sentados na cadeira! Quando se atreverão a sair do reino da ilusão?

— Em primeiro lugar, como vão os meus netinhos? Em segundo...

Dona Narcisa contou-lhe o plano que acabavam de traçar, o qual Paulo aprovou com satisfação, servindo-se do café.

Vagarosa mas alegremente, começaram os preparativos. Tinham muito tempo. Estavam em outubro. Reservaram passagens aéreas e quartos nos hotéis para princípios de março. Santos, auxiliado pelos impressos de turismo, criava e recriava itinerários; cada dia inventava um.

Entretanto, na época do Natal, Santos começou a sentir leves perturbações intestinais, que foram se agravando; perdeu o apetite; tinha diarreias contínuas; emagrecia; evacuava sangue, então internaram-no num hospital, embora protestasse. Submetido a todos os exames possíveis, uma biópsia acusou tumor maligno cancerígeno.

A sós com o médico que lhe explicava o estado de seu pai, Paulo perguntou:

— Mas como, doutor, de uma hora para outra meu pai está com câncer?!

— Não é de hoje, meu amigo. É de algum tempo. O câncer é traiçoeiro. A dor não aparece nos primeiros dias de sua evolução; ele é pérfido e silencioso; em seus primórdios passa despercebido.

E mostrando-lhe uma radiografia:

— Olha o tumor aqui embaixo do estômago, quase pegado ao pâncreas; dessa massa central ele se irradia para os tecidos e órgãos de todos os lados. Com sua autorização, tentaremos uma cirurgia, embora com poucas possibilidades de êxito.

A operação revelou-se inócua; apenas serviu para mostrar a extensão já abrangida pelo monstro: parte do estômago, do fígado, todo o intestino até o ânus, tudo afetado.

Recolhido a um quarto de luxo do hospital, rodeado de todos os recursos da medicina e do carinho de seus familiares, Santos principiou sua dolorosa agonia. Como um caranguejo com suas pinças afiadas, o câncer roía-lhe as entranhas implacavelmente. Jazia quase irreconhecível no leito.

Um dia, no paroxismo da dor, delirante, viu-se transportado muito longe, no passado. Reconheceu-se como dono de uma mina de diamantes em pleno sertão; alto, ombros largos, calçando botas, chapéu de abas largas, lenço xadrez no pescoço, chicote na mão, olhos frios, duros, impiedosos, espesso bigode preto.

Empregava na extração do diamante um lote de escravos auxiliado por feitores, que rivalizavam com ele na vigilância cruel. Nem bem rompia a aurora, e já os tinha no lavadouro do cascalho, e nas catas quebrando pedras; o trabalho cessava ao pôr do sol, quando recolhiam-se à senzala depois de rigorosamente revistados.

Certa vez, um delator denunciou-lhe um negro que havia engolido uma pedrinha. O delator sempre recebia um prêmio. Ele, então, mandou que parassem o trabalho, alinhou os escravos e chamando o denunciado, ordenou aos feitores que o amarrassem de ventre para cima numa tábua suspensa entre dois cavaletes, e bradou:

— Vou mostrar a vocês o que faço com ladrões engolidores de diamantes!

E desembainhando um facão que trazia à cintura, abriu de alto a baixo a barriga do infeliz, e com suas próprias mãos revolveu-lhe as vísceras até encontrar a pedra. Lavou-a e, com um sorriso triunfante, ergueu-a na ponta dos dedos para que todos a vissem; tinha o tamanho de um grão de milho.

Santos voltou ao presente; passou por uma leve sonolência e acordou. Dona Narcisa estava ao seu lado. A custo tomou-lhe uma das mãos e ofegante balbuciou a ela, que se curvou para ouvi-lo:

— Agora compreendo tudo. Ajude-me a rezar. Houve uma causa muito forte para tudo isso.

Arregalou os olhos, contraiu os lábios, pendeu a cabeça para os lados e finalmente desencarnou, esclarecido de que havia pago seu débito kármico por aquele diamante.

O Estupro:
Vingança e Redenção

A SESSÃO EM BENEFÍCIO DE SOFREDORES já havia decorrido em mais da metade de seu tempo habitual. Tratavam-se dos obsidiados, quatro ou cinco. Sessão rigorosamente privativa.

Em seguida, nosso diretor espiritual anunciou que os médiuns restantes, que ainda não tinham trabalhado, trabalhariam em favor de Espíritos sofredores que vagavam pelas ruas, pelos bares, pelas casas de vícios, pelos hospitais.

O primeiro que trouxeram chegou protestando:

— Deixem-me lá no balcão com meu copinho de pinga; não faço mal a ninguém; bebo sossegado com meu companheiro, deixem-me.

Falava arrastado, com a língua pastosa, com aquela malemolência típica de quem está alcoolizado. À custa de passes espirituais, voltou quase ao normal. Perguntado se queria curar-se, internar-se em bom hospital, respondeu:

— Moço, minha família internou-me algumas vezes em sanatórios, em clínicas, de nada adiantou. Logo que recebia alta, curado praticamente, não se passavam oito dias, e eu estava de novo enterrado no vício. Acabei morrendo na sarjeta. Agora bebo com quem encontro nos bares, nos clubes, nas boates; depende do que me dá vontade de beber.

— Você quer se tratar em nosso hospital? Quer tentar um novo tratamento? — perguntou-lhe, benévolo, o doutrinador.

— Tentar não custa...

— Então o enfermeiro que está ao seu lado o levará à clínica de nossa colônia espiritual; examine-a e venha dizer-nos se gostou dela.

Afastou-se do médium, que permaneceu em profunda concentração; instantes depois, voltou.

— Estou contente; deram-me uma dose de remédio que já está me fazendo bem, sinto-o. Instalações bonitas, camas novas, lençóis limpinhos, travesseiro bordado, colchão macio... lá vou sarar.

— Sim, vai sarar, e depois de curado é trabalhar em socorro de infelizes bêbados, vale?

— Vale, prometo.

O segundo foi um toxicômano; chegou gritando:

— Larguem-me, deixem-me puxar o meu fumo, pelo amor de Deus! Enlouqueço, deem-me uma picada rápido!

Ante a promessa de receber as duas coisas, acalmou-se.

— Há quanto tempo você é um viciado? – lhe perguntamos.

— Desde estudante, e por isso não consegui formar-me.

— Você quer ficar livre desse vício? Nossa clínica tem recursos para isso.

Soltou uma risada sarcástica, e respondeu:

— Estive em muitas, meu senhor. Meu pai gastou um dinheirão! É verdade que sempre saía bom delas. Porém, eu não resistia ao vício e caía de novo. Mas me dá a picada, está demorando muito, não aguento mais!

— Já já o satisfaremos. Responda-nos, mais uma pergunta: como você toma a picada e puxa o fumo?

— Tenho um companheiro, só meu, vivo agarrado a ele. Quando ele se pica ou puxa o fumo, eu me satisfaço. E por isso eu não o deixo em paz.

— Bem, agora você vai ao nosso posto de socorro espiritual, onde o atenderão. E faça o favor de voltar; queremos suas impressões.

E passado algum tempo, voltou exclamando:

— Sou outro, sou outro! Deram-me uma pequena dose de um líquido dourado num cálice de cristal, e sou outro! Que clínica! Encontrei lá antigos companheiros já recuperados e trabalhando. Quero confessar-lhes que eu sabia de meu estado de desencarnado. E, livre do corpo físico que para nada mais servia, tornei-me um vampiro; vampirizava também mulheres viciadas... duplo prazer... Mas, agora, vida nova! Obrigado, meu Deus, obrigado!

O último a chegar foi um Espírito que gritava violentamente:

— Não me tirem de lá, não me tirem de lá...

— De lá onde? – perguntamos.

— Do hospital, de junto daquele bandido que nos desgraçou!

Submetido a vigorosos passes magnéticos, abrandou-se um pouco e pôs-se a chorar.

— Tenha fé, tenha esperança, confie em nós, queremos ajudá-lo.

— Então me ajudem a massacrar aquele assassino; ele estuprou minha irmãzinha, deixou-a morta no matagal e fugiu. Meus pais morreram de desgosto. Eu saí pelo mundo procurando o canalha para matá-lo. Não o achei e morri tuberculoso. E agora que o encontrei, este senhor que está ao meu lado me tirou de junto dele, e me trouxe para cá.

— Você disse que veio do hospital. Quem você persegue, o que faz lá?

— Está internado num quarto particular, muito doente. E não é só eu quem está lá. Há mais outros dois que o martirizam, fazendo-o pagar-lhes o que ele lhes fez.

— Você não viu mais sua família, seus pais, sua irmã?

— Não, nunca mais; só vivo para a vingança; esqueci-me deles.

— Se você quiser vê-los, este senhor que o acompanha lhe facilitará os meios.

— Se quero! Por favor.

Pouco depois, voltou banhado de alegria.

— Como são felizes! Mas não vi minha irmã.

— Agora que você está calmo, quer contar-nos sua história?

— Foi há muito, muito tempo. O senhor que me assiste diz que há pouco mais de cem anos isso tudo aconteceu. Morávamos numa casinha no interior: mamãe, papai, minha irmã e eu. Minha irmã era muito bonita, andava pelos dezesseis anos, eu pelos dezoito. Tínhamos por vizinho um homem solteiro, bem moreno, de boa aparência. Minha irmã era muito dada, conversava com todos. Ele ganhou-lhe a confiança, com presentes, como amigo. Um dia, ele a atraiu a um matagal próximo, estuprou-a barbaramente, deixando-a morta e fugiu. Tempos depois, um após o outro, perdi meus pais.

"Vendi a casinha e tudo o que ela continha e, escoteiro, parti para a vingança. Jurei matá-lo, eu o mataria. E procurei-o dia e noite, em vão. A tuberculose minou-me, corroeu-me os pulmões. E, numa tapera, à beira de uma estrada na qual me acolhi para escapar da chuva que caía, moído de fraqueza, dias depois, morri.

"Do lado de cá, continuei minhas buscas e o descobri. E comecei minha vingança. Atrapalhei-lhe a vida o mais que pude. Casou-se, mora numa casa confortável. Agora está doente, ocupa um quarto de primeira; e mais outros dois mortos o perturbam; um deles lhe martela a cabeça.

"Uma senhora distinta cuida dele e lhe faz companhia algumas horas por dia. Ele deve estar entre os quarenta e cinquenta anos; não é mais morenão, é branco. A senhora parece mais moça do que ele."

— Meu irmão...

— Fernando, chamo-me Fernando.

— Pois bem, Fernando. Posso pedir-lhe um favor?

— Quem sou eu para fazer-lhe um favor! Mas pode.

— Este senhor que o trouxe aqui o ajudará: quero que você volte ao leito do enfermo e verifique cuidadosamente quem é essa senhora que vela por ele.

Partiram. Fernando voltou aos soluços.

— Eu não sabia... eu não sabia... se o soubesse, jamais teria feito isso... com a maldita ideia da vingança na cabeça, eu não via nada... eu não via nada... Ela é minha irmã, que ele estuprou naquele tempo! Hoje é a mulher dele... casaram-se... amam-se... e assim ele se redimiu do crime que cometeu contra ela... Este senhor amigo que me acompanhou me explicou. O que vou fazer agora, meu Deus! Sim, sim, irei com o senhor... guia-me por favor!

Uma Visita Espiritual a Serra Pelada

> Porque onde está o vosso tesouro, aí estará também o vosso coração.
> Lucas, 12:34

GASTO POUQUÍSSIMO TEMPO diante da televisão; esse passatempo não é o meu forte, embora não o despreze totalmente. Há programas que me atraem; um deles são as reportagens.

Dias atrás, assisti a uma delas sobre a já lendária Serra Pelada, que bem pode ter sido o imaginário Eldorado que Francisco de Orellana, lugar-tenente do conquistador Pizarro, disse ter descoberto pelos lados do Amazonas, tão abundante em ouro, que os índios da região banhavam-se com o corpo recoberto de ouro em pó. O garimpo teve início em janeiro de 1980, ano em que atingiu pouco mais de seis toneladas e meia de produção.

Diante do vídeo se me desdobrou um cenário faraônico. Escrevo faraônico porque outro semelhante só vi no cinema, no filme *Os Dez Mandamentos*, quando a escravaria construía os monumentos egípcios, cujas ruínas chegaram até nós. Aqueles milhares de escravos, atrelados a imensos blocos de pedra geometricamente aparelhados, outros carregando nos ombros cestos cheios de material de construção. Em Serra Pelada, no final do segundo semestre de 1980, cerca de trinta mil garimpeiros estavam ali emparelhados e com uma ideia fixa: ouro!

Os trinta mil homens da Serra Pelada movimentam-se como as formigas em correição: andam em filas, entrelaçam-se, sobem e descem, dando ao observador a ideia duma confusão sem nome. Porém, não é assim: tudo obedece a uma harmonia absoluta.

Serra Pelada era um monte, o contraforte da serra geral. O monte sumiu, derreteram-no; no lugar dele há um buraco, um formigueiro gigante, do qual se extrai o metal. O morro foi dividido em lotes pequeninos, de alguns metros quadrados. O proprietário tem o direito de explorar o seu lote, vendendo o que acha ao Governo, que ali instalou uma agência da Caixa Econômica Federal. O barranqueiro contrata auxiliares. O dono do lote chama-se barranqueiro, e o lote, barranco, porque, com o cavar, aquele quadrado na encosta vira um barranco, um poço a afundar-se terra adentro. Se ocorrer um desbarrancamento motivado pelas chuvas, então é a morte certa para os que estão no fundo. Comumente o barranqueiro fica com cinquenta por cento do que foi garimpado; o restante é repartido entre as despesas e os auxiliares ou empregados.

O vestuário deles é o mais sumário possível: um calção que mal lhes cobre o sexo; um arremedo de gorro ou chapéu na cabeça; pés descalços ou com tiras de couro que já foram sandálias; enlameados por inteiro. Alimentam-se de arroz, feijão, farinha de mandioca e um pedaço de carne, geralmente charque. Dormem em redes, num rancho que o barranqueiro tem o direito de montar ao lado da lavra. Prostitutas, jogatina e álcool são rigorosamente proibidos, porque geram brigas. Realmente são os três caudatários da riqueza mal-empregada, quer nos salões aristocráticos, quer nas minerações barrentas.

O barranco é cavoucado por um grupo de homens, que dele tira o barro, o cascalho; outro grupo, a que chamam de "formigas", carrega o barro nas costas, em sacos, para o lavadouro, onde os bateadores o lavam, e das bateias o ouro apurado vai para os cadinhos; daí, em barras, para as mãos do barranqueiro, que o leva à Caixa. Tudo é rigorosamente anotado, de modo a não haver prejuízo para ninguém.

Um "formiga" com seu saco de lona aproxima-se do pé do monte de barro, e os cavoucadores com a pá enchem-lhe o saco de cascalho; ajudam-no a colocá-lo nas costas, e o "formiga" parte correndo a despejá-lo junto ao lavadouro. É assim o dia inteiro.

Por contrato, o "formiga" se obriga a fazer quarenta viagens diárias de transporte do cascalho. Há contratos de cinquenta viagens. Pesou-se um daqueles saquinhos: deu vinte e oito quilos e seiscentos e cinquenta gramas, o que, multiplicado por quarenta, dá mil e sessenta e seis quilos, ou seja, pouco mais de uma tonelada por dia. Ora, como o local da lavagem fica a uns cento e cinquenta metros do barranco, o formiga anda, entre ida e volta, doze quilômetros por dia, com uma carga de mais de uma tonelada nas costas, embora fracionada.

Um barranqueiro mostrava a seus sócios um local a seus pés e dizia:

— Aqui, a três metros abaixo, deve haver uma camada de ouro; vamos cavar aqui.

Falava com tal convicção, seus olhos brilhavam com tal cobiça, que parecia querer transformar-se num gigantesco tatu, para arrancar com as próprias unhas o tesouro sobre o qual afirmava estar pisando.

A reportagem terminou.

Com o cérebro povoado daquelas visões, adormeci.

Pela madrugada, deixando meu corpo repousando, desdobrei-me e dirigi-me à Serra Pelada.

— Santo Deus! — exclamei. Eles também trabalham à noite!

De fato, a atividade desenfreada do garimpo era a mesma: os "formigas" carregavam lama, os batedores lavavam cascalho, os cavouqueiros cavavam, os barranqueiros de olhos acesos tudo vigiavam.

Apoiava-me a uma pedra no flanco da montanha, pasmado de tudo aquilo, pois era noite, as estrelas brilhavam no firmamento, a foice da lua subia no horizonte, quando percebi alguém acima de mim. Voltei-me e deparei com um Espírito de feições veneráveis, cabelos curtos encaracolados, barba alvíssima muito bem cuidada; trajava uma túnica opalina, presa ao ombro direito por uma fivela cintilante; calçava sandálias.

Alçou a mão e fez sinal para que eu me aproximasse. Acerquei-me dele com o respeito que se deve a um Espírito superior e, não resistindo à doçura de seu olhar, ajoelhei-me. Sorriu para mim com grande afabilidade, o que dissipou meu receio, e ergueu-me dando-me a mão.

— Meu filho, por que estás tão admirado com o que vês? Não leste que onde o homem tem o seu tesouro, aí terá preso o seu coração?

— Mas, senhor, de dia, alma e corpo, e de noite a alma neste duro labor? Como sofre esse povo!

Não me respondeu; porém, puxou-me ternamente para sua frente, friccionou-me de leve os olhos com os polegares e, voltando-me a cabeça para a mina, perguntou-me:

— O que vês agora?

— Santíssimo Divino! — exclamei assombrado. — Vejo que estão vestidos de duques, barões, reis, sacerdotes, traficantes de escravos, usurários, ladrões, avarentos, juízes e governadores corruptos, compradores de ouro, inquisidores, cortesãos, piratas, e não sei mais o quê!

— São Espíritos que no passado elegeram o ouro como o seu deus; não recuaram ante nenhum meio, por mais torpe que fosse, para consegui-lo. A outros, o Altíssimo concedeu fortunas, facilidades, mas como o caramujo na sua casca, encerraram-se egoisticamente em sua riqueza, esquecidos de promoverem o progresso e o bem-estar social dos povos, cristalizaram a mente na posse do ouro. Mas vamo-nos daqui; dentro de instantes raiará o dia, e retomarão seus corpos para a labuta diária.

Acordei. Os bem-te-vis cantavam no arvoredo do jardim, e aquela visão ainda permeava minha mente, me fazendo perceber que o apego é a nossa prisão. E por isso devemos seguir as palavras do Cristo: estar no mundo sem ser do mundo.

A Escravidão, os Senhores e as Dívidas Kármicas

> Flashes
> P. 829 — Há homens naturalmente destinados a serem propriedade de outros homens?
> R. — Toda sujeição absoluta de um homem a outro é contrária à lei de Deus. A escravidão é um abuso da força e desaparecerá com o progresso, como tantos outros abusos.
> O *Livro dos Espíritos*, Allan Kardec

I

Nascida em 1864, dona Úrsula, avó de minha esposa, testemunhou a escravidão em sua juventude, convivendo com os cativos na fazenda de sua madrinha, lá pelos lados de Sorocaba. Tendo desencarnado em 1939, ainda chegamos a tempo de ouvir dela vários relatos sobre a escravidão.

Culpavam os escravos de serem preguiçosos, indolentes e pouco produtivos. Realmente eram assim; contudo, os senhores jamais procuraram as causas. Fazendeiros e feitores ignorantes só confiavam no chicote para fazê-los trabalhar. Não viam que o trabalho deles era sempre o mesmo, monótono, a arrastar-se nas plantações desde o romper do dia até o pôr do sol, quando eram trancados na senzala sem o menor conforto. Viviam famintos e sonolentos, alimentados apenas com angu de fubá e feijão, nada mais do que isso, ainda que na fazenda houvesse fartura de carnes de todos os tipos, leite, ovos e frutas. Mas... era costume secular dar-lhes apenas o feijão e o angu... Todos os senhores os alimentavam assim... e raríssimos quebravam a rotina.

Para o escravo, não havia doença: gripe, reumatismo, diarreia, dores no corpo, nos rins, de cabeça, febres etc. Trabalhavam com saúde ou sem ela, e se demorassem um pouco, zás, o relho lhes estalava nas costas.

II

Aos sábados, havia a confissão. A escravaria era obrigada a se confessar. Largava a roça um pouco mais cedo. Os confidentes formavam fila diante da capela. E um por um entrava e se ajoelhava ante o confessionário. Um padre vinha da cidade próxima para ouvi-los.

Porém, na segunda-feira de manhãzinha, antes de irem para a lavoura, enxada ao ombro, muitos deles levavam uma surra sem saber por quê.

Dona Úrsula, já mocinha, descobriu o motivo. Aos domingos, o padre almoçava na fazenda, pois na noite de sábado dormia no local para rezar a missa de domingo. E, durante o almoço, por algumas palavras do reverendo, percebia-se que ele delatava os negros; e transmitiam-se ordens aos feitores para castigarem aqueles cuja confissão desagradasse aos senhores.

Eis o que dona Úrsula fez: ela não tinha nenhuma ligação com os cativos e por isso não podia avisá-los. Mas chamou o Antão, um rapazote que a ajudava a colher frutas no pomar e as levava para a casa-grande. Explicou-lhe o caso:

— Você diga a cada um deles, muito às escondidas, que falem muito bem do sinhô, da sinhá, dos feitores durante a confissão; digam que eles são muito bons, que a cama é boa, limpinha, a comida é boa e farta, que são muito bem tratados; e assim não apanharão na segunda-feira.

Daí por diante, pouquíssimos foram os castigos no começo da semana.

III

Na fazenda fabricavam-se duas qualidades de sabão: o de cinza e o de pedra. O de cinza era usado para lavar a cozinha e a roupa dos pretos; o de pedra só para os brancos.

Dona Úrsula apiedava-se da negraria e a socorria em tudo quanto lhe fosse possível, às ocultas, bem entendido. Não que os fazendeiros fossem maus: é que para eles o escravo era coisa sem direito a nada.

Quando dona Joaquina, a sinhá, dona da fazenda, ia à cidade, dona Úrsula dava-lhes sabão, ovos, carne de porco, frangos, linguiça, principalmente para as grávidas, que manifestassem desejos de comer algo que lhes apetecesse.

Dona Joaquina passava dias em sua casa da cidade, dedicando-se às compras e aos negócios da fazenda. Então, o pessoal da casa-grande, criados e mucamas, gozava de liberdade, com os olhos fitos na volta da sinhá.

Para descobrir quando a sinhá voltava, recorriam, sem o saberem, à mediunidade: amarravam uma Bíblia na ponta de um barbante, seguravam-na pendurada pela outra ponta, e perguntavam:

— Sinhá volta hoje?

Se a Bíblia virasse para a direita, era sinal de que não voltaria; se virasse para a esquerda, era certeza, a sinhá regressar naquele dia; e corriam a pôr a casa em ordem. Durante a ausência dela, faziam isso todas as manhãs, e nunca falhou.

Tal prática me faz lembrar de um episódio a que assisti, ao tirar férias numa estação de águas.

Os hóspedes do hotel se reuniam à noite e divertiam-se com passatempos. Um deles apareceu com uma cartolina na qual se desenhava um círculo, em cujo espaço circundante havia um alfabeto. Estendeu a cartolina na mesa e segurava um pequeno prumo dois centímetros acima dela, pendurado num cordão de uns trinta centímetros de comprimento. Então anunciou:

— Quem quer conversar com os Espíritos?

Rodearam a mesa; todos queriam.

— Cada um por sua vez, faça a pergunta; o Espírito responderá indicando a letra por meio do prumo. Anotam-se as letras e formam-se as palavras. Querem ver?

E, alçando o prumo sobre a cartolina, perguntou:

— Há algum Espírito aqui?

O pêndulo moveu-se indicando as letras; alguém as anotou, e leram:

— Boa noite, irmãos! Aqui estamos.

Choveram perguntas, a que os Espíritos responderam bem-humorados.

Lá pelas tantas, sugeriu-se que cada um dos presentes perguntasse o que fora na encarnação passada. Um hóspede, bem-apessoado, fez a primeira pergunta:

— Bom Espírito, o que fui na encarnação passada?

E a resposta veio:

— Ladrão.

A segunda pergunta foi de uma senhora toda faceira:

— E eu, bom Espírito, e eu?

E no seu vaivém, o pêndulo assinalou:

— Adúltera.

A conversa com os Espíritos parou por aí.

IV

Na fazenda havia um escravo de nome Tibúrcio, da extrema confiança do fazendeiro, o qual lhe confiava todos os negócios, consultava-o em todas as ocasiões; não era tido como escravo, mas como amigo íntimo; tinha um lugar à mesa, resolvia criteriosamente qualquer questão. Com tal auxiliar, o sinhô descansava tranquilo.

Às vésperas da Abolição, perguntaram-lhe como se arranjaria sem o Tibúrcio, ao que ele respondeu:

— Garanto que o Tibúrcio não sairá da fazenda, não me deixará; estamos unidos por uma grande amizade.

Chegou enfim o dia da libertação. Ao despedi-los, os fazendeiros deviam dar-lhes alguma coisa para enfrentar os primeiros dias de liberdade. Todavia, nem todos os fazendeiros eram ricos; a maioria vivia do que o trabalho dos escravos produzia. Esses mandavam-nos embora à medida que conseguissem o que lhes dar: algum mantimento, dinheiro, roupa, um tantinho de cada coisa; mas era pouco o que os escravos recebiam, e não dava para nada.

Da fazenda eram despedidos e saíam sem rumo certo; sem ter para onde ir; sem casa para se abrigar. Esse foi o começo da formação das favelas, que antes não existiam.

Minha avó contava que em frente à casa dela passavam agrupamentos de libertos: homens, mulheres, crianças, famintos e seminus, sem destino, pedindo o que comer. Ela, sempre que podia, abrigava-os sob a grande mangueira do quintal e os alimentava. E muitos deles já saíam dali empregados: os homens nos armazéns e as mulheres como domésticas.

E chegou o dia de Tibúrcio partir.

— Como, Tibúrcio?! Você vai me deixar? Aqui nada lhe faltará, nada! Somos tão amigos! Por que se vai?

— Sinhô, somos amigos, e amigos continuaremos a ser. O sinhô se lembra de quando vendeu minha mulher? Eu lhe pedi pelo amor de Deus que não a vendesse, lembra-se? Era uma negra trabalhadeira, ajudava-me muito, além do amor que nos unia. O sinhô não me escutou, e me respondeu que a vendia porque estava protegido pela lei, lembra-se? Pois eu me vou porque agora eu também estou protegido pela lei.

V

Havia muitas mucamas trabalhando na casa-grande; três delas eram exímias tecedeiras: teciam baixeiros. O baixeiro era uma manta que se usava para forrar o lombo dos cavalos antes de selá-los.

Sinhô tinha contrato com a Inglaterra. Os ingleses forneciam em caixas as meadas de lã; as tecedeiras teciam os baixeiros, que eram recambiados nas mesmas caixas, deixando ao sinhô bons lucros.

Nas vésperas da Abolição, seguiu a última remessa com o aviso de que os contratos não seriam renovados, porque com mão de obra paga não haveria lucro.

VI

Paro aqui com meus singelos flashes de vidas de outrora. Muitos outros tenho, como, por exemplo, o sadismo com que se aplicavam os castigos; porém, seriam cenas desagradáveis; não convém relembrá-las.

Um dia perguntei a mim mesmo por onde andariam os Espíritos desses que, por quase quatro séculos exploraram, de um modo ou de outro, a escravidão no Brasil. Esse desejo de saber martelava-me o cérebro, até que numa noite de magnífico plenilúnio desdobrei-me plenamente consciente. Encontrei-me com meu instrutor espiritual, sem o qual não me arrisco a essas andanças. Convidou-me para uma excursão de estudos nas favelas. E percorremos inúmeras delas.

Ante a mais profunda miséria com que me deparei naqueles casebres, exclamei:

— Que tipos de crime terão cometido esses Espíritos para se reencarnarem em tão desafortunadas condições?

— Grande número deles foram negreiros enriquecidos com o tráfico; outros, fazendeiros que exploraram desumanamente o trabalho escravo. Habitaram palácios, muitas ruas de cidades ostentam placas com seus nomes; e alguns deles têm estátuas em praças públicas. Outros não trilharam o caminho do dever e da honra. E muitos estão aqui para conquistar a luminosa virtude da humildade, da qual a prepotência, o orgulho, a sede pelo poder, a riqueza mal-empregada os afastaram muito. As favelas funcionam como uma espécie de provação para essas pessoas que administraram mal, ou de forma arrogante e soberba, os seus bens materiais, ou os utilizaram para humilhar outras pessoas.

— Então, as favelas... por um bom tempo serão um mal necessário.

Observação extraída de O *Evangelho segundo o Espiritismo*, de Allan Kardec: "No sentido evangélico, a acepção da palavra escândalo, tão frequentemente empregada, é muito mais ampla, motivo por que não é compreendida em certos casos. Escândalo não é só o que choca a consciência alheia, mas tudo o que resulta dos vícios e das imperfeições humanas, todas as más ações de indivíduo para indivíduo, com ou sem repercussões.

"É necessário que sucedam escândalos no mundo, disse Jesus, porque os homens, sendo ainda imperfeitos, têm inclinação para o mal, e porque as más ações dão maus frutos. Devemos, pois, entender por essas palavras que o mal é uma consequência da imperfeição humana, e não que os homens tenham obrigação de praticá-lo.

"É necessário que venha o escândalo para que os homens em expiação na Terra se punam a si mesmos, pelo contato de seus próprios vícios, dos quais são as primeiras vítimas e cujos inconvenientes acabam por compreender. Depois que tiverem sofrido o mal, procurarão o remédio no bem.

"A reação desses vícios serve, portanto, ao mesmo tempo de castigo para uns e de provas para outros. É assim que Deus faz sair o bem do mal, e que os próprios homens aproveitam as coisas más ou desagradáveis."

Tomemos como exemplo o diamante em estado bruto, o qual se lapida ao contato de outros diamantes, transformando-se numa joia de rara beleza. Assim, acontece com o Espírito: brutal em seu início, por meio de sucessivas reencarnações em contato com outros Espíritos, aperfeiçoa-se para um futuro radioso.

Não consta do plano reencarnatório de ninguém vir à Terra para praticar o mal. Mas se alguém, praticando o mal sob qualquer forma que seja, o faz por sua espontânea vontade, usando seu livre-arbítrio, nas sucessivas reencarnações terá de sofrer-lhe as consequências.

O Espírito Amoroso de Nhá Zita

> P. 831 — A desigualdade natural das aptidões não coloca certas raças humanas sob a dependência das raças inteligentes?
> R. — Sim, para as elevar, e não para as embrutecer ainda mais na escravidão. Os homens têm considerado, há muito, certas raças humanas como animais domesticáveis, munidos de braços e de mãos, e se julgaram no direito de vender os seus membros como bestas de carga. Consideram-se de sangue mais puro. Insensatos que não enxergam além da matéria! Não é o sangue que deve ser mais ou menos puro, mas sim o Espírito.
> O *Livro dos Espíritos*, Allan Kardec

CERTA VEZ, uma das trabalhadoras de nossa corrente espiritual africana, chamada nhá Zita, contou-me sua história:

"Hoje, tal qual você me vê, uma negra parruda, cabelos brancos encarapinhados, nariz chato e largo, lábios grossos, seios grandes pendentes, barriguda, ancas largas e nádegas proeminentes, braços gordos e mãos calejadas, dedos dos pés encarquilhados, coxas e pernas grossas, lenço amarrado na cabeça, blusa de algodão e saia de chita, sandálias gastas nos pés, longe estou, muito longe, de parecer-me com a dama elegantíssima admitida na corte de Maria Antonieta.

"Apresentava-me como uma deusa da beleza, o encanto dos olhos. Pintores retrataram-me pisando tapeçarias régias em meu boudoir luxuosíssimo. Tive um corpo escultural, e por isso me recusei terminantemente a ter filhos. 'Filhos deformarão o meu corpo', dizia eu.

"Fui educada para aquela época, com os melhores professores: de música, de pintura, de filosofia, de boas maneiras, de dança e de outras disciplinas próprias de uma jovem da aristocracia.

"Meu pai era francês; minha mãe, espanhola. Nasci em Tarragona, na Espanha. Mocinha ainda, conheci Louis Sangraux de Saint-Nazaire, com quem me casei. Com o casamento, passei a chamar-me Maria Del Pilar Sangraux de Saint-Nazaire, e fui residir em Nantes, na França.

"Em Nantes, pertenci à mais alta sociedade e tive uma vida de esplendor e luxo. Meu marido, riquíssimo proprietário de uma frota de navios, dedicava-se ao tráfico de escravos, cujo comércio comandava com mão de ferro.

"Nantes, na embocadura do rio Loire, na costa atlântica, era o principal porto de distribuição de escravos para as colônias francesas. Com a Queda da Bastilha, foi proibido o tráfico, embora por algum tempo ainda o fizéssemos através do contrabando.

"Eu era bonita e cuidava com orgulho do meu corpo; mantinha o meu perfil perfeitíssimo; e, como já lhe disse, jamais engravidei, para o que tomei todas as precauções. Meu marido queria filhos; fazia-me ver a necessidade de herdeiros para administrarem nossa imensa fortuna; não o atendi.

"O primeiro contato que tivemos com a Revolução Francesa foi quando o rei Luís XVI, fugindo de Paris em noite nevoenta, chegou a Nantes. A cidade se alvoroçou; em plena madrugada, o povo saiu à rua. E o rei partiu logo para ser detido em Varennes e, dali, encaminhado de volta a Paris.

"Desde então não tivemos mais sossego; nossa posição em Nantes tornou-se perigosa. Com a Guerra da Vendeia, que estava a toda, pensamos em fugir. Carrier, representante da Revolução, chegou com poderes para liquidar com os realistas e girondinos. Sua guilhotina portátil funcionava sem descanso. E não só a guilhotina como também os afogamentos em massa no Loire: faziam grupos de três, quatro, oito pessoas juntas, de pés e mãos atadas, e atiravam o pacote no rio; enchiam gabarras, que eram barcaças de fundo chato, com até noventa pessoas, homens, mulheres, crianças, e soltavam-nas na correnteza com o fundo furado e submergiam com a carga aos gritos.

"Todo mundo se tornou suspeito. A caçada aos nobres e aos aristocratas se estendeu pelo interior da França. Seríamos fatalmente capturados pelos revolucionários; abandonamos nosso palácio; transferimo-nos para um dos navios da frota de meu marido, ancorado quase ao mar largo, onde tínhamos segurança.

"Com a tomada da Bastilha, em 14 de julho de 1790, a Assembleia Revolucionária decretou a libertação de todos os servos da gleba, inclusive a abolição da escravatura em todas as colônias francesas. Jamais poderíamos voltar à França, sede de nossas atividades.

"E, numa madrugada com ventos favoráveis, fugimos da França para Serra Leoa, na África, então colônia inglesa, onde o comércio de escravos era legal.

"Conquanto livres pela lei, os proprietários das plantações nas colônias francesas negaram-se a dar liberdade a seus cativos, mantendo-os sob jugo feroz.

"Meu marido continuou o contrabando nas colônias francesas; o Haiti era seu principal freguês. Até que, a 14 de agosto de 1791, rebentou uma revolta em São Domingos, que acabou com a escravidão. E Louis passou a vender sua mercadoria ao Brasil.

"Fomos morar numa pequena localidade em Serra Leoa; exigi ter a mesma vida que tinha em Nantes: vestidos de luxo, joias, e tudo o mais. Meu marido, que me amava muito, tudo fazia para me contentar. Bastou contar-lhe que um dia um escravo me fitou demoradamente para que Louis, por esse atrevimento, mandasse que lhe mergulhassem os pés em água fervendo, o que o aleijou.

"Em Serra Leoa, como eu não queria filhos, Louis, meu marido, teve relações com uma escrava de quem lhe nasceu um filho. Descobri. E à noite, por uma escrava de confiança, mandei roubar a criança da mãe, matá-la, salgar o pequeno cadáver, e atirá-lo aos urubus.

"Veio o desencarne; arrastaram-me para as zonas mais baixas do mundo espiritual, os Umbrais, onde havia pesada escuridão, prantos e ranger de dentes, e a acusação das vítimas de minha vaidade, de meu orgulho, de minha maldade.

"Socorrida pelo Grupo Espiritual 'Maria de Nazaré', reencarnei-me escrava africana aqui no Brasil, na região de São José do Rio Turvo, numa florescente fazenda de café. Nela tive a felicidade de conhecer o negro Catambá e ligamo-nos por terno amor; dele engravidei e nasceu-me uma menina que se chamou Margarida. Hoje sei que a pretinha Margarida era o reencarne da escrava que, por minha ordem, matou o filhinho de meu marido, Louis.

"Margarida viveu até os dezesseis anos; era minha filha querida. Porém, por ter cometido uma falta grave para com a senhora do fazendeiro, castigaram-na cruelmente: encheram-lhe a boca de sal grosso, amarraram-lhe os pés e as mãos, e assim foi atirada no rio Paraíba. O golpe para mim foi doloroso; quase morri.

"Logo depois de meu parto, perdi Catambá de vista; venderam-me a uma fazendeira que judiou muito de mim. Como eu era de boa compleição física, fizeram de mim mulher parideira, isto é, obrigavam-me a engravidar continuamente; ao desmamar um filho, já tinha outro no útero. Vendiam as criancinhas a negreiros que só negociavam com crianças. Quantos pari? Perdi a conta. Na encarnação passada, recusei-me a ser mãe; agora, chorava quando arrancavam meu filhinho ou filhinha de meus braços.

"Um dia, minha vida mudou: o coronel Souza Gomes me comprou e não fui mais escrava. O coronel não queria escravos; a todos que comprava dava carta de alforria e contratava-os como trabalhadores livres, mediante salário.

"Nas proximidades da fazenda do coronel Belmiro, vizinha da do coronel Souza Gomes, vi um dia, arrastando-se pela estrada, um negro, e nele reconheci Catambá.

"Catambá roubava doces do armazém da fazenda; descobriram; o fazendeiro Belmiro mandou que lhe mergulhassem os pés num tacho de azeite fervendo. Ao tirarem-no do tacho, depois de quase duas horas, não tinha mais pés, só os tocos. E atiraram-no na estrada, para que sumisse, que fosse cuidar de sua vida. Levei-o para a fazenda do coronel Souza Gomes, e fomos felizes.

"Hoje estou desencarnada; conservo a cor e a forma que acima lhe descrevi. Embora seja dona de minha antiga instrução (o Espírito jamais perde o que aprendeu), tão cedo não quero ser branca. E, com Catambá, faço parte de uma corrente espiritual que semeia Amor, Amor, muito Amor."

Natasha Alexandrovna: Relato de um Espírito que Sofreu de Auto-Obsessão

> Os corações que oram e vigiam realmente, de acordo com as lições evangélicas, constroem sua própria fortaleza para todos os movimentos de ação espontânea. Os bons pensamentos produzem sempre o máximo bem sobre aqueles que representam o seu objetivo, por se enquadrarem na essência da Lei única, que é o Amor em todas as suas manifestações; os de natureza inferior podem afetar seu objeto, em identidade de circunstâncias, quando a criatura se faz credora desses choques dolorosos, na justiça das compensações.
>
> O *Consolador*, Emmanuel

QUANDO ENCARNADA, chamei-me Natasha Alexandrovna. Fui russa, natural da cidade de Kiev, na Rússia czarista.

Kiev era então uma cidade da nobreza. Meu pai, agraciado com o título de nobre, desempenhava importantes funções no governo do Império.

Tive uma infância e uma adolescência das mais luxuosas. Cursei as melhores escolas do meu tempo, o que me trouxe uma esmerada educação.

Embora muito cortejada por rapazes de minha condição, não me casei.

Ainda que que participasse dos esplendorosos saraus e festas, nos quais, ao lado de outras jovens, eu brilhava, desenvolvia dentro de mim um sentimento de solidão.

Em 1917, veio a Revolução Russa. O cenário da minha vida mudou. Às pressas, para não ser apanhado pelos revolucionários que o fuzilariam, meu pai arrebanhou o que podia de sua fortuna e emigramos para o Brasil. Aqui chegando, fomos morar no Rio de Janeiro; e vivíamos do que trouxemos da Rússia.

O sentimento de solidão que eu estupidamente alimentava, ante todos esses acontecimentos, mais se acentuou. Evitei amizades, e comecei a sentir-me velha. Eu era nesse tempo uma mulher plena; a velhice ainda estava longe de mim; mas eu a atraía naturalmente com meus pensamentos negativos; era um envelhecimento mental, uma ideia fixa como a da solidão. Não demorou muito e o espelho mostrou-me sinais dela. Tanto é verdade que o corpo reflete e grava o estado do Espírito.

Meus pais faleceram. Mudei-me para São Paulo. Com o pouco que me deixaram, o suficiente para eu viver modestamente, entreguei-me ao luxo e caí na miséria. Como eu nunca fizera nada na vida, julgava-me incapaz de trabalhar. E a velhice do corpo chegou, a verdadeira velhice. Pus-me a mendigar de porta em porta para não morrer de fome; morava num quartinho no Bom Retiro. Eu possuía capacidade e instrução para lutar, para remar contra a maré que me apanhara; não fiz o menor esforço para isso; simplesmente me deixei arrastar como os restos de um naufrágio ao sabor das ondas.

Sempre me queixei de tudo e de todos, principalmente do meu destino, sem perceber (ou não querendo entender) que fora eu mesma quem o construíra.

Sentia um prazer doentio em ser uma velha solitária. Na realidade, eu envelhecera pelo pensamento. A solidão fora minha ideia fixa, acompanhada depois pela velhice que me tornou um verdadeiro fracasso em forma humana.

Uma tardinha, cansada de ter passado o dia atrás dos meus níqueis, sentei-me embaixo do viaduto Santa Efigênia, e ali desencarnei. Na manhã seguinte, o carro fúnebre da prefeitura levou meu corpo para o necrotério.

Desencarnada, Espíritos da mesma categoria que eu levaram-me para o umbral inferior, onde integrei falanges de Espíritos solitários. E comprazia-me em cultivar na mente de criaturas encarnadas as ideias que me levaram à falência material e espiritual. Até que um dia, enojada daquela vida, minhas lágrimas de arrependimento atraíram uma corrente espiritual socorrista que me libertou.

Hoje estou filiada a esse mesmo grupo, cuja tarefa é semear nas mentes encarnadas ideias de entusiasmo, de otimismo, de gosto pela luta, pelo trabalho, pelo estudo, pela amizade, pelo equilíbrio em tudo, retirando dessas mentes toda e qualquer ideia fixa, toda e qualquer ideia negativista, e induzindo-as a nunca se queixarem, mas trabalharem por melhorar material, moral e espiritualmente.

E, para finalizar, eu lhes pergunto: vocês notaram que fui uma auto-obsidiada? Perceberam como se cria uma auto-obsessão? Nossa maneira de sentir, de pensar, de agir, reflete-se em nosso corpo físico, retrato de nossa alma. Cultivem incansavelmente a jovialidade; sejam sempre jovens, pensando jovialmente, semeando a alegria por onde passarem, e o espírito da velhice pouco poderá contra vocês.

Vidas Sucessivas Destruídas pela Vaidade

> Assim, pois, médiuns! Aproveitai essa faculdade que Deus vos concedeu.
> É esse um meio certo de centuplicar vossa felicidade nesta vida passageira e
> de vos preparar para uma existência mil vezes mais suave.
> Pascal, em O *Livro dos Médiuns*, Allan Kardec

Depois de muito tempo de meu desencarne, venho aqui trazer-lhes o meu depoimento para que vocês, caso me acreditem, não cometam os mesmos erros que eu cometi.

Do lado de cá do véu espiritual, que separa os encarnados dos desencarnados, as coisas são muito diferentes, bem diferentes mesmo.

Por volta de 1912 ou 1913, encontrava-me desencarnada. Recolhida a uma colônia espiritual expiratória, encravada numa região escura do Umbral, eu sofria muito: era como se um pesadíssimo vácuo me entristecesse o coração.

A paisagem em torno, árida e seca, envolta em uma eterna luz crepuscular, castigada por um vento sibilante e sinistro, mais e mais acentuava a tristeza em que se debatiam os pobres Espíritos ali encurralados.

Eu pertencera à corte do Rio de Janeiro. Gastei a encarnação em futilidades: entre rendas e perfumes, veludos, damascos, sedas, joias, saraus e bailes luxuosos; jamais pensei em outras coisas.

Fui lembrada por amigos que intercederam por mim junto às autoridades espirituais superiores; e convidaram-me a tomar novo corpo. Reencarnei-me em 1915 no estado do Rio de Janeiro, filha de pai espírita e de mãe protestante. Por conseguinte, fui espírita e protestante ao mesmo tempo.

No plano de minha nova reencarnação, constava que eu teria uma voz bonita, harmoniosa, para com ela semear alegria.

Desde muito cedo fui bem orientada no Espiritismo. E com minha voz excelente, eu cantava não só nas festividades protestantes, como também nas comemorações espíritas.

Parte importante do plano era que eu viria com o dom da mediunidade, que desabrochou no tempo certo.

Minha mediunidade, posta a serviço dos Poderes Superiores em favor dos sofredores tanto encarnados como desencarnados, e minha voz a semear uma alegria sadia, seriam a escada com a qual eu galgaria as Regiões da Luz.

Deixei de lado a mediunidade; recusei-me a desenvolvê-la, para o que forjei mil e uma desculpas; a principal delas era a de que ela atrapalharia minha carreira artística; abandonei-a, esqueci-a completamente.

Atirei-me à conquista dos bens materiais. Fui para a capital. Meu objetivo era vencer, exibir a minha voz. Tornar-me famosa, ser aclamada, ter admiradores, muitos admiradores.

Médium de campo aberto que eu era, captei todas as influências de Espíritos inferiores. As boates eram o meu mundo; viciei-me no cigarro e no álcool.

O cigarro corroeu o meu ser. As manchas perispiritais, frutos de um passado culposo eivado de erros que eu deveria expurgar, com o perispírito obstruído pela nicotina, não vinham para o corpo físico.

Hoje sei que as emanações dos vícios, quaisquer que sejam, como que forram o perispírito e, sobrepondo-se às camadas das encarnações anteriores, não deixam que ele se purifique, acumulando karma sobre karma.

O corpo de carne funciona como uma peneira, através do qual se escoam as impurezas localizadas no perispírito, geradas pelas nossas más ações durante a vida, pela nossa rebeldia, pelos nossos crimes, pelo nosso orgulho e vaidade.

Casei-me. Meu esposo era de família espírita. Reequilibrei-me. No entanto, as coisas não se apresentavam como eu as queria. O Espiritismo não me ajudava, porque eu devia trabalhar na mediunidade, e não o fiz; do ponto de vista espiritual, eu era uma fracassada.

Para conservar minha fama, conseguir triunfos, brilhar sempre como cantora, recorri a cartomantes, a adivinhos, a umbandistas. A cartomancia é igual à falta de fé: queremos escutar o que gostaríamos de ouvir; só o que nos convém.

Meu casamento se desfez.

Entreguei-me ao alcoolismo. Espíritos inferiores assediaram-me intensamente, vampiros que me sugavam não só pelo álcool, como pelo cigarro, nas boates elegantes que eu frequentava.

O tempo correu, os anos se passaram e chegou a velhice. Passei a ter horror de espelhos. A vaidade, sempre a vaidade, da qual eu não queria me desapegar.

Sofri um sério desastre; dele resultou o câncer. Não foi karma, não! Tudo foi provocado pelos meus excessos. Formada a doença, não quis aceitá-la; desencarnei violentamente em plena consciência. O grande público, meus admiradores, velaram-me no Teatro São Pedro.

Espíritos obsessores vieram buscar-me. Conheci lugares cavernosos, tenebrosos. Subi ladeiras íngremes. Levaram-me a zonas ilusórias, onde eu me via como outrora. Chafurdei-me no lodo. O vício me torturava sem tréguas.

Quanto tempo durou isso, não sei. E ouvi chamarem-me: "Irmã, venha, não sofra mais." E mãos seguras me ampararam, socorreram-me. Internaram-me numa colônia, uma espécie de Pronto Socorro Espiritual. Submeteram-me a um rigoroso tratamento de desintoxicação, durante o qual se exalava de mim um fedor insuportável. Mas, como me esclareceram, não purguei o meu karma provindo de encarnações anteriores. Os Espíritos boníssimos que me socorreram foram os de Cornélio Pires e Vésper, pseudônimo de um grande escritor que foi em sua vida terrena.

Mais tranquila agora, rememoro o passado. Percebo que fui uma solitária. Só cuidei de mim mesma. Nunca me importei com os outros. Jamais fiz conta de alguém, indiferente à dor de meus semelhantes, apesar de ter tido de meu casamento dois filhos e uma filha. A vaidade empederniu meu coração.

Por ter passado por tão penosas experiências provocadas por mim mesma, e já que me sinto reajustada, tenho autoridade para deixar-lhes aqui alguns conselhos:

A vaidade destrói a criatura; evitem-na.

Os vícios, quaisquer que sejam, impermeiam o perispírito, impedindo que os miasmas nele acumulados se desmanchem através do corpo de carne, queimando o karma e purificando-nos. As consequências dos vícios são horríveis, fujam deles.

Não corrompam o corpo; compreendam que ele é um vaso sagrado; respeitem-no.

Cultivem a amizade.

Sejam sempre companheiros.

Sejam universalistas.

Em quaisquer circunstâncias, deem sempre o bom exemplo, os exemplos bonitos, invariavelmente.

Uma pesada responsabilidade repousa nos ombros daqueles que são visados pelo grande público, daqueles que se tornam ídolos da multidão; o povo tende a imitá-los em tudo; daí a necessidade imperiosa, o dever de darem belos exemplos, puros, nobres, dignos de uma vida que poderá servir de inspiração positiva para outros.

E para finalizar este relato, deixo-lhes um conselho: não se fiem em suas imagens do corpo carnal e não se envaideçam dele. Muitas pessoas que encarnam com deformidades físicas, doenças degenerativas e feias aos olhos da sociedade e da cultura na qual renascem, foram extremamente vaidosas em suas vidas passadas, e de sua vaidade se tornaram vítimas. Portanto, deem graças ao que são nesta vida e nunca se envaideçam de sua mortal e passageira aparência da existência física.

Klaus, o Cracoviano e sua Irmã que Optou por Viver nas Trevas do Espírito

> E não temais os que matam o corpo e não podem matar a alma; temei antes aquele que pode fazer perecer no inferno a alma e o corpo.
>
> *Mateus, 10:28*

Tenho por hábito escrever de madrugada; é quando ninguém me incomoda; o telefone não toca, o pessoal dorme, o silêncio reina na casa, e eu, junto a meus livros, entrego-me ao trabalho, ao meu estudo.

Por vezes aparece um ou outro Espírito que me conta sua história; ouço-o atentamente, e transcrevo o relato para o papel. O último que me visitou foi Klaus, o cracoviano. Eis o que me narrou:

"Foi no princípio do século XVI; o movimento reformista chegara à Cracóvia. Entusiasmou-me. Desde encarnações anteriores eu era anticlerical. As boas-novas de Lutero, instrumento do Alto, embeveceram-me, a mim, a minha irmã e ao meu irmão. Por longo tempo vinha despertando em mim o desejo de difundir o Evangelho; e julguei o momento propício.

"Eu estudava intensamente as epístolas de São Paulo; seus sacrifícios para levar a boa-nova aos gentios extasiavam-me. Vibrava de entusiasmo ao ler seus padecimentos: '... em muitíssimos trabalhos, em cárcere muito mais, em açoites sem medida, em perigo de morte muitas vezes'. Dizia ele: 'Dos judeus, recebi quarentenas de açoites, menos um. Três vezes fui açoitado com varas, uma vez fui apedrejado, três vezes sofri naufrágio, uma noite e um dia estive no fundo do mar. Em jornada muitas vezes me vi em perigo de rios, em perigo de ladrões, em perigos dos de minha nação, em perigos dos gentios, em perigos no deserto, em perigos no mar, em perigos entre falsos irmãos. Em trabalho e fadiga, em muitas vigílias, com fome e sede, em muitos jejuns e frio'. E pelo trabalho de Paulo, a boa-nova se espalhou rapidamente por uma parte considerável da Terra. Com razão, ele afirmou, já no fim de sua vida: 'Combati o bom combate, acabei a carreira, guardei a fé'.

"E quando os raios do sol derretiam os últimos aglomerados da neve, entrava a primavera. Corríamos então para os campos; e com que alegria descobríamos os pequeninos brotos verdes que despontavam nos galhos que o inverno despira. Dentro em pouco tudo era verde; a relva forrava os campos; e milhares e milhares de florzinhas de todos os matizes floriam o relvado, ornado de orvalho.

"— Klaus — disse-me minha irmã, num de nossos passeios matinais —, por que não lermos o Evangelho aqui, de manhã, entre as árvores e as flores? Olha só que beleza!

"— É verdade, Klaus, boa ideia teve a Anutcha, o que achas? Ao despontar dos sol estaremos aqui respirando esse ar puro e perfumado, estudando a boa-nova, preparando-nos para seguir o exemplo de Paulo, que amas tanto! — ajuntou meu irmão.

"E assim fizemos. Muitas vezes o sol, ao raiar, encontrou-nos dissertando sobre as divinas lições de Jesus. E os passarinhos, saltitando nos ramos, faziam algazarra sobre nossas cabeças.

"Todos os que aderiam a Lutero ligavam-se a ele por mensageiros de confiança, e dele recebiam instruções. E um dia veio a ordem: 'Pegue a Bíblia, Klaus, e vá pregar na Espanha'.

"Ante tal comunicação, estremeci e titubeei: a Espanha era um país duramente dominado pela Inquisição; pregar a Reforma lá seria entregar-me de pés e mãos amarrados à garganta do lobo! Comuniquei meus receios a meus irmãos.

"— E Paulo, o apóstolo dos gentios, não enfrentou os mesmos perigos? — perguntou-me meu irmão.

"— Não receio por mim, mano; mas por você, por Anutcha. Bom, irei, mas irei sozinho; vocês ficam.

"— E Paulo não se fazia acompanhar por colaboradores? Iremos todos; está resolvido — replicou Anutcha.

"Discretamente liquidei meus negócios na Cracóvia. E numa madrugada, muito antes do romper do sol, com o céu todo estrelado, sem uma nuvem, partimos. Viajávamos a pé, cada um de nós levando sua maleta de roupas e coisinhas de uso pessoal.

"O frescor da madrugada nos incentivava a caminhar. Quando o sol estava a pino descansávamos na primeira estalagem que se nos deparava; tomávamos uma refeição ligeira e, quando o ardor do sol decaía anunciando a tarde, prosseguíamos até o próximo albergue, onde pernoitávamos.

"Naquela época, em que as viagens se faziam a pé, de carruagem ou a cavalo, as estalagens se estendiam por todas as estradas, e no descambar do dia, os viajantes se apressavam para chegar a uma delas, não fosse a noite surpreendê-los longe do pouso! Eram um misto de mercearia, hotel, bar, restaurante, de tudo, enfim, para atender aos viajantes; possuíam um pátio para as carruagens e cocheira para os animais; no salão de jantar, no inverno, acendia-se a lareira.

"De Cracóvia dirigimo-nos a Praga, capital da Boêmia, às margens do rio Moldava. Em Praga, demoramo-nos um dia visitando a cidade. Em seguida, chegamos a Nuremberg e atravessamos o Ducado de Luxemburgo, e daí seguimos para Bruxelas. Paramos três dias em Bruxelas, refazendo as forças; vencêramos a primeira etapa da viagem.

"Por todos os locais onde passávamos, procurávamos os irmãos e pregávamos a Reforma; fomos hospedados por muitos deles. A língua não nos causou transtornos; falávamos muito bem o francês; e tínhamos estudado o latim, o que nos auxiliou a dominar o idioma espanhol.

"Lembro-me com saudades daqueles dias: quanto conversamos durante a caminhada, quantos projetos de lutas em favor de nosso ideal, que sincero amor nos unia! Toda a nossa atenção era para nossa irmã; nas cidades e aldeias de nosso caminho, procurávamos o melhor para ela, o que a fazia exclamar:

"— Manos, já não sou uma criança, sou uma lutadora também! — E ria-se, feliz.

"Alcançamos o canal da Mancha; estávamos em terras da França. E, contornando as costas francesas pela região da Bretanha, chegamos a Nantes, onde nos demoramos para um repouso necessário. De Nantes fomos para Bilbao, já na Espanha; dali, atravessando Navarra e Catalunha, viemos a Tarragona, terminando nossa viagem.

"Tarragona era uma cidade pequenina, banhada pelo Mediterrâneo, situada na encosta de montanhas. Tendo sido dominada pelos romanos, persistiam nela majestosas ruínas do tempo deles; visitá-las era nosso passeio predileto. Nossa casa era de construção antiga, de pedras, no alto de um penhasco; as janelas se abriam para o abismo; lá embaixo, as ondas arrebentavam com estrondo, principalmente nos dias de tempestade, quando o mar se enfurecia; eu gostava de contemplá-lo, lá no fundo do abismo, a espumar revolto: era um espetáculo fascinante. A rua de casa era uma ladeira íngreme, de pedras lisas, grandes e irregulares. Como a maioria delas, nossa casa dava diretamente para rua, da qual se separava por estreita calçada.

"Recordo-me perfeitamente da magnífica catedral, situada no ponto mais alto da cidade; subia-se a ela por uma escada larga, cujos degraus eram de pedra. A fachada talhada em puro estilo gótico ostentava no centro belíssima e enorme rosácea; na portada admiravam-se bonitos baixos-relevos e grandes estátuas de apóstolos e profetas.

"Anutcha arrumou nosso lar com muita simplicidade e de noite, à luz do lampião, estudávamos a Bíblia. Preparávamos nossas pregações, que eram feitas muito cautelosamente para não despertar suspeitas nos esbirros da Inquisição e não sermos denunciados. Tão logo nos acomodamos, pusemo-nos em contato com Lutero, e dedicamo-nos à propaganda da Reforma.

"Um dia, conheci Maria Lúcia, jovem de origem portuguesa, também adepta da Reforma. O amor brotou em nossos corações; casamo-nos e tivemos três filhos.

"Hoje, analisando esse passado tão distante, percebo que o comportamento de minha irmã para comigo mudara, embora ela nada deixasse transparecer, desde o instante em que lhe apresentei Maria Lúcia.

"— Tenho para mim que Anutcha não me estima tanto quanto demonstra — disse-me certa vez minha mulher. — Creio que sua amizade para comigo e para com você tem algo de falso.

"— Impossível, querida; somos três irmãos que se adoram. É um pensamento tolo esse seu; tire-o da cabeça, sim? — respondi-lhe.

"— Sim... sim... Klaus, pode ser... — e calou-se pensativa.

"E não se falou mais nisso.

"Infelizmente, minha esposa estava certa. Desde o primeiro instante de nosso namoro, nasceu no íntimo de Anutcha o ciúme; ela nada fez para combatê-lo; deixou que o monstro tomasse conta de todo o seu ser, de todo o seu coração, de toda a sua alma. E esse sentimento mais se agravava pela minha preponderante e ativa atuação no movimento reformista.

"E tanto quanto posso e me foi permitido sondar o passado, minha ligação com Anutcha data de época remota, do antigo Egito, do reinado do faraó Tutmés III, da XVIII dinastia egípcia. Eu era um oficial chefe da guarda sob as ordens de Rhekhemiri, um dos ministros do faraó. E foi numa das festas de Rhekhemiri que conheci Tákait, que hoje é minha irmã Anutcha. Abrindo o cortejo cerimonial, vinha Tákait; vestia uma longa túnica branca, presa por um laço num ombro, deixando o outro nu, cobrindo-a elegantemente até os pés; seguiam-na oito pares de esbeltas jovens, as quais carregavam nos ombros pequeninas ânforas de água perfumada para purificar o local da cerimônia. Nossa paixão foi arrebatadora.

"Casamo-nos, e através de muitas reencarnações de ódios, e também como amantes ardorosos, chegamos até aqui.

"O perispírito, nosso corpo espiritual, é um arquivo indelével e implacável de nossas palavras, de nossos pensamentos, de nossos atos; daí nos virem as ideias inatas, as simpatias e antipatias por certas pessoas; e se não estivermos firmes nos desejos do bem, se não repelirmos fortemente as sugestões ou tentações malignas, elas podem tomar corpo e levar-nos a reincidir nos erros. Foi o que aconteceu com Anutcha: nossas vidas decorridas anteriormente, mistura de amor e ódio, despertaram-lhe o ciúme terrível, ao qual ela não opôs resistência. Perturbada ao extremo, passou a ser insuflada pelas correntes espirituais inferiores que combatiam a Reforma, que se aproveitaram de seu estado mental, atirando-a contra mim.

"Uma manhã, Tarragona acordou em festa: receberia a visita de Don Juan de Tarragona, bispo de Sevilha, e da abadessa de San Formin. A cidade se movimentou para honrar tão ilustres visitantes, que se hospedaram na catedral, em meio a festividades.

"Valendo-se da presença do bispo, uma manhã Anutcha se levantou sorrateiramente, dirigiu-se à basílica e me denunciou.

"O dia decorreu sem incidentes. Mas, ao cair da noite, uma estranha procissão subiu a ladeira: na frente caminhava um encapuzado portando uma cruz no alto de um longo cabo, seguiam-no meia dúzia de outros encapuzados, três de cada lado com tocheiros, e uma confraria levando nas mãos compridas velas acesas; encerrando o cortejo, vinham dois familiares do Santo Ofício e, em seguida, os esbirros.

"Pararam diante da porta de minha casa.

"Era a Inquisição.

"Prenderam-me. Vedaram-me os olhos e levaram-me para o cárcere:

"A prisão situava-se nos subterrâneos da igreja: calabouços imundos, fétidos, escuros; empurraram-me para dentro de um deles e aferrolharam a porta. Não me acorrentaram, ainda que houvesse cravadas na parede correntes e algemas. Sofri horrores; não havia luz; o calabouço era úmido; por refeição, forneciam-me um prato de arroz, um naco de pão e uma bilha de água; por cama, um monte de palha semiapodrecida; os ratos disputavam-me a comida; vermes e parasitas corriam sobre mim ferrando-me a pele. Eu só via luz quando o carcereiro me trazia a magra refeição e quando vinham buscar-me para o interrogatório.

"Os interrogatórios me martirizavam mais do que a tortura, e repetiam-se duas, três vezes por dia. Como acusado, eu comparecia perante um tribunal, davam-me a conhecer as acusações descobertas contra mim e denunciadas por falsas testemunhas. Para me defender, eu podia usar da palavra quanto tempo quisesse; faziam-me jurar sobre o Evangelho e pediam-me explicações minuciosas.

"O tribunal compunha-se de dois religiosos, de um escrivão e de um juiz. Se eu negasse os atos de que me acusavam, ou se não respondesse às perguntas insidiosas que me dirigiam, o juiz mandava que me aplicassem a tortura; a mais comum durante o interrogatório era cravarem-me com um martelinho de prata uma lasquinha de madeira sob as unhas, lentamente; as pontas de meus dedos estavam em carne viva; algumas unhas já tinham sido arrancadas, mesmo as dos pés.

"Formado o processo, chegou o dia de meu julgamento; conduziram-me perante o Tribunal da Inquisição. Arrastaram-me quase, pois eu mal andava, dado o meu estado miserável.

"O tribunal assemelhava-se a um júri. Os jurados, designemo-los assim, estudaram o processo, leram-no em voz alta, e me condenaram à fogueira por heresia.

"Contrariando o regimento da Inquisição, que não permitia que mulheres participassem do tribunal, convidaram a abadessa de San Formin para integrá-lo. E por uma deferência toda especial, perguntaram-lhe:

"— O que mais, abadessa?

"Sentindo-se lisonjeada pelo fato de as altas autoridades inquisitoriais pedirem-lhe a opinião, com um sorriso agradável nos lábios, respondeu:

"— A fogueira só não basta, coloquem-lhe também a máscara de ferro.

"E foi ouvida.

"O suplício da máscara de ferro consistia em encerrar a cabeça do condenado numa bola de ferro, que se abria por um dos lados, ajustando na altura dos olhos dois grossos punhais aquecidos até o rubro; e vagarosa, muito vagarosamente, fechavam a bola.

"Não resisti; amarraram o meu cadáver no poste que se sobressaía do monte de lenha, ao qual atearam fogo. As labaredas subiram, lambendo os meus restos, e dentro em pouco o vento espalhou minhas cinzas. E assim se consumou o auto de fé, depois de dezessete meses de minha prisão, e no qual, entre outros condenados, eu fui a principal figura.

"Desencarnado, logo que me recuperei, tomei conhecimento do desastre que Anutcha causara: minha mulher, meus filhos, meu irmão, presos também pela Inquisição, foram decapitados e esquartejados. Os poucos bens que possuíamos, a casa e o que esta continha, foram confiscados. Anutcha arrependeu-se e, tomada pelo remorso, suicidou-se, atirando-se pela janela, esfacelando-se penhasco abaixo e afundando no mar.

"Entidades amigas do plano espiritual prontamente nos socorreram, à minha família e a mim. Quanto à minha irmã, depois de sofrer por tempo indeterminado, no mesmo local, as consequências de seu ato desvairado, foi recolhida ao vale dos suicidas da Espanha, pois cada país tem o seu, onde purgaria a loucura que cometera. Visitei-a muitas vezes; jazia numa gruta escura, lamacenta, soltando gritos histéricos, completamente enlouquecida; visões espantosas a atormentavam; seu períspirito se apresentava como um corpo todo quebrado, emanando um pus fétido. E ali, sempre que os guardiões daquela região de dor me autorizavam, eu ficava junto dela por algumas horas, orando e chorando.

"O tempo passou, a vida continuou.

"Anutcha reencarnou-se em solo espanhol, em Madri: leprosa, cega e deformada. Não conseguira refazer o corpo espiritual, o perispírito, profundamente atingido pela tremenda queda. Era-lhe serviçal e companheiro de todos os instantes um cãozinho, que a guiava pelas ruas à cata de esmolas. Eu também já estava reencarnado na mesma cidade. Frequentemente, pelas ruas da bela capital, eu encontrava a cega e leprosa. Nesses encontros, brotava em mim um incontrolável desejo de ajudá-la, de minimizar seu sofrimento, de fazer algo por ela. Conquanto eu fosse um fidalgo, nunca tive condições de estender-lhe a mão. Como no passado, eu continuava um ferrenho anticlerical.

"Cega, leprosa, aleijada, desencarnou de sede, na sarjeta; morreu sem um pingo de água sequer que lhe refrescasse a garganta ressecada. Nos últimos instantes, somente o cachorrinho a socorreu. Há qualquer coisa nos animais que lhes supre o instinto. O cãozinho, vendo-a estendida na beira da calçada, arquejante e com a língua de fora, pôs-se a lamber-lhe a língua, e ela avidamente chupava, engolia a baba do companheirinho.

"E a roda do tempo continuou a girar.

"Reencarnei; nasci no Brasil numa cidade do interior fluminense, de pais abastados. E na mesma época, em localidade vizinha, nascia a pequenina Alzira, minha prima; juntos transcorremos nossa infância.

"Na idade áurea dos anos infantis, em que o Espírito repousa esquecido do passado, totalmente entregue à alegria que tínhamos nas festas populares, éramos companheiros inseparáveis, ou ela em minha casa ou eu na casa dela. Brincávamos de esconde-esconde, de pular corda, de pique, de maridinho e mulherzinha, de casinha, de fazer doces de areia, e de muitas outras coisas que só as crianças sabem inventar.

"Tivemos por babá nhá Zita, ex-escrava que meu pai alforriara tão logo a comprou. Meu pai não admitia escravos em sua propriedade; comprava-os e imediatamente passava-lhes carta de alforria e transformava-os em assalariados.

"Nhá Zita, com sua experiência, com sua bondade, encaminhou-nos para a rota do bem, do amor fraterno, do respeito a tudo e a todos.

"Todavia, à medida que Alzira entrava na adolescência, pendia mais e mais para o mal, para o qual descambou inteiramente ao atingir a maturidade. Entregou-se à prática da magia negra, e tudo fazia para desenvolver-se e aprender a usá-la para malefícios. Para ela, essa encarnação seria a oportunidade de uma redenção sublime, mas desprezou a magnífica ocasião.

"Estávamos na época da escravidão. Alzira percorria o mercado de escravos, selecionava os mais fortes e saudáveis e os comprava. Em sua fazenda, tratava-os muito bem, até mesmo com alimentação especial, para deles extrair o fluido animal, base da magia negra.

"Um feiticeiro, também africano, que havia ali por perto, mas que se dedicava à magia branca para a cura de doentes que o procuravam, avisava-a com insistência:

"— Nhá Alzira, pare com isso; todo o mal que fazemos se volta contra nós mesmos; pare com isso enquanto é tempo!

"— Cale-se, não se meta comigo, e não tente me atrapalhar! — respondia colérica.

"Realmente, o feiticeiro tinha razão: ao manipularem-se os fluidos, tanto para a magia negra como para a magia branca, parte deles invade o corpo do manipulante, fixando-se no perispírito. Como os fluidos para a magia branca são purificados, limpam-lhe o perispírito, suavizando-lhe o karma. Com os fluidos preparados para a magia negra sucede o mesmo: parte deles é absorvida pelo perispírito do manipulante e, ao chegar a hora de este purgar o karma, transformam-se em horrível choque de retorno, porque tais fluidos são deletérios. É a lei da ação e reação que age implacável.

"Separamo-nos por algum tempo. Já formado, fui para a Europa aperfeiçoar-me na Medicina. Lá tive a dádiva de conviver com os espíritas; conquistei a amizade do grande apóstolo do Espiritismo, Léon Denis, o qual me iniciou na Doutrina Espírita. Já casado, retornei ao Brasil.

"Alzira tinha se transformado numa perigosa maga negra. Como que revivendo o ciúme que no passado a fizera entregar-me à Inquisição, perseguiu-me tenazmente, até jogar-me na miséria.

"E no seu girar incessante, a roda do tempo me trouxe o desencarne. Tão logo estive em condições de trabalhar no plano espiritual, dediquei-me a ampará-la, tudo fazendo para elevá-la, para moralizá-la, para que retornasse ao caminho do bem; nada consegui. Ela se entregara à vida do luxo e dos prazeres na alta aristocracia do Rio de Janeiro, onde era adulada e temida; totalmente entregue à vida material, desligou-se dos planos luminosos.

"Revejo com lágrimas nos olhos o desencarne de Alzira: foi dolorosíssimo; deu-se numa casa ensolarada, que ainda hoje existe no bairro do Cosme Velho, no Rio de Janeiro. O câncer roeu-a até a medula dos ossos; dentro do caixão, seu corpo era apenas um arremedo; mal pesava alguns quilos.

"Há já três dezenas de anos que Alzira, criatura que me foi cara, está reencarnada. Os Engenheiros Materiais tiveram o cuidado de lhe ocultar o Espírito num corpo tal que seus inimigos do passado, que são muitos, dificilmente a encontrarão. E eu, o velho Klaus, da antiga cidade de Cracóvia, na Polônia, ajudo-a, ajudo-a, ajudo-a com todas as minhas forças, de todas as maneiras que me são possíveis, porque em seu coração despertou o sincero desejo de redimir-se."

A Freira:
Relato de um Espírito Sofredor e sua Redenção no Espiritismo

> P. 657 – Os homens que se entregam à vida contemplativa, não fazendo o mal e só pensando em Deus, têm algum mérito a seus olhos?
> R. – Não, pois se não fazem o mal, também não fazem o bem e são inúteis. Aliás, não fazer o bem já é um mal. Deus quer que se pense nele, mas não que se pense apenas nele, pois deu ao homem deveres a serem cumpridos na Terra. Aquele que se consome na contemplação e na meditação nada faz de meritório aos olhos de Deus, porque sua vida é toda pessoal e inútil para a Humanidade. Deus lhe pedirá contas do bem que não tenha feito.
> *O Livro dos Espíritos*, Allan Kardec

Antigamente, era costume para as famílias abastadas ou nobres, dedicarem o primogênito à carreira eclesiástica; era chique, quase que uma honra. A criança já nascia com o futuro marcado: seria padre ou freira, dependendo do sexo. Só assim os pais, dentro do orgulho fidalgo que os caracterizava, sentiam-se realizados. Ter um filho padre ou uma filha freira era como que um complemento a seus títulos de nobreza. E nada os demovia dessa ideia: a primícia do casamento pertencia à Igreja, para a qual era encaminhada desde o nascimento.

Fernanda era a primogênita do casal Montez, da alta fidalguia espanhola. O pai desempenhava funções na corte e a mãe era uma devota religiosa fanática, inteiramente dominada pelos padres, que lhe eram comensais assíduos. E ela crescia, decorrendo sua infância feliz e risonha, enchendo a mansão de traquinagens com seus irmãos e irmãs.

Companheiro de Fernanda era Rogério que, embora não fidalgo, pertencia à aristocracia espanhola. Era uma amizade que unia as duas famílias de havia muito, e os dois cresceram juntos. Desde a meninice eram companheiros quase que inseparáveis, companhia essa que continuou na juventude.

Um dia, a mãe de Rogério, olhando os jovens, que constituíam um parzinho adorável, disse à mãe de Fernanda:

— Como se estimam... só lhes falta casar!

Ao que a mãe de Fernanda respondeu indelicadamente:

"– Isso nunca! Fernanda desde que nasceu está destinada a ser freira; fiz essa promessa e a cumprirei."

A amizade entre as famílias esfriou; as visitas rarearam e, quase que às escondidas, os jovens se encontravam. E foi então, tal como um estranho presságio, que descobriram que se amavam.

Fernanda bem sabia da promessa de sua mãe, pois constantemente ela a recordava, e tudo fazia para guiá-la por esse caminho; pequenina ainda a matriculara num famoso colégio de freiras. Mas Fernanda não acreditava que sua mãe fosse cumprir a promessa. Ante a afirmação da mãe diante de Rogério, seus olhos meigos se encheram de lágrimas e seu coração bateu descompassada e dolorosamente. Ela sabia que nada dobraria a altivez de sua mãe, dominada pelo clero da época e pelas madres, que viam nela uma rica presa que lhes renderia um valioso dote em Valência.

Aos dezesseis anos, encaminharam-na para o convento de Santa Teresa de Lisieux, onde professou. De nada lhe valeram as súplicas e lágrimas, nem mesmo a interferência de um seu tio que a estimava muito. A mãe obedecia ao seu fanatismo, e o pai a seus interesses na corte, receando desagradar os dignitários da Igreja.

A última vez que Fernanda viu Rogério foi diante do convento, do outro lado da rua, ao apear-se da carruagem. Ele lhe fez um leve sinal de adeus com a mão; ela enxugou uma lágrima e abafou um soluço, e o pesado portão se fechou defronte a ela.

O noviciado foi-lhe uma provação dolorosa. Todo o trabalho pesado do convento estava a cargo das noviças dirigidas por freiras rudes, que não as poupavam. Fernanda foi designada para o grupo que esfregava o chão; e, com exceção dos instantes consagrados à oração e aos estudos, vivia ajoelhada nas lajes, com uma lata de água e sabão, e esfregava, esfregava até deixá-las brilhantes ao gosto da freira diretora do grupo. Seus pulsos, seus braços doíam, mas não se queixava, o que era proibido: o dever de uma noviça era ser humilde e obediente. Porém, ela pensava enraivecida: "Hei de vingar-me, eu me vingarei".

Assim transcorreu seu noviciado; e chegou o dia solene de Fernanda receber o hábito de freira professa. Ao cortarem-lhe o cabelo, duas grossas lágrimas lhe escorreram pelas faces, e seu pensamento voou para Rogério. Uma pergunta sobre seu pesar lhe foi feita pela madre superiora, à qual Fernanda respondeu:

– Não, madre, são lágrimas de alegria.

As lágrimas secaram, seus olhos se tornaram duros, perderam a meiguice. E ela pôde, enfim, frequentar o parlatório, que ligava o convento ao mundo; o mundanismo penetrava no convento por ele. No locutório, as freiras podiam receber visitas de ambos os sexos, entregarem-se a uma tagarelice barulhenta, receberem presentes; enfim, viviam por algumas horas a vida do mundo que tinham deixado.

Maria Joana, uma prima de Fernanda, visitava-a com frequência — não só porque a estimava, como também para participar daquele movimento que lhe quebrava a monotonia da semana — e lhe trazia todas as novidades lá de fora.

Com medo, certa vez, Fernanda lhe perguntou:

— E Rogério, o que faz?

— Prometo lhe contar na próxima visita. Agora tenho de ir.

A visita seguinte demoraria quinze dias, durante os quais Fernanda quase se consumiu de tanto pensar: "O que Maria Joana lhe diria a respeito de Rogério? Talvez já estivesse casado".

E quando voltou, ao encontrá-la colada às grades do locutório, com uma pergunta muda nos olhos ansiosos, Maria Joana foi logo dizendo:

— Não, não se casou. Escolheu a carreira das armas, e agora comanda um regimento do nosso exército.

Um profundo suspiro de alívio escapou de seu peito; seus olhos, por um instante, recobraram a meiguice de outrora, e murmurou:

— A carreira das armas... mas é tão perigosa!...

Fernanda tinha razão. Rogério teve morte gloriosa numa batalha para expulsar o exército de Napoleão, que invadira a Espanha.

Desse dia em diante, um ar de tristeza ensombrou o rosto de Fernanda; seus olhos se tornaram mais duros ainda.

Falecendo a madre superiora, Fernanda, usando a influência do pai, tomou-lhe o lugar. Sim, também nos conventos havia politicagem, e muita, e foi nomeada prioresa do convento.

Orgulhosa e cheia de autoridade, sentindo uma dor profunda em seu coração e relembrando o que sofrera no noviciado, descarregou seu sofrimento nas pobres noviças, cometendo barbaridades.

As noviças penaram em suas mãos. Não lhes deu tréguas. Inventou para elas novas penitências, uma das quais eram as agulhadas. Uma vez por semana, mandava que comparecessem diante dela, se ajoelhassem e, enquanto vagarosamente rezavam um Padre Nosso e uma Ave Maria, ela lhes espetava o corpo com uma agulha.

Eis que Fernanda descobre que uma freira, de alguma influência, ambicionava o seu cargo. A família dessa freira tinha prestígio; era bem possível que o conseguisse.

O que fez ela?

Aproveitando umas reformas que se faziam no prédio, mandou que o pedreiro-chefe, ele mesmo, sem ajudantes, para o que o pagou bem, fizesse num dos cantos afastados um desvão estreito, mas no qual coubesse uma pessoa de pé. A freira foi atraída para aquele recanto solitário e, num instante, o pedreiro emparedou-a viva.

Porém, o medo começou a remoer seu coração: "E se o pedreiro contasse o que ela fizera?"

Como prioresa, ela tinha autoridade na Inquisição. Denunciou o pedreiro como herege; os guardas vieram prendê-lo, e a ordem que lhes deu foi: "Moer-lhe os ossos a pancadas, nada de interrogatórios". E foi obedecida.

A roda do tempo mais uma vez girou, e em sua passagem nada deixa sem transformações. A prioresa desencarnou. Seu desencarne levou-a a regiões escuras da Espiritualidade inferior, onde só havia remorsos, prantos e ranger de dentes. Depois de uma temporada de lágrimas, arrependimento e meditação, foi retirada daquele inferno por um grupo socorrista e matriculada numa classe de estudos na qual lhe recordaram os deveres cristãos.

Prometeu cumpri-los.

Até aqui é o seu depoimento. Seguem-se agora nossas próprias observações, pois foi nossa companheira de trabalhos espirituais.

Reencarnada, mãe de família, trabalhava como médium em nosso Centro Espírita. Perfeitamente integrada na Doutrina Espírita, estudiosa de Allan Kardec, cumpria seus deveres mediúnicos com dedicação, em favor de sofredores encarnados e desencarnados; simples, de vida humilde, nunca se lhe notaram pruridos de orgulho ou de vaidade; contentava-se com sua tranquila obscuridade; se alguma vez errou, foi por excesso de bondade; seus lábios se abriam para suavizar queixas e suas mãos se estendiam para enxugar lágrimas.

Contudo, sua saúde foi das mais precárias; seu corpo, enfermiço, pregou constantes sustos em seus familiares, obrigando-os, muitas vezes tarde da noite, a transportá-la rapidamente ao pronto socorro e hospitalizá-la.

Sofria de uma estranha moléstia, que a Medicina não conseguiu diagnosticar: dores nos ossos; todo o seu esqueleto doía. E essa tortura repetia-se com raros intervalos. Os últimos cinco anos de sua vida é que foram os mais dolorosos. O que ela não tomou de injeções, em todas as partes do corpo! Por fim, chegou a ser recolhida a uma Unidade de Terapia Intensiva, na qual suportou os mais dolorosos exames e aplicações cirúrgicas. Ao ser retirada dali, confessou-me que teve a impressão nítida de ter sido emparedada viva.

Terminando o seu depoimento, disse-nos:

"Do fundo do meu coração, do íntimo de minha alma, agradeço ao Pai Altíssimo a graça que me concedeu, creio que por meu insignificante trabalho mediúnico a favor dos sofredores. Essa graça foi a seguinte: meus ossos, principalmente minha coluna vertebral, deveriam pulverizar-se aos poucos, até meu corpo se converter em algo gelatinoso, mas vivo, porque meu Espírito não se desprenderia dele tão cedo. Porém, antes que isso acontecesse, desencarnei. E agora, Eliseu, você sabe quem está aqui ao meu lado, lendo por cima de seu ombro o que você escreve?"

Não faço a mínima ideia, minha irmã.

"O Rogério."

Ontem, a prioresa Fernanda Montez, hoje, simplesmente Maria Fernandes.

Um Espírita Decaído

P. 226/3 — Os médiuns que empregam mal suas faculdades, que não as utilizam para o bem ou não as aproveitam para sua própria instrução, sofrerão as consequências disso?
R. — Se as usarem para o mal, serão duplamente punidos, pois perdem a oportunidade de aproveitar um meio a mais de se esclarecerem. Aquele que vê claramente e tropeça é mais censurável que o cego que cai na valeta.
O Livro dos Médiuns, Allan Kardec

NUMA DE NOSSAS REUNIÕES MENSAIS PRIVATIVAS, apresentou-se um Espírito desejoso de fazer o seu depoimento. Por meio de voz de um médium psicofônico e com o gravador acionado, assim se deu sua narrativa:

"Não se espantem com o meu depoimento de espírita desencarnado; também entre os espíritas há os prevaricadores, os que distorcem os ensinamentos da Doutrina segundo seus mesquinhos interesses; eu fui um deles.

"Tive a felicidade de nascer no meio de uma família espírita; portanto, fui o que se chama um espírita de berço. O Espiritismo acalentou minha infância.

"Meu pai era muito rigoroso, e criou-nos, a mim e a meus irmãos, dentro da mais alta moral. A seus filhos, tão logo soubessem ler, dava-lhes *O Evangelho segundo o Espiritismo* para estudo. Acabávamos o aprendizado da leitura nesse livro. Naquele tempo ainda não havia os catecismos espíritas ou as aulas de moral cristã.

"Eu adorava o que lia naquele livro; não o trocava por nenhum outro; o Espiritismo empolgava-me. Em meu íntimo, eu afirmava: 'Vou ser um grande espírita'. E quando me faziam as perguntas que comumente se fazem aos meninos: 'O que você vai ser quando crescer?' Eu respondia invariavelmente: 'Vou ser um grande espírita'.

"Decorreram-se os dias; chegou a juventude. Fiz meus cursos primário e secundário no Instituto de Educação Caetano de Campos; formei-me advogado na Academia de Direito do Largo São Francisco. E, durante os anos de estudos, conservei o Espiritismo fielmente ao meu lado.

"Logo que me formei, instalei meu escritório de advocacia e dediquei-me à profissão.

"O meu primeiro caso, a minha primeira audiência, comoveu-me muito: tratava-se de uma senhora casada em segundas núpcias que, para defender o filho, matou o marido, o padrasto dele. Então percebi que, com minha profissão, eu poderia distribuir muitos benefícios, suavizar muitas dores. E assim dediquei-me mais e mais ao Espiritismo.

"Veio-me a ideia de levar a oratória aos Centros Espíritas. Era-me fácil: na universidade fazíamos torneios de oratória, de eloquência, e eu me saía bem em todos eles. Através de minha palavra, inflamada de entusiasmo, bem trabalhada, era meu sonho desenvolver o programa de O *Livro dos Espíritos*.

"E assim se fez.

"Usei da palavra, de minha oratória, de minha eloquência, na tribuna da Federação Espírita Paulista, da Liga Espírita do Estado de São Paulo, da Cruzada dos Militares Espíritas, nos Centros Espíritas e onde quer que me convidassem.

"Os convites choviam de todas as partes; recebiam-me com todas as honras; disputavam o direito de hospedar-me; pagavam as despesas da viagem; escolhiam grandes salões da cidade, e até mesmo cinemas e teatros onde coubesse a multidão que me ouviria. E depois... havia o jantar na casa de um dos principais, para o qual me levavam quase que em triunfo.

"O tempo passava. E mais amor eu nutria pelo Espiritismo.

"Todavia, apesar das inúmeras advertências de meus superiores espirituais, esbarrei com um escolho que eu não soube evitar: a bajulação. Fui excessivamente adulado e gozava intimamente os louvores que me tributavam, Tornei-me vaidoso. E usei o Espiritismo no meio de muitas apresentações.

"Eis que fundaram um Centro Espírita num bairro de Osasco, e me convidaram para ser o presidente, o diretor da instituição que começava. Aceitei.

"Eu tinha preparo suficiente para a tarefa. Além de meu estudo sobre Espiritismo nesta encarnação, eu trazia material de minha encarnação passada, na qual estudara para sacerdote, sendo padre na época da Inquisição, desempenhando o cargo de Inquisidor. Não poupei os 'hereges'. E, quando desencarnado, persegui-os obstinadamente; alimentava um ódio profundo contra eles; como desencarnado, continuei a ser um Inquisidor ferrenho. Nessa minha última encarnação, os Poderes Superiores concederam-me a oportunidade de ressarcir o meu pesado débito por meio do Espiritismo.

"A minha primeira medida foi obter plenos poderes dentro do Centro, para tudo decidir.

"Eu morava num palacete em bairro elegante de São Paulo e, para não voltar para casa nas noites frias, depois de terminados os trabalhos no Centro, exigi que se construísse nos fundos do prédio uma confortável suíte para o meu repouso.

"O orgulho envolveu-me totalmente. Tinha verdadeiro horror a pessoas humildes Sob minha direção desenvolveram-se belíssimos e produtivos trabalhos de desobsessão, de curas, de assistência social. E assim, o tempo foi passando.

"Sofri um acidente ferroviário ao ir, certa vez a Mogi das Cruzes, num trem da Central do Brasil, no começo de março de 1955 ou de 1957, não me lembro bem. Esse desastre causou-me um trauma na perna, que me deixou manco. Isso foi consequência dos meus antigos atos na época da Inquisição. Envergonhado do defeito, não quis mais comparecer ao Palácio da Justiça e recolhi-me à minha casa.

"Então começaram os presentes: dúzias de ovos, cachos de bananas, arroz, feijão, frangos etc. Naquela época, ao redor de Osasco havia granjas, hortas, pomares. Mas o que me davam no Centro não era para mim, não: era para os pobrezinhos que lá acorriam, em busca de socorro. Porém, eu levava tudo para casa.

"Minha situação financeira não era das melhores. Pudera!, eu abandonara a profissão! Os donativos se multiplicaram, e comecei a embolsá-los: parte para mim, parte para o Centro. Eu organizava campanhas para tudo: consertar os móveis, pintar o Centro, para isto, para aquilo, promovia bazares. E, para ampliar o Centro, torná-lo maior, hipotequei o prédio. Enfim, eu vivia do Espiritismo.

"Contudo, o povo me amava e eu era amado por todos; minha palavra era lei; obedeciam-me cegamente.

"Minha família desgovernou-se, revoltou-se contra a Doutrina. Um filho meu amaldiçoou o Espiritismo e saiu de casa; foi embora para o Rio de Janeiro, onde morreu apunhalado, numa briga.

"Minha mediunidade decaiu; mediunicamente eu não conseguia mais nada. Passei a mistificar segundo minhas conveniências; forjei comunicações; já as trazia copiadas; fingia que as recebia ali na mesa, e depois as lia; e os assistentes não percebiam coisa alguma.

"Um dia... ai, esse dia!...

"Apareceu no Centro uma jovem muito bonita, chamada Berenice, para tratamento espiritual; ao vê-la, meu coração balançou. Eu andava na casa dos cinquenta anos e uma ideia fixa tomou conta de mim: 'Preciso fazer algo para possuí-la. Como?'

"No entanto, eu havia aberto campo para a Espiritualidade inferior, a Espiritualidade das trevas, os obsessores atuaram facilitando-me tudo. E a resposta veio: 'A moça precisa passar três dias seguidos na suíte, despida, nua', como eu ansiava por vê-la. Ela relutou um pouco, mas acabei convencendo-a que isso era necessário para preparar-se para o trabalho. Ela tomaria um banho em água magnetizada. Mandei buscar caldeirões de água. Magnetizei essa água; porém pelo polo negativo; os obsessores colheram bacilos astrais efêmeros em boates e prostíbulos e os aplicaram na água.

"O banho foi feito.

"Não me contive e fiz minha mistificação: simulando estar tomado pelo Espírito do dr. Bezerra de Menezes, disse-lhe: 'Isto é histeria, falta-lhe sexo, relaxa que vamos te curar'.

"Dado aquele banho, a paciente não reagiu; virou uma presa fácil em minhas mãos e tornou-se minha amante.

"E assim preparei a derrocada do grupo.

"Minha mediunidade decaiu mais ainda.

"Criei uma sessão de efeitos físicos fraudulentos. Berenice ajudava-me a realizá-la. Ela saía de um vão das cortinas, enrolada num amplo manto branco, e encenava ser um Espírito; por detrás das paredes do palco arranjava barulhos, socos, ruídos diversos, jogava flores nos assistentes, enquanto eu me conservava fingidamente em transe, amarrado numa poltrona.

"E não parei aí: desencaminhei filhas de médiuns, que depois caíram na prostituição; e me tornei responsável por muitos abortos criminosos.

"Tudo isso eu fazia sempre falando em Kardec, sempre pregando Kardec.

"Como não podia deixar de ser, o choque de retorno chegou numa bela manhã e com uma visão que eu nunca, jamais poderia imaginar: assisto a uma sessão do Tribunal da Inquisição.

"Conquanto esse tribunal não mais exista na face da Terra, persiste e funciona, contudo, nas regiões inferiores do umbral, especialmente nas cidades espirituais expiatórias: os juízes, as câmaras de tortura, os instrumentos de suplício, as salas do tribunal, os subterrâneos escuros, tudo, tudo como antigamente no mundo material.

"Ante tal visão, que se cristalizou nitidamente dentro do salão do Centro, perdi a consciência e entreguei-me loucamente a destruí-la; assim destruí o Centro.

"Internaram-me no Hospital Psiquiátrico do Juqueri, no bairro de Franco da Rocha, na cidade de São Paulo.

"Nos meus intervalos de lucidez, eu chorava. Repreensões severas caíam sobre mim, como o granizo num cafezal: 'O que você fez, infame, imundo? O que fez você da água magnetizada? O que fez você do nome de Allan Kardec, de Bezerra de Menezes? O que fez você do Espiritismo? O que fez você dos Espíritos encarnados que lhe foram confiados?'

"Certa manhã as acusações se fizeram tão fortes que novamente o Tribunal da Inquisição se fez presente, mas dessa vez cheio de excrementos, de imundícies.

"Desencarnei vítima de um enfarto.

"Sofri a 'autópsia'. Sim, a 'autópsia' entre aspas. O necrologista não era médico, não era nada; só sabia retalhar cadáveres. A estada de um paciente no Juqueri já era uma tortura. Dentre os inúmeros médicos que ali estagiavam, raros, raríssimos eram reais sacerdotes da Medicina. Alguns poucos, almas nobres, se interessavam por nós, os pacientes; para o resto, desde a alta administração ao mais ínfimo auxiliar, éramos 'coisas' sem o mínimo valor humano, e como coisas imprestáveis éramos tratados. Enterraram-me em terra fria, e só quando a putrefação consumiu meu corpo é que me libertei dele.

"O pessoal do Centro Espírita, que num singelo recanto de Osasco me foi confiado, descobriu toda a minha patifaria, e concluiu que a Doutrina Espírita não prestava, e abandonou-a. Recebendo em cheio o pensamento de todos, eu gritava histericamente: 'Ouçam-me, o Espiritismo não tem nada com isso, quem não presta sou eu!' Porém, eu já não podia ser ouvido. E avaliei toda a extensão de minha culpa: 'De fato, o dr. José tinha ensinado isso!'

"O comando da Inquisição apanhou-me. Foram anos de sofrimento. Todos os instrumentos de tortura que havia na Terra ali estavam e foram usados para me infligir dores terríveis.

"Um dia, frei Artur se aproximou de mim. Frei Artur fora meu protetor durante minha encarnação. Porque eu fui surdo às suas intuições, aos seus avisos, aos conselhos e diretrizes que me dava quando o sono me libertava do corpo, nas madrugadas antes de me acordar? Desviando-me do caminho reto, eu fugia dele e não mais quis ouvi-lo. Tomando-me em seus braços, frei Artur retirou-me dali.

"Pedi-lhe notícias do Centro: o prédio fora desativado, o Centro fechou. E para todos o dr. José era um salafrário dos piores.

"Se vocês pudessem me ver agora, veriam que não sou mais aquela figura elegante de outrora. Meu porte é: cabelos compridos, emaranhados, sujos; barba crescida, suja, embaraçada; face de um cadáver; roupa em trapos; pés descalços.

"Preparo-me para trilhar o longo, longuíssimo caminho da reparação, da correção das minhas infâmias, mas antes quero deixar-lhes uma advertência:

"Hoje os espíritas são o sal da Terra; ai desse sal se ele perder a força!

"Pede-lhes uma prece o dr. José."

Mediunidade e Humildade

> Será que ele agradecerá ao servo por ter feito o que lhe foi ordenado?
> Assim também vocês, quando tiverem feito tudo o que lhes for ordenado, devem dizer:
> "Somos servos inúteis; apenas cumprimos o nosso dever".
> *Lucas, 17:9-10*

NOSSO INSTRUTOR ESPIRITUAL, Laurindo, numa tarde de sábado, ao terminar nossos estudos mensais sob sua orientação, convidou-nos:

— Nesta noite, preparem-se bem para dormir. Obtive um convite de nossos Superiores para assistirmos à conferência do instrutor Heliodoro. Ele é um campeão da mediunidade; teremos muito que aprender. Virei buscá-los às duas da madrugada. Preparem-se para um bom desdobramento.

Dos cinco convidados, apenas três estavam em condições de segui-lo. E partimos.

Guiados pelo pensamento de Laurindo, dirigimo-nos a Epidauro, cidade da Argólida, na Grécia, banhada pelo Mar Egeu. Seu teatro, um dos teatros gregos mais bem conservados, resplandecia como nos áureos tempos; suas ruínas como que estavam reconstruídas; aparelhos de luz iluminavam-no, e os de som levavam o mais leve cicio a todas as arquibancadas; delegações de Espíritos de várias esferas ligadas à Terra ocupavam-nas; distinguiam-se umas das outras pelas tênues cores que irradiavam.

Ao transpormos a entrada, fomos encaminhados à sala de recepção, onde, com exceção de Laurindo, nos aplicaram passes, minimizando a influência de nosso corpo carnal; sentimo-nos como que libertos de um peso e com a percepção espiritual mais aguçada. Tomamos lugar nos camarotes reservados aos ainda encarnados; notei que éramos muitos.

De súbito, fez-se um silêncio absoluto. No centro do palco materializou-se uma tribuna que parecia feita de luz esmeraldina; de ambos os lados dela, poltronas do mesmo material. Uma orquestra invisível começou a tocar acompanhando um coro de vozes, que cantava um hino de rara beleza, tendo por tema o coro dos anjos ao nascer Jesus: "Glória a Deus nas alturas, e paz aos homens a quem Ele quer bem".

Terminado o cântico, materializou-se na tribuna Heliodoro, e nas poltronas, seus assessores, que eram seis, três de cada lado.

Heliodoro vestia um manto levemente azulado que lhe caía até os pés em dobras elegantes; aparentava sessenta anos: cabelos curtos, brancos; também a barba era curta, muito bem cuidada e lhe cobria as faces; olhos negros, profundos, irradiando suavidade. De pé, na tribuna, ergueu a mão direita espalmada cumprimentando-nos e pediu que o acompanhássemos na prece, durante a qual uma luz diamantina, provinda do Alto, envolveu-nos a todos. Correu o olhar pela enorme assistência, fixando-o particularmente em nós, os ainda encarnados.

— Irmãos, todos vós que aqui estais preparam-se para partir para as lutas redentoras na face da Terra, levando convosco a tarefa de espalhar o Espiritismo, codificado pelo nosso irmão maior, Allan Kardec. O centro irradiador desse movimento situa-se, como o sabeis, no Brasil. As falanges de Ismael, o anjo protetor dessa nação, vos darão todo o apoio necessário. Entretanto, o principal apoio está dentro de vós mesmos; não o esqueçais.

Aqui fez uma pausa, fixando ainda particularmente o nosso grupo, com seus olhos perspicazes.

"— Recordarei convosco algumas recomendações de Jesus, as quais não deveis jamais esquecer, pois serão o vosso escudo protetor.

"A primeira delas é que não vos esqueçais, jamais, de que sois os arautos do Consolador prometido por Jesus. E como os arautos desse Consolador enviado sob o nome de Espiritismo, não olvideis que o principal arauto dessa falange é Allan Kardec, o Codificador. Não vos afasteis dele e de sua humildade. Sigam-lhe o exemplo: ele reduziu sua vida material, suas necessidades materiais, à expressão mais simples, a fim de que as exigências da matéria não o perturbassem.

"Desprezai as honras do mundo, que são armadilhas armadas a vossos passos para fazer-vos tropeçar. Lembrai-vos que o Divino Arauto de Deus, Jesus, não frequentou o palácio dos césares, nem buscou os favores farisaicos.

"Contentai-vos com o pouco que Deus vos der, e não queirais acumular tesouros, pois não podereis ser arautos do Codificador com a mente fixa no brilho das moedas. Não vos torneis adoradores do bezerro de ouro, e recordai-vos que o Sublime Arauto não tinha onde descansar a cabeça.

"No trato com vossos irmãos, não vos façais de maior; mas sede sempre o servidor de todos, a ponto de lavardes os seus pés, se preciso for.

"No desempenho de vossas tarefas espirituais conservai o bom ânimo; que jamais se turbe o vosso coração. Crede em Deus e no Sublime Arauto que servis na Terra.

"Lembrai-vos de que, de agora em diante, passareis a ser o sal da Terra. Cuidado! Não percais a vossa força para não serdes pisados pelos homens como o sal inútil.

"Vede que vivereis como ovelhas no meio dos lobos. Para não serdes devorados por eles, sede prudentes como as serpentes e símplices como as pombas. Os lobos vorazes no meio dos quais ireis viver são as honrarias do mundo. Cuidado! Tão logo começardes a aparecer, sereis bajulados pelos homens, chamados pelos grandes, incensados, adulados, elogiados, e tudo o mais que a vaidade humana inventou para fazer nascer o orgulho no coração dos arautos imprudentes. Cuidado! É aí que as cobras mostram sua prudência e as pombas sua simplicidade! Cuidado! Defendei-vos, estando sempre junto aos pequeninos, aos pobrezinhos, aos sofredores, aos desamparados, aos que nada, nada têm para vos dar a não ser sua gratidão, sua dor, sua esperança.

"E nas vossas preces da manhã, ao despertar, e nas vossas preces da noite, preparando-vos para o repouso, não vos esqueçais de acrescentar: 'Perdoai-me, Senhor, sou um servo inútil, um arauto que cumpre muito mal o seu dever'."

Heliodoro fez uma pausa; percorreu toda a assembleia com seu olhar profundo, temperado de meiguice e, tomando um ponteiro, prosseguiu:

— Temos no momento encarnados na Terra vários arautos que daqui partiram com tarefas específicas no campo do Espiritismo; vejamos como se comportam.

Alçando o ponteiro, descerrou-se atrás da tribuna uma grande tela; seus seis assistentes concentraram-se firmemente, e vimos, ao fundo, um arco de triunfo ornamentado de deuses do paganismo e de coroas de flores das festas pagãs; de seu interior estendia-se uma estrada coberta de pétalas de rosas; essa estrada desenrolava-se também pela superfície de um lago que exalava vapores mefíticos. Notamos que dentro dele havia Espíritos a se contorcerem.

Do interior do arco de triunfo começou a sair uma procissão: muitas brigas e, em cada uma delas, de pé, um homem de nossos dias finamente trajado. Ao lado das brigas, desfraldavam-se estandartes ostentando as honrarias que cada qual tinha recebido como arautos do Espiritismo: títulos honoríficos, medalhas, títulos de cidadania, homenagens que lhes foram prestadas aqui e no estrangeiro, recepções, banquetes, jantares que lhes foram oferecidos depois das pregações, viagens custeadas, e tudo o mais que a vaidade humana inventa para glorificar seus protegidos. De tanto em tanto, a multidão que os aclamava atirava-lhes punhados de flores, e eles, envaidecidos, desdobravam-se em sorrisos.

E as bigas avançavam e a multidão aplaudia. Súbito, tudo desapareceu. Na estrada florida ficaram só os homenageados, que continuaram a avançar em direção ao lago, mas agora cada um carregando pesado fardo nas costas: era o que os estandartes mostravam, as honrarias que aceitaram do mundo. E sempre palmilhando a estrada coberta de pétalas de rosas, adentraram o lago e afundaram no lodo pestilencial que as rosas encobriam.

De repente, lancei um grito: "Santíssimo Divino!" No meio daquela procissão que se perdia no lago, vi dois, reconheci dois, e quis lançar-me no lodaçal para tirá-los dali! Num átimo, Laurindo, que estava ao meu lado, pacificou-me, libertando-me da angústia que me oprimia.

A tela desapareceu. Heliodoro, que fizera uma pausa, prosseguiu:

— Oremos por esses arautos que se esqueceram das recomendações do Mestre e foram apanhados pelos lobos vorazes...

Acordei. Minha esposa, ao meu lado, perguntou-me aflita:

— O que aconteceu?! Você soltou tamanho grito...

ADENDOS

O Racismo no Espiritismo

LENDO O LIVRO de Gilberto Freyre, *Novo Mundo nos Trópicos*, me deparei, na página 124, com esta afirmativa do grande sociólogo: "A tentativa geral no Brasil dos nossos dias é para considerarmos a escravidão episódio encerrado..."

Entretanto, humildemente terei que discordar desse gigante das letras, que é um dos meus ídolos: não, o episódio da escravidão ainda não está encerrado; e o que dizemos da raça negra é válido também para a raça indígena, aqui encontrada e convertida à escravidão. Referimo-nos à parte espiritual.

Pesa sobre o Brasil, sobre a coletividade brasileira, o karma da escravidão; é necessário que o purguemos. Só quando esse karma estiver purgado, então sim o episódio da escravidão estará encerrado definitivamente.

Na parte material, caminhou-se para isso, o que não é de hoje. Haja vista o seguinte trecho do discurso do general de divisão Moacyr Pereira, comandante da 4ª Divisão do Exército, publicado pelo jornal *O Estado de S. Paulo* em 22 de setembro de 1982: "Veio depois o despontar da nacionalidade no episódio épico dos Guararapes. E foi, novamente, com o coração voltado para as ideias cristãs, que nunca abandonamos, que brancos, negros e índios, que pela primeira e definitiva vez amalgamados, souberam expulsar o invasor holandês".

No Largo do Paissandú, em São Paulo, ao lado da igreja do Rosário, há um monumento à Mãe Preta, com os seguintes dizeres:

Mãe Preta,
Na escravidão do amor a criar filhos alheios,
Rasga, qual pelicano, as maternais entranhas,
E deu à Pátria livre, em holocausto, os seios.
                (Versos de Ciro Costa)

E no livro *Brasil, Coração do Mundo, Pátria do Evangelho*, lemos:

O elemento indígena foi chamado a colaborar na pátria nova; almas bem-aventuradas pelas suas renúncias se corporificaram nas costas da África flagelada e oprimida e, juntas com outros Espíritos em prova, formaram a falange abnegada que veio escrever na Terra de Santa Cruz, com os seus sacrifícios e com os seus sentimentos, um dos mais belos poemas da raça negra em favor da humanidade.

Todavia, se temos a raça africana já incorporada à nossa sociedade, ainda não a incorporamos ao Espiritismo, ao Espiritismo que o grande Codificador, Allan Kardec, nos trouxe.

E por que não incorporá-la à sublimidade do Espiritismo de Allan Kardec?

Dos Centros Espíritas e Federações Kardecistas, os Espíritos de africanos são repelidos, banidos impiedosamente, não lhes aceitando o amoroso concurso, o mesmo acontecendo com os Espíritos de nossos índios. Negam-lhes oportunidades de trabalho, de enriquecimento espiritual, de evolução, de aprendizado. E com isso perdem-se preciosos auxiliares, especialmente no campo da desobsessão e também no da humildade, cujas lições continuam a dar-nos, além de atrasarmos a purgação do pesado karma brasileiro.

E os velhos africanos trazidos encarnados da África, nas malhas da escravidão, depois de darem lições de humildade aos brancos, continuam do lado de lá do véu, desencarnados, a ensinar aos Espíritos rebeldes e orgulhosos da raça branca as mesmas lições que ministraram pelos seus exemplos de mansidão e doçura aos sinhôs e sinhás dos tempos da senzala.

Nas sessões espíritas kardecistas que consentem em recebê-los, apresentam-se através de médiuns bem desenvolvidos, e geralmente falam um português simplicíssimo, entremeado de modismos. Mas com que candura explicam uma passagem evangélica! Que conselhos de alto valor moral dão aos ouvintes! Com que amor transmitem um passe aos necessitados! E, caso se apresentarem fora das normas kardecistas, é facílimo corrigi-los com carinho; eles sabem obedecer e se enquadrar a elas.

Entretanto, onde os velhos africanos realizam um trabalho de excelência é nas curas da obsessão: organizam-se em grupos espirituais, as chamadas correntes espirituais, sob o controle e a orientação de Espíritos superiores, e combatem a obsessão em todas as suas formas, libertando obsidiados, conduzindo ao bom caminho pobres Espíritos obsessores, ensandecidos pelo ódio e pelo mal. Eles constituem um dos cernes de nossa nacionalidade, chamados pelo próprio Jesus a compô-la, assim como os indígenas, conforme nos demonstra o livro já citado: *Brasil, Coração do Mundo, Pátria do Evangelho*.

E o elemento indígena, outro pilar de nossa nacionalidade, por que desprezá-lo espiritualmente? Acaso Jesus o preteriu na formação de nossa Pátria?

Não nos enganemos. Tenhamos por certo que os velhos Espíritos africanos, aqui chegados nos porões dos navios negreiros; os Espíritos de nossos índios, aqui encontrados pelos descobridores na exuberância de nossas florestas virgens, do lado de lá do véu que os oculta, ombro a ombro com os Espíritos dos brancos de todas as etnias e nacionalidades que aportaram durante a colonização, trabalham espiritualmente para a consolidação espiritual da Pátria do Evangelho, para cuja grandeza espiritual as três raças constroem os alicerces, a negra, a branca e a índígena.

Entretanto, muitos ainda têm ideias torpes sobre isso e indagam: mas são duas raças ainda caminhando lentamente na estrada evolutiva?! Respondo-lhe: a raça branca não lhes fica atrás, nem na frente; emparelha-se com elas; também a raça branca é cheia de abusões, de crendices, de superstições, espiritualmente infantil, tudo isso temperado com preconceitos, orgulho, vaidade.

Então, qual o remédio?

Educação espiritual para as três.

Os Centros Espíritas deverão ser, essencialmente, focos de luz, focos educacionais, onde prepondere a humildade em todos os sentidos.

De nada adianta uma ótima retórica e a eloquente oratória de um orador espírita por uma ou duas horas, e por fim os ouvintes nada levarem para casa, a não ser o comentário de que o orador falou bem.

Por que não aceitar os Espíritos das duas raças irmãs? Será por se exprimirem na linguagem que aprenderam no cativeiro? Submetamo-las a uma análise rigorosa, imparcial, sem ideias preconcebidas. Eduquemo-las, corrijamo-las; mas repudiá-las, nunca.

Não deixemos que o racismo macule a pureza do Espiritismo.

Não tornemos mais pesado o karma da escravatura que pesa sobre o Brasil; purguemo-lo com carinho e amor; e, quando ele estiver purgado, então, sim, o episódio da escravidão estará definitivamente encerrado.

Sobre Responsabilidade de um Diretor de Centro Espírita

Os trabalhadores de um Centro Espírita, qualquer que seja o grau que ocupem na casa, nenhum deles está isento de responsabilidades. Logicamente, a responsabilidade de cada um é proporcional à tarefa que desempenha.

Porém, o conjunto das responsabilidades recai nos ombros do diretor dos trabalhos espirituais, ou seja, do dirigente das sessões.

A primeira coisa que o diretor deve ter em mente é que o Espiritismo não veio para servir a amigos, mas para servir a Deus. Levado pela amizade, ele pode fraquejar, isto é, cometer erros ou atos contrários à correta doutrina, atendendo a pedidos impossíveis, no desejo de beneficiar amigos.

Outro ponto a observar é que ele, o dirigente dos trabalhos, não é dono dos médiuns. Os médiuns são seus colaboradores diretos, e como tais devem ser tratados, e nunca como seus subalternos, mas sim como seus companheiros de lutas e de sacrifícios; o dirigente das sessões lhes deve amor e carinho.

Por melhor que um médium trabalhe, o dirigente nunca deve elogiá-lo excessivamente, o que poderá tornar o médium orgulhoso e vaidoso de sua faculdade, arruinando-a. E também o dirigente não deve aceitar elogios, nem dos Espíritos, nem dos encarnados.

Elogios, o afã de atender amigos, a vaidade de estar ocupando um posto de comando, acarretam o envolvimento do dirigente por Espíritos zombeteiros, e ele cai vítima de mistificadores. Por isso é muito importante que o dirigente saiba analisar-se para não desviar-se do caminho reto: analisar seus pensamentos, analisar seus atos, analisar suas palavras, analisar seu comportamento.

O posto de dirigentes de sessões espíritas, e de um Centro Espírita em geral, é um posto de renúncia e de sacrifícios; exige pulso forte e a máxima dedicação. O dirigente deve lembrar-se de que está constantemente sob a vigilância de Espíritos inferiores, que se aproveitam de suas fraquezas para atingi-lo e desmantelar o grupo. E o resultado dos erros a que ele der causa, ele os carregará através de encarnações sucessivas, fazendo-o perder um tempo precioso.

Deve tratar a todos com amor e carinho, porém, certo de que jamais conseguirá contentar a todos. E nunca, em hipótese alguma, deve arquitetar comunicações para servir a seus interesses, ou para agradar terceiros; os resultados serão gravíssimos.

Muito cuidado com a "fofoca", a maledicência que surge pelos Centros como erva daninha. O diretor dos trabalhos jamais deve dar atenção a ela, já que extirpá-la de todo é impossível.

A maledicência, os mexericos, intrigas, a "fofoca", enfim, são as principais armas de que as trevas usam para arruinar um Centro Espírita. Ai do diretor dos trabalhos, ai dos médiuns, caso se deixem envolver por ela.

É preciso cuidado com seu sono, para não ser atraído, durante a semiliberdade que o sono lhe concede, para as universidades negras do submundo espiritual, donde voltará com a mente composta segundo o desígnio dos magos negros, que combatem a Luz.

Atenção para com as leituras; não se deixar empolgar por livros recebidos mediunicamente por médiuns mistificados; livros esses cheios de ideias ridículas e de ensinamentos extravagantes, geralmente acobertados por nomes veneráveis.

É em Allan Kardec que um diretor de trabalhos espirituais deve buscar suas diretrizes; o que se não guiar pelos ensinamentos de Allan Kardec deve ser rejeitado inexoravelmente, venha de onde vier, e por mais pomposo que seja o palavreado e o nome que o assina.

Quem tem vontade de progredir e de seguir o caminho reto procura tudo em Allan Kardec.

Nunca se deixem iludir pelos espíritas de cartola; quando eles se aproximam de um Centro Espírita, os frequentadores fogem.

Não se julguem insubstituíveis; ninguém o é. O diretor dos trabalhos espirituais de um Centro Espírita tem por dever preparar seus substitutos: ninguém está livre de uma doença, de uma viagem, de fatos que o obriguem a faltar aos trabalhos do Centro, e, por fim, do desencarne. É urgente que haja pessoas capazes de ocupar o seu lugar, de tocarem o Centro para a frente, evitando que os trabalhos parem. É preciso ter o especial cuidado e carinho para formá-las. Será doloroso para ele ver-se desencarnado e o Centro que dirigia fechar por não ter quem lhe continue a obra. É preciso dar oportunidade aos continuadores, e prepará-los.

Um Templo Espírita, isto é, um Centro Espírita, deve primar pela simplicidade, para que todos se sintam bem dentro dele, sem constrangimento.

E por fim, todos os trabalhadores e responsáveis de um Centro Espírita devem ter sempre presente a advertência de Jesus: "Quem quiser ser o maior, que se faça o servidor de todos."

Palavras Finais

Fechemos estas páginas recordativas.
Anoitece.
O anoitecer é sempre melancólico.
Mas sem o anoitecer não há alvorada.